#과학은매일매일
#하루6쪽20일완성
#수능준비스타트
#과학기초하루시리즈

하루
수능

Chunjae
Makes
Chunjae

▼

기획총괄	이성주
편집개발	강형민, 김세희
디자인총괄	김희정
표지디자인	윤순미, 김지현
내지디자인	박희춘, 이혜미
제작	황성진, 조규영

발행일	2021년 2월 15일 초판 2021년 2월 15일 1쇄
발행인	(주)천재교육
주소	서울시 금천구 가산로9길 54
신고번호	제2001-000018호
고객센터	1577-0902
교재 내용문의	(02)3282-8832

시 작 은

하루
수능

이 책의 **구성과 특징**

수능 과탐 준비의 시작은 하루 수능!

하루 수능 생명과학 I은 혼자서도 단계적으로 공부할 수 있도록 한 입문서입니다.
하루에 6쪽씩, 일주일에 5일, 4주 동안 차근차근 기초를 완성할 수 있습니다.

❶ 이번 주에는 무엇을 공부할까? ❶, ❷

❶에서는 한 주 동안 공부할 내용을 알아봅니다. ❷에서는
기초 개념을 그림과 간단한 문제로 확인해 봅니다.

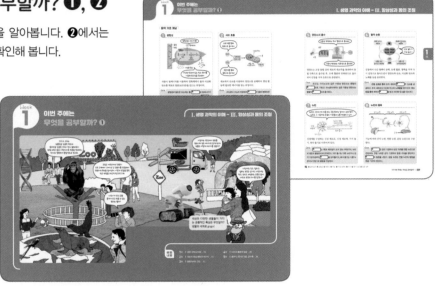

❷ 핵심 개념/개념 확인

그림을 살펴보며 핵심 개념이 무엇인지 파악하고, 개념 확인
문제로 핵심 개념을 잘 이해했는지 점검합니다.

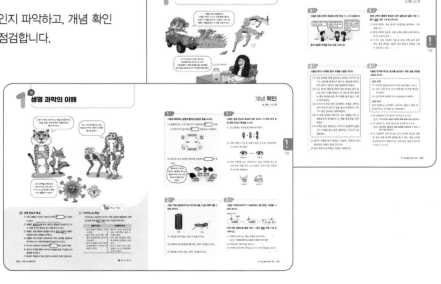

Features

기초 유형 연습

대표 기출 유형 문제를 자세히 분석하여 기출 문제에 대한
감각을 익히고, 실력을 다집니다.

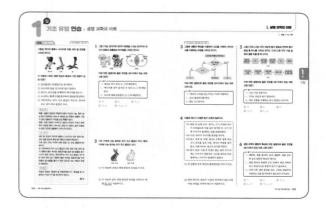

누구나 100점 테스트

매주 공부한 내용을 바탕으로 다양한 기출 문제와 변형 문제
를 풀어 봅니다. 각주에서 공부한 내용을 다시 한 번 정리하
고, 실력을 점검할 수 있습니다.

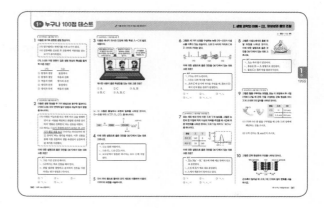

창의 · 융합 · 코딩

기출 문제 중 창의력이 필요한 문제, 복합 유형의 문제를
엄선하여 구성하였습니다. 5일 간 공부한 내용을 되짚어
보며 한 주를 마무리하세요.

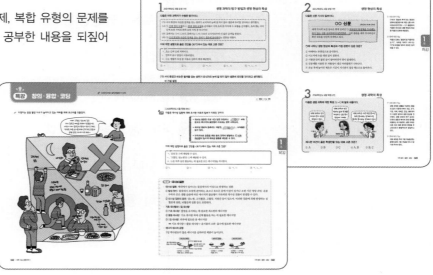

이 책의 차례

Contents

이번 주에는
무엇을 공부할까? ①

중학 기초 개념

❶ 광합성

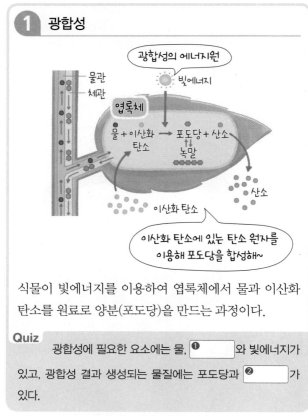

식물이 빛에너지를 이용하여 엽록체에서 물과 이산화 탄소를 원료로 양분(포도당)을 만드는 과정이다.

Quiz

광합성에 필요한 요소에는 물, ❶ [　　　]와 빛에너지가 있고, 광합성 결과 생성되는 물질에는 포도당과 ❷ [　　　]가 있다.

❷ 세포 호흡

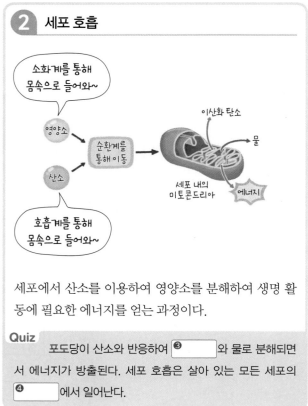

세포에서 산소를 이용하여 영양소를 분해하여 생명 활동에 필요한 에너지를 얻는 과정이다.

Quiz

포도당이 산소와 반응하여 ❸ [　　　]와 물로 분해되면서 에너지가 방출된다. 세포 호흡은 살아 있는 모든 세포의 ❹ [　　　]에서 일어난다.

❸ 소화

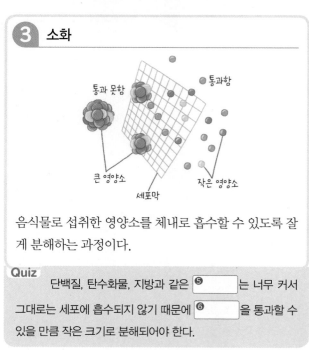

음식물로 섭취한 영양소를 체내로 흡수할 수 있도록 잘게 분해하는 과정이다.

Quiz

단백질, 탄수화물, 지방과 같은 ❺ [　　　]는 너무 커서 그대로는 세포에 흡수되지 않기 때문에 ❻ [　　　]을 통과할 수 있을 만큼 작은 크기로 분해되어야 한다.

❹ 영양소의 소화

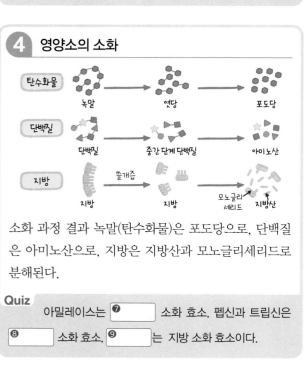

소화 과정 결과 녹말(탄수화물)은 포도당으로, 단백질은 아미노산으로, 지방은 지방산과 모노글리세리드로 분해된다.

Quiz

아밀레이스는 ❼ [　　　] 소화 효소, 펩신과 트립신은 ❽ [　　　] 소화 효소, ❾ [　　　]는 지방 소화 효소이다.

답 ❶ 이산화 탄소 ❷ 산소 ❸ 이산화 탄소 ❹ 미토콘드리아 ❺ 영양소 ❻ 세포막 ❼ 녹말 ❽ 단백질 ❾ 라이페이스

5 영양소의 흡수

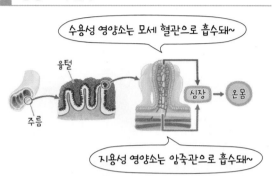

수용성 영양소는 모세 혈관으로 흡수돼~

융털

주름

심장 → 온몸

지용성 영양소는 암죽관으로 흡수돼~

영양소는 소장 융털 상피 세포의 세포막을 통과하여 융
털 안쪽으로 흡수된 후, 모세 혈관과 암죽관으로 흡수
되어 심장을 거쳐 온몸으로 운반된다.

Quiz 포도당, 아미노산과 같은 수용성 영양소는 융털의
❶ 으로, 지방산, 모노글리세리드 같은 지용성 영양소는
융털의 **❷** 으로 흡수된다.

6 혈액 순환

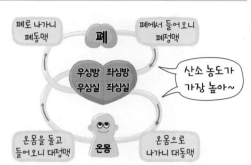

폐로 나가니
폐동맥

폐

폐에서 들어오니
폐정맥

우심방 좌심방
우심실 좌심실

산소 농도가
가장 높아~

온몸을 돌고
들어오니 대정맥

온몸

온몸으로
나가니 대동맥

심장에서 나간 혈액이 동맥, 모세 혈관, 정맥을 거쳐 다
시 심장으로 돌아오면서 영양소와 산소, 이산화 탄소와
노폐물 등을 운반한다.

Quiz 온몸 순환을 통해 조직 세포에 **❸** 와 산소를 공
급하고, 조직 세포에서 이산화 탄소와 노폐물을 받아오며, 폐순
환을 통해 폐에서 **❹** 를 받고 이산화 탄소를 내보낸다.

7 뉴런

뉴런은 그리스어의 밧줄 또는 끈을 뜻하는 말에서 유래 됐어.
뉴런은 그 이름처럼 온몸의 기관들과 뇌를 연결하고 있어.

자극의 전달

신경
세포체

축삭 돌기

가지 돌기

신경계를 구성하는 신경 세포로, 신경 세포체, 가지 돌
기, 축삭 돌기로 이루어져 있다.

Quiz **❺** 는 핵과 세포질이 모여 있는 부위이며, 뉴런
의 생장과 물질대사에 관여한다. 가지 돌기는 다른 뉴런이나 감
각 기관으로부터 **❻** 을 받아들이고, 축삭 돌기는 다른 뉴
런이나 반응기로 흥분을 전달한다.

8 뉴런의 종류

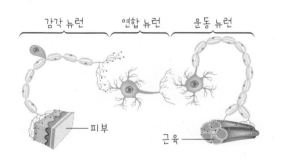

감각 뉴런 연합 뉴런 운동 뉴런

피부

근육

기능에 따라 감각 뉴런, 연합 뉴런, 운동 뉴런으로 구분
한다.

Quiz **❼** 은 감각 기관에서 받은 자극을 연합 뉴런으로
전달하며, 연합 뉴런은 감각 기관에서 받은 자극을 판단하고
❽ 에 명령을 내린다. 운동 뉴런은 연합 뉴런의 명령을
운동 기관에 전달한다.

답 ❶ 모세 혈관 ❷ 암죽관 ❸ 영양소 ❹ 산소 ❺ 신경 세포체 ❻ 자극 ❼ 감각 뉴런 ❽ 운동 뉴런

1일 생명 과학의 이해

핵심 개념

1 생명 현상의 특성

① 모든 생물은 구조적 기능적 단위인 **①**<u>   </u>로 구성되어 있다.

② 생물은 물질대사를 하여 필요한 물질을 합성하기도 하고, 생명 유지에 필요한 에너지를 얻기도 한다.
└─ 생명체에서 일어나는 모든 화학 반응

③ 생물은 생명 활동에 영향을 미치는 <u>환경 변화</u>에 적절히 반응함으로써 생명을 유지한다.
└─ 자극

④ 생물은 외부 환경이 변하더라도 체내 상태를 일정하게 유지하는 데, 이러한 특성을 항상성이라고 한다.

⑤ 하나의 수정란에서 발생하고 **②**<u>   </u>하여 성체가 된다.

⑥ 생식과 유전을 통해 어버이의 형질을 닮은 자손을 남겨 종족을 유지한다.

⑦ 환경에 적응하고 적응 과정이 누적되어 진화가 일어난다.

2 바이러스의 특성

● 바이러스는 세균보다 크기가 작은 감염성 병원체로, 단백질 껍질 속에 핵산이 들어 있는 구조로 되어 있다.
└─ 유전 물질

생물적 특성	비생물적 특성
• 유전 물질인 핵산을 가지고 있다.	• 세포의 구조를 갖추지 않으며, 세포막과 세포 소기관이 없다.
• 살아 있는 숙주 세포 내에서 물질대사와 증식이 가능하다.	• 숙주 세포 밖에서는 핵산과 단백질 결정체로 존재한다.
• 증식 과정에서 유전 현상과 돌연변이가 나타나 진화할 수 있다.	• 효소가 없어 숙주 세포 밖에서 스스로 물질대사를 할 수 없다.

답 ❶ 세포 ❷ 생장

1-1

그림에 해당하는 설명에 들어갈 알맞은 말을 쓰시오.

(1) 물질대사는 크게 에너지가 방출되는 **❶** [ ] 작용과 에너지가 흡수되는 **❷** [ ] 작용으로 구분된다.

(2) 핀치의 부리 모양은 환경에 적응하여 [ ]한 예이다.

갈라파고스 군도의 핀치는 섭취하는 먹이의 종류에 따라 서로 다른 부리의 모양을 갖게 되었다.

곤충을 먹는 새　선인장을 먹는 새
나뭇잎을 먹는 새　씨를 먹는 새

1-2

다음은 생명 현상의 특성에 대한 예이다. 각 예와 관계 깊은 생명 현상의 특성을 쓰시오.

(1) 짚신벌레는 분열법을 통해 번식한다.

(2) 어떤 사람이 어두운 곳에서 밝은 곳으로 이동하였더니 동공이 작아졌다.

어두운 곳　→　밝은 곳

(3) 더운 지방에 사는 사막여우는 추운 지방에 사는 북극여우에 비해 귀가 크고 몸집이 작아 더운 지방에서 살기에 적합하다.

사막여우　　　북극여우

2-1

그림 (가)는 담배모자이크 바이러스를, (나)는 메뚜기를 나타낸 것이다.

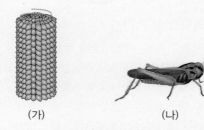

(가)　　　(나)

(1) 세포로 되어 있는 것의 기호를 쓰시오.

(2) 독립적으로 물질대사를 하는 것의 기호를 쓰시오.

(3) 핵산을 가지고 있는 것의 기호를 쓰시오.

2-2

그림은 박테리오파지가 대장균에서 증식하는 과정을 나타낸 것이다.

박테리오파지
대장균

이에 대한 설명으로 옳은 것은 O, 옳지 <u>않은</u> 것은 ×로 표시하시오.

(1) 박테리오파지는 세포 분열로 증식한다. (　　)

Hint 박테리오파지는 세포로 구성되어 있지 않다.

(2) 대장균은 세포막을 갖는다. (　　)

(3) 박테리오파지와 대장균은 모두 유전 물질을 갖는다.

(　　)

1일 생명 과학의 이해

가젤을 계속 관찰했는데, 가젤은 치타나 사자가 오면 뜀뛰기를 해. 따라서 '가젤은 포식자가 주변에 나타나면 뜀뛰기 행동을 한다.'고 결론 내릴 수 있어.

고기 조각에서 나오는 구더기는 파리로부터만 생기는 걸 거야! 이를 증명하기 위해 뚜껑을 덮은 유리병과 덮지 않은 유리병 속 고기 조각을 비교하겠어.

📖 핵심 개념

3 생명 과학의 특성

- **생명 과학**: 생물의 특성과 생명 현상을 탐구 ➡ 생명의 본질을 밝힐 뿐 아니라, 그 성과를 질병 치료나 환경 문제 해결 등 인류의 생존과 복지에 응용하는 종합적인 학문
- **생명 과학의 연구 범위**: 생물의 기원, 구조와 기능, 생식과 유전, 분류 및 분포 등을 분자 수준에서 생태계까지 다양한 범위에서 ❶ [　　　] 으로 연구한다.
- **생명 과학의 통합적 특성**: 컴퓨터 공학, 정보 기술 등과 같은 다양한 영역의 학문과 연계되어 생물 정보학, 생물 기계 공학, 생물 물리학 등과 같은 다양한 통합 학문 분야가 발달하고 있다.

4 생명 과학의 탐구 방법

- **귀납적 탐구 방법**: ┌─ 예 다윈의 진화설, DNA 구조의 발견, 구달의 침팬지 연구 등
  자연 현상을 관찰하여 얻은 자료를 종합하고 분석하는 과정에서 규칙성을 발견하여 일반적인 원리나 법칙을 이끌어 내는 탐구 방법
- **연역적 탐구 방법**: ┌─ 예 파스퇴르의 탄저병 백신 실험, 플레밍의 페니실린 발견 등
  자연 현상에서 문제를 인식하고 가설을 세워 이를 실험적으로 검증하는 탐구 방법
- ❷ [　　　]: 관찰을 통해 인식한 문제를 해결하기 위한 잠정적인 답으로 예측과 검증이 가능해야 한다.
- **대조 실험**: 실험 결과의 타당성을 높이기 위해 대조군과 실험군을 설정하여 비교한다.
  ┌─ 가설 검증을 위해 실험에서 변화시키는 변인
- **변인 통제**: 조작 변인 이외에 종속변인(실험 결과)에 영향을 줄 수 있는 독립변인을 일정하게 유지하는 것
  └─ 실험 결과에 영향을 줄 수 있는 요인

답 ❶ 통합적 ❷ 가설

3-1

다음은 생명 과학의 특성에 대한 학생 A~C의 설명이다.

| 세포에서 개체 수준까지만 연구해. | 다양한 학문 분야와 영향을 주고받으며 발달하고 있어. | 생명의 본질을 밝힐 뿐만 아니라 그 성과를 인류의 생존과 복지에 응용하는 종합적인 학문이야. |

학생 A   학생 B   학생 C

옳게 설명한 학생을 있는 대로 고르시오.

3-2

생명 과학의 통합적 특성에 대한 설명으로 옳은 것은 ○, 옳지 <u>않은</u> 것은 ×로 표시하시오.

(1) 생명 과학은 생명 현상의 본질만을 탐색하는 기초 과학이다. (   )

(2) 생명 과학의 발달은 식량 문제나 환경 문제 해결 등에 큰 도움이 된다. (   )

(3) 스마트 농업, 의공학 기술 등 농업, 의학 등의 분야에서 생명 과학을 비롯한 여러 학문이 연계된 기술이 발전하고 있다. (   )

4-1

다음은 레디가 수행한 탐구 과정을 나열한 것이다.

(가) 생선 토막을 병에 넣었더니 3일째 구더기가 생기고, 19일째 번데기가 생기며, 38일째 번데기에서 파리가 생기는 것을 관찰하게 되었다.

(나) 그는 병 몇 개를 준비하여 생선 토막을 넣고 천으로 만든 마개를 덮었고, 또 다른 몇 개의 병에는 생선 토막을 넣은 후 마개를 덮지 않고 그대로 방치하였다.

(다) 구더기가 썩은 생선 토막에서 저절로 생겨난 것이 아니라 파리가 알을 낳아 부화되어 구더기가 생긴 것이라고 생각하였다.

(라) 이 실험 결과를 바탕으로 그는 '생물은 반드시 생물로부터 발생한다.'는 생물 발생설을 주장하였다.

(마) 마개를 덮은 병에서는 구더기가 발생하지 않았으나 마개를 덮지 않은 병에서는 구더기가 발생하였다.

(1) 레디가 수행한 탐구 방법은 (귀납적 , 연역적) 탐구 방법이다. 알맞은 말을 고르시오.

(2) 탐구 과정의 순서대로 기호를 나열하시오.

4-2

다음은 탄저병 백신의 효과를 알아보기 위한 실험 과정을 나타낸 것이다.

[실험 과정]

(가) 건강한 양을 25마리씩 집단 A와 B로 나눈다.

(나) 집단 A와 B 중 A의 양에게만 탄저병 백신을 주사한다.

(다) A와 B의 양에게 모두 탄저균을 주사한다.

[실험 결과]

A의 양에서는 탄저병이 나타나지 않았고, B의 양 중 20마리는 탄저병으로 사망하였다.

(1) 위 실험에서 조작 변인이 무엇인지 쓰시오.

> **Hint** 조작 변인은 실험의 목적을 위해 변화시키는 변인이다.

(2) 위 실험의 A, B 중 대조군은 무엇인지 쓰시오.

> **Hint** 대조군은 실험군의 실험 결과를 비교해 볼 수 있는 기준이 되는 집단이다.

(3) 이 실험에서 A와 B 집단 모두 건강한 양으로 실험한 것은 실험 결과에 영향을 줄 수 있는 다른 조건을 동일하게 하기 위해서이다. 이와 같은 것을 무엇이라고 하는지 쓰시오.

1일 기초 유형 연습 | 생명 과학의 이해

그림은 먹이의 종류나 서식지에 따른 새의 발 모양을 나타낸 것이다.

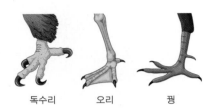

독수리   오리   꿩

이 자료에 나타난 생명 현상의 특성과 가장 관련이 깊은 것은?

① 짚신벌레는 분열법으로 증식한다.
② 미모사의 잎을 건드리면 잎이 접힌다.
③ 효모는 포도당을 분해하여 에너지를 얻는다.
④ 소나무는 빛에너지를 흡수하여 양분을 합성한다.
⑤ 사막여우는 귀가 크고 몸집이 작으며, 북극여우는 귀가 작고 몸집이 크다.

개념 point

적응: 생물이 환경에 적합하게 몸의 구조와 기능, 형태, 습성 등이 변화하는 현상 ➡ 환경에 잘 적응한 생물은 그렇지 않은 생물보다 자손을 남길 확률이 높다.
진화: 적응 과정이 누적되고 집단의 유전적 구성이 변화하여 새로운 종이 나타나는 과정 ➡ 진화의 결과 오늘날과 같은 다양한 생물종이 나타나게 되었다.

보기 풀이

새의 발 모양이 먹이의 종류나 서식지에 따라 달라지는 것은 생명 현상의 특성 중 적응과 진화에 해당한다.
①은 생식, ②는 자극에 대한 반응, ③, ④는 물질대사의 예이다.
⑤ 사막여우의 귀가 크고 몸집이 작은 것은 더운 곳에 살기 때문에 몸의 부피당 체표면적을 늘려 열 방출을 증가시키기 위한 것이고, 북극여우의 귀가 작고 몸집이 큰 것은 추운 곳에 살기 때문에 몸의 부피당 체표면적을 작게 만들어 열 방출을 줄이기 위한 것으로 이는 적응과 진화에 해당한다.

함정 탈출

적응과 진화는 '환경에 잘 적응하였는가?', '환경을 잘 이용하는 구조인가?'를 생각하여 찾는다.

답 ⑤

1 그림 (가)는 강아지와 강아지 로봇을, (나)는 강아지와 강아지 로봇의 공통점과 차이점을 나타낸 것이다.

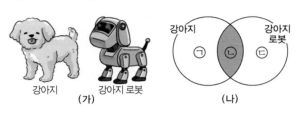

강아지   강아지 로봇
(가)   (나)

이에 대한 설명으로 옳은 것만을 〈보기〉에서 있는 대로 고른 것은?

보기
ㄱ. '세포로 되어 있다.'는 ㉠에 해당한다.
ㄴ. '에너지를 얻어 움직일 수 있다.'는 ㉡에 해당한다.
ㄷ. '자극에 대해 반응한다.'는 ㉢에 해당한다.

① ㄱ   ② ㄷ   ③ ㄱ, ㄴ
④ ㄱ, ㄷ   ⑤ ㄱ, ㄴ, ㄷ

2 사막 지역에 사는 토끼는 귀가 크고 몸집이 작고, 북극 지역에 사는 토끼는 귀가 작고 몸집이 크다.

사막 지역   북극 지역

(1) 이 자료에 나타난 생명 현상의 특성을 쓰시오.

(2) 이 자료와 같은 생명 현상의 특성을 나타나는 예를 한 가지 서술하시오.

[2019학년도 3월 학평 2번 변형]

3 그림은 생물의 특성을 이용하여 고드름, 아메바, 바이러스를 구분하는 과정을 나타낸 것이다.

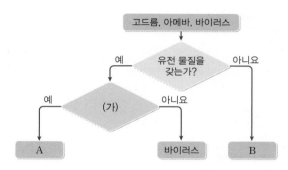

이에 대한 설명으로 옳은 것만을 〈보기〉에서 있는 대로 고르시오.

┌─ 보기 ─────────────────
ㄱ. '세포의 구조를 갖는가?'는 (가)에 적합하다.
ㄴ. A는 물질대사를 한다.
ㄷ. B는 고드름이다.
└─────────────────────

4 다음은 레디가 수행한 탐구 과정의 일부이다.

┌─────────────────────
(가) 관찰 및 문제 인식: 레디는 고기 주위에 파리가 모여들도록 며칠 동안 방치한 후, 고기 위에 구더기가 발생하는 것을 관찰하였다.

(나) 가설: 파리가 구더기를 생성할 것이다.

(다) 탐구 설계 및 수행: 레디는 2개의 병에 작은 고기 조각을 넣은 다음, 하나는 뚜껑을 덮지 않고, 다른 하나는 천으로 입구를 막았다.

(라) 탐구 결과: 며칠 후 뚜껑이 없는 병의 고기 위에는 구더기가 생겼지만, 입구를 천으로 막은 병에서는 구더기가 발생하지 않았다.
└─────────────────────

(1) 위 실험의 조작 변인과 종속변인을 각각 쓰시오.

(2) 만약 탐구의 결과가 가설과 일치하지 않는다면 어떤 과정을 거쳐야 하는지 서술하시오.

5 그림 (가)와 (나)는 각각 귀납적 탐구 방법과 연역적 탐구 방법 중 하나를 나타낸 것이다. ㉠과 ㉡은 각각 가설 설정과 결론 도출 중 하나이다.

이에 대한 설명으로 옳은 것만을 〈보기〉에서 있는 대로 고른 것은?

┌─ 보기 ─────────────────
ㄱ. ㉠은 가설 설정이다.
ㄴ. (가)는 귀납적 탐구 방법이다.
ㄷ. 대조 실험을 수행하는 탐구 방법은 (나)이다.
└─────────────────────

① ㄱ   ② ㄴ   ③ ㄷ
④ ㄱ, ㄷ   ⑤ ㄴ, ㄷ

6 생명 과학의 통합적 특성에 대한 설명으로 옳은 것만을 〈보기〉에서 있는 대로 고른 것은?

┌─ 보기 ─────────────────
ㄱ. 생화학, 생물 물리학, 분자 생물학, 생물 정보학 등은 통합적 학문의 예이다.
ㄴ. 생명 현상과 관련된 모든 단계가 생명 과학의 연구 대상이므로 통합적 연구가 필요하다.
ㄷ. 근대 이후 생명 현상을 있는 그대로 관찰하여 기술하는 것을 중시하면서 필요성이 나타났다.
└─────────────────────

① ㄱ   ② ㄷ   ③ ㄱ, ㄴ
④ ㄴ, ㄷ   ⑤ ㄱ, ㄴ, ㄷ

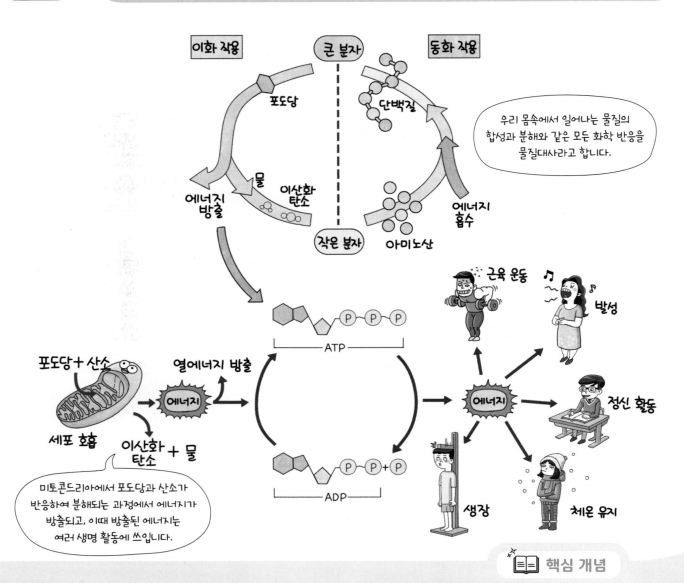

핵심 개념

1 물질대사

- **물질대사**: 생명체에서 일어나는 모든 화학 반응
  ① 반드시 에너지가 저장 또는 방출되는 에너지 출입이 일어난다.
  ② 생체 촉매인 효소가 관여하며, 반응이 단계적으로 일어난다.
  ┌── 생체 내에서 화학 반응이 잘 일어나도록 촉매 역할을 하는 물질
- **동화 작용**: 저분자 물질을 고분자 물질로 합성하는 과정으로 에너지가 흡수되는 **①** 반응이다. 예 광합성, 단백질 합성 등
- **이화 작용**: 고분자 물질을 저분자 물질로 분해하는 과정으로, 에너지가 방출되는 **②** 반응이다. 예 세포 호흡, 단백질 분해 등

2 에너지의 전환과 이용

- **세포 호흡**: 세포에서 영양소를 분해하여 생명 활동에 필요한 에너지를 얻는 과정이다. ➡ 포도당이 산소와 반응하여 물과 이산화 탄소로 분해되면서 에너지가 방출된다. 이때 방출된 에너지의 일부는 **③** 에 화학 에너지로 저장되고, 나머지는 열에너지로 방출된다.
  └── 체온 유지에 이용

$$포도당 + 산소 \longrightarrow 이산화 탄소 + 물 + 에너지$$

- **ATP**: 생명 활동에 직접 이용되는 에너지 저장 물질
- **에너지의 전환과 이용**: ATP는 **④** 와 인산으로 분해되면서 에너지가 방출된다. 이 에너지는 여러 가지 형태의 에너지로 전환되어 물질 합성, 근육 운동, 체온 유지, 발성, 정신 활동, 생장 등 다양한 생명 활동에 이용된다.

답 ❶ 흡열 ❷ 발열 ❸ ATP ❹ ADP

1-1

그림은 생명체 내에서 일어나는 물질대사를 나타낸 것이다.

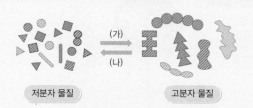

저분자 물질 ⇄ 고분자 물질

(1) 에너지가 방출되는 과정은 (가)와 (나) 중 어느 것인 지 쓰시오.

(2) 다음에서 (가) 과정과 (나) 과정에 해당하는 예를 각 각 골라 쓰시오.

광합성, 세포 호흡, 소화, 단백질 합성

(가): _____ (나): _____

1-2

(가)와 (나)는 우리 몸에서 일어나는 화학 반응에 따른 에 너지 변화를 나타낸 것이다

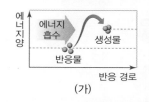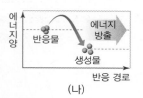

(1) 저분자 물질로부터 고분자 물질을 합성하는 반응은 (가)와 (나) 중 어디에 해당하는지 쓰시오.

(2) 녹말이 엿당으로 변화되는 과정은 (가)와 (나) 중 어 디에 해당하는지 쓰시오.

2-1

그림은 세포 호흡 과정의 반응물과 생성물을 나타낸 것이다.

(1) 기체 X는 무엇인지 쓰시오.

(2) 위 과정에서 발생하는 에너지의 역할 <u>두 가지</u>를 서 술하시오.

2-2

그림은 생명 활동에 이용되는 물질의 전환 과정을 나타낸 것이다.

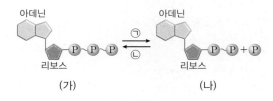

(1) (가)와 (나)의 이름을 쓰시오.

(2) ㉠과 ㉡ 중 에너지를 방출하는 반응은 무엇인지 쓰 시오.

(3) ㉠과 ㉡ 중 주로 미토콘드리아에서 일어나는 반응 은 무엇인지 쓰시오.

음식물이 소화 기관을 지나는 동안 녹말, 단백질, 지방과 같은 작은 영양소로 분해되어 우리 몸으로 흡수됩니다.

들숨과 날숨 과정에서 외부의 산소가 우리 몸으로 들어오고, 우리 몸속의 이산화 탄소가 배출됩니다.

O_2

CO_2

우리 몸으로 들어온 영양소와 산소는 혈액 순환을 통해 온몸의 세포에 공급됩니다.

모세 혈관   영양소   노폐물

산소   이산화 탄소

조직 세포

✨ 📖 핵심 개념

3 세포 호흡에 필요한 영양소와 산소의 흡수

● **영양소의 소화**: 음식물이 소화 기관을 지나는 동안 소화 효소에 의해 녹말은 포도당으로, 단백질은 아미노산으로, 지방은 지방산과 ❶   　　로 최종 분해된다.

● **영양소의 흡수**: 수용성 영양소(포도당, 아미노산, 비타민 C 등)는 소장 융털의 ❷   　　으로, 지용성 영양소(지방산, 모노글리세리드, 비타민 A 등)는 소장 융털의 암죽관으로 흡수된다.

● **산소의 흡수와 폐에서의 기체 교환**: 호흡계를 통해 몸속으로 들어온 산소는 폐포에서 모세 혈관으로 확산하고, 혈액 속 이산화 탄소는 폐포로 확산하여 숨을 내쉴 때 몸 밖으로 나간다.
└── 에너지가 소모되지 않는다.

4 영양소와 산소의 이동

● **영양소의 운반**: 소장 융털에서 흡수된 영양소는 각기 다른 경로로 심장으로 운반된 후 혈액의 혈장을 통해 온몸의 조직 세포로 공급된다.
└── 모세 혈관에서 흡수된 수용성 영양소는 간을 거쳐, 암죽관으로 흡수된 지용성 영양소는 림프관을 거쳐 심장으로 운반된다.

● **산소의 운반**: 폐포에서 혈액으로 이동한 산소는 혈액 속 ❸   　　의 헤모글로빈에 결합하여 심장으로 운반된 후 온몸의 조직 세포에 공급된다.

● **순환계의 역할**: 소화계를 통해 흡수된 ❹   　　와 호흡계를 통해 흡수된 산소는 ❺   　　를 통해 온몸의 조직 세포로 운반된다.

답 ❶ 모노글리세리드 ❷ 모세 혈관 ❸ 적혈구 ❹ 영양소 ❺ 순환계

3-1

그림은 영양소의 소화 과정을 나타낸 것이다.

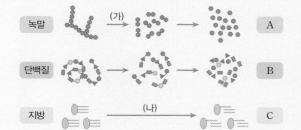

(1) A, B, C의 이름을 쓰시오.

A: _____ B: _____ C: _____

(2) (가) 과정에서 작용하는 소화 효소의 이름을 쓰시오.

(3) (나) 과정이 일어나는 곳을 쓰시오.

3-2

그림 (가)는 소화계에서 일어나는 영양소의 소화 작용의 일부를, (나)는 소장 융털의 구조를 나타낸 것이다.

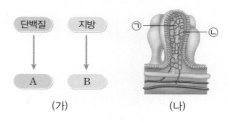

(1) A와 B는 영양소의 최종 분해 산물이다. 각각의 이름을 쓰시오.

A: _____ B: _____

(2) A와 B 중 ⓒ을 통해 흡수되는 것을 쓰시오.

Hint ⓒ은 암죽관, ⓛ은 모세 혈관이다.

4-1

그림은 사람의 혈액 순환 경로를 나타낸 것이다. ⓒ과 ⓛ 은 각각 폐동맥과 대동맥 중 하나이다.

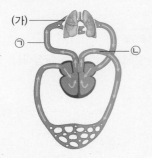

빈칸에 들어갈 알맞은 말을 쓰시오.

(1) ⓒ은 ❶ _____ , ⓛ은 ❷ _____ 이다.

(2) (가)에서 기체의 분압 차이에 의한 ❶ _____ 으로 ❷ _____ 이 일어난다.

(3) ⓒ과 ⓛ 중 단위 부피당 산소량이 더 많은 곳은 어디 인지 쓰시오.

Hint 폐동맥에는 산소가 적은 정맥혈이 흐르며, 대동맥에는 산소가 풍부한 동맥혈이 흐른다.

4-2

그림은 소화계와 호흡계에서 조직 세포로의 물질 이동을 나타낸 것이다. A와 B는 각각 영양소와 산소 중 하나이다.

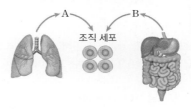

(1) A와 B의 이름을 쓰시오.

(2) A와 B가 우리 몸속으로 들어오는 데 관여하는 기 관계를 각각 쓰시오.

(3) A와 B를 조직 세포까지 운반하는 데 관여하는 기 관계를 쓰시오.

대표 기출 유형

2020학년도 수능 5번

그림은 사람에서 세포 호흡을 통해 포도당으로부터 최종 분해 산물과 에너지가 생성되는 과정을 나타낸 것이다.

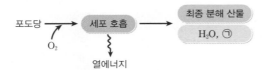

이에 대한 설명으로 옳은 것만을 〈보기〉에서 있는 대로 고른 것은?

보기
ㄱ. ㉠은 암모니아(NH_3)이다.
ㄴ. 세포 호흡에는 효소가 필요하다.
ㄷ. 포도당이 분해되어 생성된 에너지의 일부는 ATP에 저장된다.

① ㄱ ② ㄷ ③ ㄱ, ㄴ
④ ㄴ, ㄷ ⑤ ㄱ, ㄴ, ㄷ

개념 point

세포 호흡: 세포가 영양소를 분해하여 세포의 생명 활동에 필요한 에너지(ATP)를 얻는 과정이다.

$$포도당 + O_2 \longrightarrow 물 + CO_2 + 에너지$$

|보기| 풀이

ㄱ. 포도당의 화학식은 $C_6H_{12}O_6$로 미토콘드리아에서 세포 호흡이 일어나 물(H_2O)과 이산화 탄소(CO_2)로 분해된다. 따라서 ㉠은 CO_2이다.
ㄴ. 세포 호흡은 효소에 의해 일어나는 물질대사이다.

함정 탈출

ㄷ. 세포 호흡 결과 발생된 에너지가 모두 ATP에 저장되는 것이 아니고 일부(약 40 %)만 ATP에 저장되고 일부(약 60 %)는 열에너지 형태로 방출된다.

답 ④

2018학년도 9월 모평 5번

1 그림은 미토콘드리아에서 일어나는 세포 호흡을 나타낸 것이다. ⓐ와 ⓑ는 O_2와 CO_2를 순서 없이 나타낸 것이다.

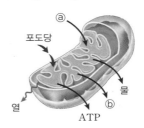

이에 대한 설명으로 옳은 것만을 〈보기〉에서 있는 대로 고른 것은?

보기
ㄱ. ⓐ는 O_2이다.
ㄴ. 모세 혈관에서 폐포로 ⓑ가 이동할 때 ATP가 사용된다.
ㄷ. 세포 호흡에는 효소가 필요하다.

① ㄱ ② ㄴ ③ ㄱ, ㄴ
④ ㄱ, ㄷ ⑤ ㄴ, ㄷ

2018학년도 6월 모평 6번 변형

2 그림은 사람에서 일어나는 물질대사 Ⅰ과 Ⅱ를 나타낸 것이다.

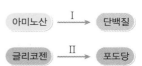

(1) Ⅰ과 Ⅱ 중 동화 작용에 해당하는 것은 무엇인지 쓰고, 그렇게 생각한 까닭을 서술하시오.

(2) 형질 세포는 항체를 생산하고 분비하는 세포이다. 항체의 주성분은 단백질이다. 형질 세포에서 일어나는 물질대사는 Ⅰ과 Ⅱ 중 무엇인지 쓰시오.

2020학년도 7월 학평 3번

3 그림은 ADP와 ATP 사이의 전환을 나타낸 것이다. ㉠과 ㉡은 각각 ADP와 ATP 중 하나이다.

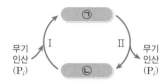

이에 대한 설명으로 옳은 것만을 〈보기〉에서 있는 대로 고른 것은?

> **보기**
> ㄱ. ㉠은 ATP이다.
> ㄴ. 미토콘드리아에서 과정 I이 일어난다.
> ㄷ. 과정 II에서 에너지가 방출된다.

① ㄱ   ② ㄷ   ③ ㄱ, ㄴ
④ ㄴ, ㄷ   ⑤ ㄱ, ㄴ, ㄷ

2016학년도 수능 8번

4 그림은 광합성과 세포 호흡에서의 에너지와 물질의 이동을 나타낸 것이다. (가)와 (나)는 각각 광합성과 세포 호흡 중 하나이다.

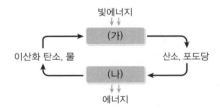

이에 대한 설명으로 옳은 것만을 〈보기〉에서 있는 대로 고른 것은?

> **보기**
> ㄱ. (가)에서 동화 작용이 일어난다.
> ㄴ. (나)에서 ATP가 합성된다.
> ㄷ. 식물에서 (나)가 일어난다.

① ㄱ   ② ㄷ   ③ ㄱ, ㄴ
④ ㄴ, ㄷ   ⑤ ㄱ, ㄴ, ㄷ

5 그림은 사람의 혈액 순환 경로의 일부를 나타낸 것이다.

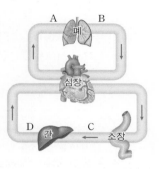

(1) A에서의 산소 농도와 B에서의 산소 농도를 부등호로 비교하시오.

> A에서의 산소 농도 ☐ B에서의 산소 농도

(2) 소장에서 흡수된 영양소 중 C와 D를 거쳐 심장으로 이동하는 영양소를 〈보기〉에서 있는 대로 고르시오.

> **보기**
> ㄱ. 포도당   ㄴ. 아미노산
> ㄷ. 지방산   ㄹ. 모노글리세리드

6 그림은 사람의 몸에서 일어나는 물질 교환을 나타낸 것이다. A~C는 각각 영양소, 산소, 이산화 탄소 중 하나이다.

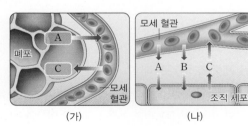

(1) A~C 중 세포 호흡에 필요한 물질을 골라 기호와 이름을 쓰시오.

(2) A~C 중 세포 호흡 결과 발생한 물질을 골라 기호와 이름을 쓰시오.

(3) (가)에서 A와 C가 이동하는 원리를 폐포와 모세 혈관에서의 농도를 비교하여 서술하시오.

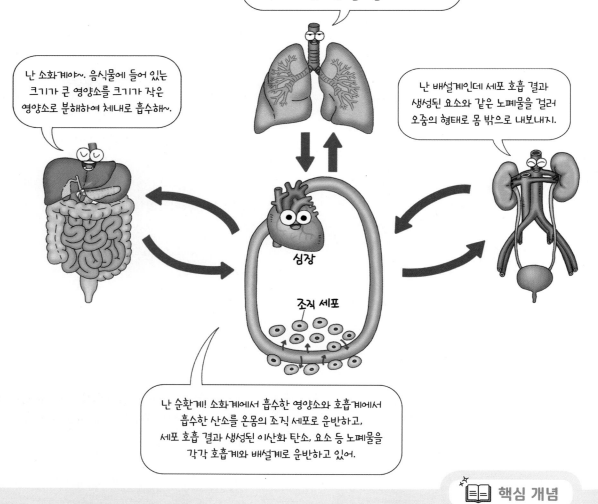

핵심 개념

1 노폐물의 생성과 배설

- **노폐물의 생성**: 탄수화물, 단백질, 지방이 세포 호흡에 의 ┌ 구성 성분: C, H, O
  해 이용되면 공통적으로 **❶ [   ]**과 이산화 탄소(CO_2)
  가 노폐물로 생성되며, 단백질은 질소 성분이 있어 암모 ┌ 구성 성분 C, H, O, N
  니아(NH_3)도 노폐물로 생성된다.
- **노폐물의 배설**: ① 이산화 탄소와 물의 일부는 순환계를
  통해 호흡계인 폐로 운반되어 날숨을 통해 배출되며,
  ② 암모니아는 독성이 강해 **❷ [   ]**에서 독성이 적은
  요소로 바뀐 다음, 콩팥을 통해 오줌 형태로 몸 밖으로 배
  설된다.

2 기관계의 통합적 작용

- 생명 활동에 필요한 에너지를 얻기 위해 소화계, 호흡계,
  배설계가 순환계를 중심으로 유기적으로 연결되어 통합
  적으로 작용한다.
- **소화계**: 세포 호흡에 필요한 영양소를 소화·흡수한다.
- **호흡계**: 세포 호흡에 필요한 산소를 흡수하고, 세포 호흡
  으로 생성된 **❸ [   ]**를 몸 밖으로 내보낸다.
- **순환계**: 세포 호흡에 필요한 영양소와 산소를 **❹ [   ]**
  에 운반하고, 세포 호흡으로 생성된 노폐물을 호흡계나
  배설계로 운반한다.
- **배설계**: 요소와 같은 노폐물을 걸러 오줌의 형태로 몸 밖 ┌ 콩팥, 오줌관, 방광 등으로 이루어져 있다.
  으로 내보낸다.

답 ❶ 물(H_2O) ❷ 간 ❸ 이산화 탄소 ❹ 조직 세포

1-1

그림은 여러 가지 영양소가 세포 호흡에 이용되어 생성된 노폐물이 배설되는 과정을 나타낸 것이다.

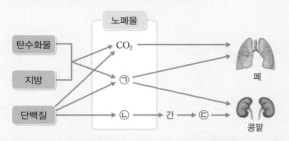

이에 대한 설명으로 옳은 것은 ○, 옳지 않은 것은 ×로 표시하시오.

(1) ㉠은 지방, 포도당, 아미노산이 세포 호흡에 이용되는 과정에서 공통으로 생성된다. (   )

(2) ㉡은 독성이 강한 물질이다. (   )

(3) ㉢은 암모니아이다. (   )

(4) ㉠, ㉡, ㉢은 모두 혈액에 의해 운반된다. (   )

1-2

그림은 사람의 소화계와 배설계의 일부를 각각 나타낸 것이다. A~B는 각각 간, 콩팥 중 하나이다.

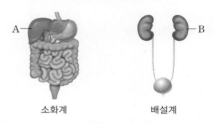

소화계   배설계

(1) 요소가 생성되는 곳의 기호와 이름을 쓰시오.

(2) B를 통해 배출되는 노폐물을 두 가지 쓰시오.

2-1

그림은 사람의 기관계 A~D를 나타낸 것이다. A~D는 각각 배설계, 소화계, 순환계, 호흡계 중 하나이다.

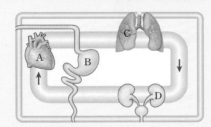

빈칸에 들어갈 알맞은 기호를 쓰시오.

(1) ❶[   ]에서 흡수한 영양소와 ❷[   ]에서 흡수한 산소는 ❸[   ]를 통해 온몸의 조직 세포로 운반된다.

(2) ❶[   ]를 통해 요소가 배설되며, ❷[   ]를 통해 이산화 탄소가 배출된다.

2-2

그림은 사람 몸에 있는 각 기관계의 통합적 작용을 나타낸 것이다. A~C는 각각 배설계, 소화계, 호흡계 중 하나이다.

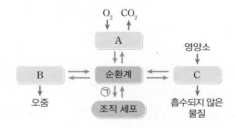

(1) A, B, C에 속하는 기관을 한 가지씩 쓰시오.

(2) ㉠에 해당하는 것을 다음에서 모두 골라 쓰시오.

> 요소, 산소, 영양소, 암모니아, 이산화 탄소

3^일 물질대사와 건강

당뇨병
혈당량이 비정상적으로 높은 상태가 지속되는 질환으로, 소변에 당이 섞여 나온다. 여러 합병증이 유발된다.

고혈압
혈압이 정상 범위보다 높은 만성 질환으로, 뇌졸중, 심혈관계 질환, 콩팥 질환의 원인이 된다.

물질대사에 이상이 생겨 발병하는 질병을 **대사성 질환** 이라고 해요.

지방간
간에 지방이 비정상적으로 많이 축적된 상태로 비만, 당뇨병과 연관성이 높으며 간염, 간경변으로 진행될 수 있다.

고지혈증
필요 이상의 지방 성분이 혈액에 존재하는 상태로, 지방 성분이 혈관 벽에 쌓여 염증을 일으키고, 심혈관계 질환의 위험을 높인다.

섭취하는 에너지양보다 소비하는 에너지양이 많으면 영양 부족이 되어 체중이 감소합니다.

섭취하는 에너지양이 소비하는 에너지양보다 많으면 영양 과다가 되어 체중이 증가합니다.

📖 핵심 개념

3 대사성 질환
- **대사성 질환과 대사 증후군:** ❶[　　　]에 이상이 생겨 발생하는 질환을 모두 일컬어 대사성 질환이라 하고, 여러 대사성 질환이 한 사람에서 함께 발생하고 진행되는 것을 대사 증후군이라고 한다.
- **대사성 질환의 종류:** 고혈압(혈압이 정상 범위보다 높은 상태), ❷[　　　](혈당 수치가 높고, 오줌에 포도당이 섞여 나온다.), 고지혈증(혈액에 콜레스테롤이나 중성 지방 등이 과다하게 들어 있는 상태), 비만 등
- **대사성 질환의 예방:** 균형 잡힌 식사와 규칙적인 운동 등 건강한 생활 습관으로 예방하는 것이 필요하다.

4 에너지 대사
- **에너지 섭취량과 소비량의 균형:** 생명 활동을 정상적으로 유지하고 건강한 생활을 하기 위해서는 에너지 섭취량과 에너지 소비량이 균형을 이루어야 한다.
- ❸[　　　]: 생명을 유지하는 데 필요한 최소한의 에너지양 ➡ 심장 박동, 호흡 운동, 체온 유지 등에 쓰이는 에너지양으로, 성별, 키, 체중, 나이 등에 따라 다르다.
- **활동 대사량:** 기초 대사량 외에 일상적인 신체 활동을 하는 데 필요한 에너지양
- **1일 대사량:** 하루에 필요한 총 에너지양(기초 대사량＋활동 대사량＋음식물의 소화·흡수에 필요한 에너지양)

답 ❶ 물질대사 ❷ 당뇨병 ❸ 기초 대사량

3-1

그림은 대사성 질환에 대한 교사와 학생 A~C의 SNS 대화 내용이다. 제시한 내용이 옳은 학생만을 있는 대로 고르시오.

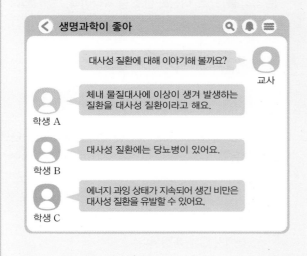

생명과학이 좋아

대사성 질환에 대해 이야기해 볼까요?
교사

학생 A
체내 물질대사에 이상이 생겨 발생하는 질환을 대사성 질환이라고 해요.

학생 B
대사성 질환에는 당뇨병이 있어요.

학생 C
에너지 과잉 상태가 지속되어 생긴 비만은 대사성 질환을 유발할 수 있어요.

3-2

표는 대사성 질환 (가)~(라)의 특징을 나타낸 것이다. (가)~(라)는 당뇨병, 고지혈증, 고혈압, 지방간을 순서 없이 나타낸 것이다.

질환	특징
(가)	혈액에 콜레스테롤과 중성 지방 등이 정상 범위 이상으로 많이 들어 있다.
(나)	호르몬 ㉠의 분비 부족이나 작용 이상으로 혈당량이 조절되지 못하고 오줌에서 포도당이 검출된다.
(다)	간에 지방이 비정상적으로 많이 축적된 상태로, 간염, 간경변으로 진행될 수 있다.
(라)	혈압이 정상보다 높다. 뇌졸중, 심혈관계 질환, 콩팥 질환의 원인이 된다.

(1) (가)~(라) 질환의 이름을 쓰시오.

(2) ㉠의 이름을 쓰시오.

4-1

그림 (가)는 에너지 소비량이 에너지 섭취량보다 많은 것을, (나)는 에너지 섭취량이 에너지 소비량보다 많은 것을 나타낸 것이다.

에너지 섭취량 < 에너지 소비량 (가)

에너지 섭취량 > 에너지 소비량 (나)

빈칸에 들어갈 알맞은 말을 쓰시오.

(가) 상태가 지속되면 영양 **❶**[ ]이 되며, (나) 상태가 지속되면 체중이 **❷**[ ] 한다. 비만인 사람이 적정 체중으로 되기 위해서는 일정 기간 **❸**[ ] 상태가 유지되어야 한다.

4-2

다음은 에너지 대사에 대한 세 학생의 대화 내용이다. 옳은 학생만을 골라 있는 대로 고르시오.

학생 A: 움직이지 않고 가만히 있으면 에너지 대사가 일어나지 않아.

학생 B: 과도한 영양 섭취나 운동 부족과 같은 생활 습관은 대사성 질환에 걸릴 위험을 높여.

학생 C: 다른 조건이 같을 때, 기초 대사량이 높은 사람은 기초 대사량이 낮은 사람보다 비만이 될 위험이 높아.

대표 **기출 유형**   2021학년도 9월 모평 4번

그림 (가)와 (나)는 각각 사람 A와 B의 수축기 혈압과 이완기 혈압의 변화를 나타낸 것이다. A와 B는 정상인과 고혈압 환자를 순서 없이 나타낸 것이다.

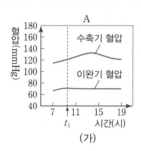 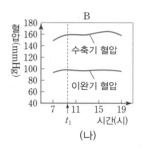

이에 대한 설명으로 옳은 것만을 〈보기〉에서 있는 대로 고른 것은?

보기
ㄱ. 대사성 질환 중에는 고혈압이 있다.
ㄴ. t_1일 때 수축기 혈압은 A가 B보다 높다.
ㄷ. B는 고혈압 환자이다.

① ㄱ   ② ㄷ   ③ ㄱ, ㄷ
④ ㄴ, ㄷ   ⑤ ㄱ, ㄴ, ㄷ

개념 point

고혈압: 혈압이 정상보다 높은 대사성 질환으로, 심혈관계 질환 및 뇌혈관계 질환의 원인이 된다.
혈압: 동맥의 안쪽 벽에 작용하는 혈액의 압력이다.
정상 혈압: 수축기 혈압 120 mmHg 미만, 이완기 혈압 80 mmHg 미만이다.

|보기| 풀이

ㄱ. 고혈압은 대표적인 대사성 질환의 예이다.
ㄴ. t_1일 때 A의 수축기 혈압은 약 120 mmHg이고, B의 수축기 혈압은 약 160 mmHg이다.
ㄷ. 수축기 혈압과 이완기 혈압이 모두 B가 A보다 높으므로 B는 고혈압 환자이다.

함정 탈출

그래프를 비교하면 t_1 시기에 수축기 혈압은 B가 A보다 더 높음을 알 수 있다.

답 ③

2018학년도 9월 모평 5번

1 그림은 사람의 체내에서 영양소가 세포 호흡으로 분해되어 생성된 노폐물의 배설 과정을 나타낸 것이다. (가)와 (나)는 각각 아미노산과 지방산 중 하나이고, A∼C는 각각 물, 요소, 이산화 탄소 중 하나이다.

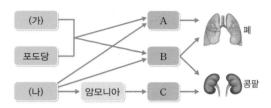

이에 대한 설명으로 옳은 것만을 〈보기〉에서 있는 대로 고른 것은?

보기
ㄱ. (가)는 아미노산이다.
ㄴ. B는 물이다.
ㄷ. 간에서 C가 생성된다.

① ㄱ   ② ㄴ   ③ ㄱ, ㄴ
④ ㄴ, ㄷ   ⑤ ㄱ, ㄴ, ㄷ

2 그림은 세포 호흡 결과 생성된 물질들을 분류 기준 (가)와 (나)로 구분하는 과정을 나타낸 것이다.

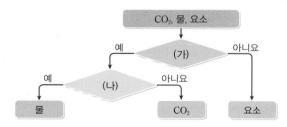

분류 기준 (가)와 (나)에 들어갈 수 있는 내용을 〈보기〉에서 골라 각각 기호로 쓰시오.

보기
ㄱ. 탄수화물, 지방, 단백질이 세포 호흡에 사용될 때 공통적으로 발생하는 물질인가?
ㄴ. 구성 물질에 질소가 포함되는가?
ㄷ. 배설계를 통해 몸 밖으로 배출되는가?

3 그림은 사람이 단백질을 섭취했을 때 기관계의 통합적 작용을 나타낸 것이다. (가)~(라)는 각각 순환계, 호흡계, 소화계, 배설계 중 하나이고, ㉠과 ㉡은 각각 O_2와 요소 중 하나이다.

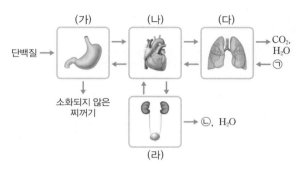

이에 대한 설명으로 옳은 것만을 〈보기〉에서 있는 대로 고른 것은?

┌─ 보기 ───────────────────┐
ㄱ. ㉡은 요소이다.
ㄴ. ㉠과 ㉡은 순환계를 통해 이동한다.
ㄷ. 조직 세포로 확산된 ㉠은 미토콘드리아에서 이용된다.
└──────────────────────────┘

① ㄱ　　　　② ㄴ　　　　③ ㄱ, ㄷ
④ ㄴ, ㄷ　　⑤ ㄱ, ㄴ, ㄷ

2019학년도 11월 학평 2번 변형

4 다음은 대사성 질환에 대한 학생 A~C의 발표 내용이다.

제시한 내용이 옳은 학생만을 있는 대로 고른 것은?

① A　　　　② C　　　　③ A, B
④ B, C　　　⑤ A, B, C

2020학년도 7월 학평 4번 변형

5 그림은 사람 몸에 있는 각 기관계의 통합적 작용을, 표는 단백질과 탄수화물이 물질대사를 통해 분해되어 생성된 최종 분해 산물 중 일부를 나타낸 것이다. A~C는 배설계, 소화계, 호흡계를, ㉠과 ㉡은 암모니아와 이산화 탄소를 순서 없이 나타낸 것이다.

물질	최종 분해 산물
단백질	㉠, ㉡
탄수화물	㉡

(1) A, B, C의 이름을 쓰시오.

(2) B를 통해 체외로 배출되는 것의 기호와 이름을 쓰시오.

(3) 구성 원소 중 질소가 포함된 것의 기호와 이름을 쓰시오.

6 그림은 철수와 영수가 하루 동안 섭취한 평균 에너지양을 나타낸 것이다. 하루 평균 에너지 소비량은 철수와 영수가 각각 2700 kcal이다.

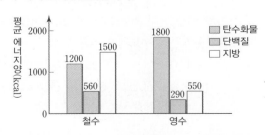

철수와 영수 중 비만이 될 가능성이 높은 사람은 누구인지 쓰고, 그 까닭을 서술하시오.

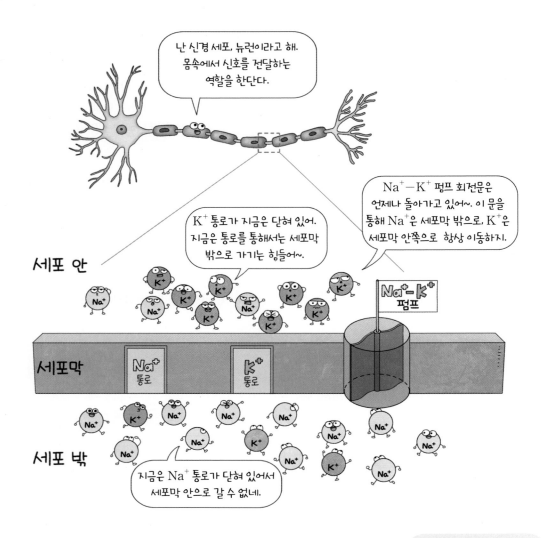

핵심 개념

1 뉴런

- 뉴런: 신경계의 기본 단위가 되는 신경 세포
- 뉴런의 구조
  ① 신경 세포체: 핵과 세포 소기관이 있으며, 물질대사를 담당한다.
  ② 가지 돌기: 다른 뉴런에서 오는 신호를 받아들인다.
  ③ 축삭 돌기: 다른 뉴런에 신호를 전달한다.
    └─ 말이집으로 싸여 있으면 말이집 신경, 싸여 있지 않으면 민말이집 신경
- 뉴런의 종류: ① **①** (구심성 뉴런, 감각기에서 받아들인 자극을 중추 신경으로 전달), ② 연합 뉴런(뇌, 척수와 같은 중추 신경계를 구성, 구심성 뉴런과 원심성 뉴런 사이에서 흥분 중계), ③ **②** (원심성 뉴런, 연합 뉴런에서 내린 명령을 반응기로 전달)
- 자극 전달 방향: 감각 뉴런 → 연합 뉴런 → 운동 뉴런

2 자극을 받지 않은 뉴런의 상태(분극)

- 분극: 자극을 받지 않은 뉴런에서 세포막 안쪽은 음(−)전하를, 바깥쪽은 양(+)전하를 띠고 있는 상태이다.
  └─ 휴지 상태의 뉴런
- 휴지 전위: 뉴런이 자극을 받지 않은 분극 상태일 때의 막 전위를 말하며, 약 **③** mV이다.
- 분극 상태일 때 이온의 이동과 분포: Na^+-K^+ 펌프에 의해 Na^+은 세포 밖으로, K^+은 세포 안으로 이동하여 Na^+ 농도는 세포 밖이 높고, K^+ 농도는 세포 안이 높다. (Na^+ 통로와 대부분 K^+ 통로는 닫혀 있다.)
- Na^+-K^+ 펌프: 에너지(ATP)를 소모하여 농도가 낮은 쪽에서 농도가 높은 쪽으로 이온을 능동 수송한다.
  → Na^+은 세포 밖으로, K^+은 세포 안으로 이동시킨다.

1-1

그림은 뉴런의 구조를 나타낸 것이다.

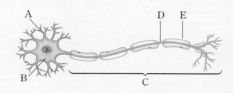

(1) 뉴런의 생명 활동에 필요한 물질이 합성되는 곳의 기호와 이름을 쓰시오.

(2) 자극을 다른 뉴런으로 전달하는 곳의 기호와 이름을 쓰시오.

(3) 여러 겹의 세포막으로 싸여 있으며 절연체 역할을 하는 것의 기호와 이름을 쓰시오.

(4) 말이집 신경의 축삭 돌기에서 말이집으로 싸여 있지 않은 부분의 기호와 이름을 쓰시오.

1-2

그림은 기능이 다른 세 가지 뉴런의 연결을 나타낸 것이다.

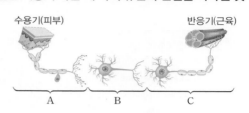

(1) 원심성 뉴런의 기호와 이름을 쓰시오.

(2) 중추 신경을 이루는 뉴런의 기호를 쓰시오.

(3) 자극의 전달 순서대로 뉴런의 기호를 나열하시오.

2-1

다음은 휴지 전위 상태일 때 뉴런의 이온 분포에 대한 설명이다. 빈칸에 들어갈 알맞은 말을 쓰시오.

뉴런의 세포막에 있는 Na^+-K^+ 펌프는 ❶□□□를 이용한 능동 수송을 통해 Na^+은 세포 밖으로, K^+은 세포 안으로 이동시켜 뉴런의 막 안쪽은 바깥쪽에 비해 ❷□□ 농도가 높고, ❸□□ 농도는 낮다. 이때 일부 열려 있는 K^+ 통로로 세포 안의 ❹□□이 세포 밖으로 빠져 나가지만, 열려 있는 Na^+ 통로는 거의 없어 Na^+은 세포 안으로 거의 들어오지 못한다. 그 결과 세포막 안쪽은 상대적으로 ❺□□ 전하를 띠고, 세포막 바깥쪽은 ❻□□ 전하를 띤다.

2-2

그림은 분극 상태인 뉴런의 한 지점에 분포하는 이온과 막 단백질을 나타낸 것이다. A는 Na^+을 Ⅱ에서 Ⅰ로 운반하며, Ⅰ과 Ⅱ는 각각 세포 안과 밖 중 하나이다.

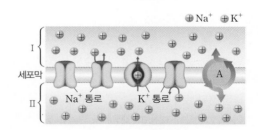

(1) Ⅰ과 Ⅱ 중 세포 밖은 어디인지 쓰시오.

(2) Ⅰ과 Ⅱ 중 상대적으로 음(−)전하를 띠고 있는 곳은 어디인지 쓰시오.

(3) A를 통해 일어나는 이온의 이동을 서술하시오.

4^일 뉴런과 흥분의 발생

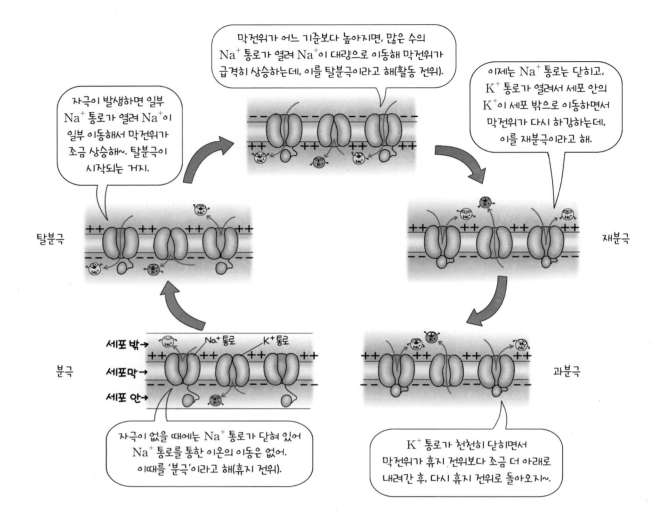

막전위가 어느 기준보다 높아지면, 많은 수의 Na⁺ 통로가 열려 Na⁺이 대량으로 이동해 막전위가 급격히 상승하는데, 이를 탈분극이라고 해(활동 전위).

이제는 Na⁺ 통로는 닫히고, K⁺ 통로가 열려서 세포 안의 K⁺이 세포 밖으로 이동하면서 막전위가 다시 하강하는데, 이를 재분극이라고 해.

자극이 발생하면 일부 Na⁺ 통로가 열려 Na⁺이 일부 이동해서 막전위가 조금 상승해~. 탈분극이 시작되는 거지.

탈분극

재분극

세포 밖→ Na⁺ 통로   K⁺ 통로
세포막→
세포 안→

분극

과분극

자극이 없을 때에는 Na⁺ 통로가 닫혀 있어 Na⁺ 통로를 통한 이온의 이동은 없어. 이때를 '분극'이라고 해(휴지 전위).

K⁺ 통로가 천천히 닫히면서 막전위가 휴지 전위보다 조금 더 아래로 내려간 후, 다시 휴지 전위로 돌아오지~.

📖 핵심 개념

③ 흥분의 발생
└─ 뉴런이 자극을 받아 세포막의 특성이 변하는 현상

- **역치**: 뉴런이 활동 전위를 일으킬 수 있는 최소한의 자극의 세기
- **활동 전위**: 뉴런이 자극을 받으면 Na^+ 통로가 열려 Na^+이 세포 안으로 이동하면서 세포 안쪽이 양(＋)전하를 띠고 세포 바깥쪽이 음(－)전하를 띠는 탈분극 상태가 되는데, 이때의 급격한 막전위 변화를 활동 전위라고 한다.
- **흥분의 발생**: 분극 ➡ 탈분극 ➡ 재분극 순서로 진행된다.
- **분극**: Na^+ 통로와 K^+ 통로는 닫혀 있으며, Na^+-K^+ 펌프에 의해 세포막 안쪽보다 바깥쪽에 상대적으로 양(＋)이온이 많아 안쪽은 음(－)전하, 바깥쪽은 양(＋)전하를 띤다. 약 $-70\ mV$의 휴지 전위를 나타낸다.

- **탈분극**: ① 뉴런이 역치 이상의 자극을 받으면 ❶ ⬚ 통로가 열리고, Na^+이 세포 ❷ ⬚ 으로 유입되기 시작하여 막전위가 약간 상승한다. ② 막전위가 역치 전위에 이르면 Na^+ 통로가 한꺼번에 열려 Na^+이 세포 안으로 다량 유입되어 막전위가 빠르게 $+35\ mV$까지 상승한다. ➡ 이때 상승한 막전위를 ❸ ⬚ 라고 한다.
- **재분극**: Na^+ 통로는 닫히고, K^+ 통로가 열려 K^+이 세포 밖으로 확산되어 막전위가 다시 하강한다.
- **이온 재배치**: K^+ 통로가 닫히고 Na^+-K^+ 펌프의 작용으로 Na^+이 세포 밖으로 K^+이 세포 안으로 이동하여 분극 상태가 회복된다.

답 ❶ Na^+ ❷ 안 ❸ 활동 전위

3-1

그림은 뉴런의 한 지점에 역치 이상의 자극이 가해졌을 때 A에서 나타나는 막전위의 변화를 나타낸 것이다.

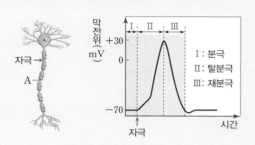

I : 분극
II : 탈분극
III : 재분극

(1) 구간 I 에서 막전위는 ☐ mV이다.

(2) 구간 II에서 Na^+은 세포 **❶**☐ → 세포 **❷**☐ 으로 확산되어 들어오며, 막전위가 **❸**☐ 한다.

(3) 구간 III에서 K^+은 세포 **❶**☐ → 세포 **❷**☐ 으로 확산되어 나가며, 막전위가 **❸**☐ 한다.

3-2

그림은 뉴런 X에서 활동 전위가 발생했을 때 막전위의 변화를 나타낸 것이다.

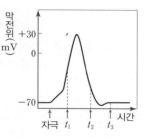

(1) t_1일 때와 t_2일 때 Na^+의 막 투과도를 부등호로 비교하시오.

t_1일 때 Na^+ 막 투과도 ☐

t_2일 때 Na^+ 막 투과도

(2) t_1일 때 X는 **❶**☐ 상태, t_2일 때는 **❷**☐ 상태, t_3일 때는 **❸**☐ 상태이다.

(3) t_1일 때 Na^+은 세포 밖에서 안으로 **❶**☐ 되며, t_3일 때는 세포 안에서 밖으로 ATP를 소비하며 **❷**☐ 된다.

3-3

그림 (가)는 축삭돌기의 한 지점에서 시간에 따른 막전위 변화를, (나)는 (가)의 구간 A~C 중 한 구간에서의 이온 이동 상태를 나타낸 것이다. ㉠은 Na^+ 통로, ㉡은 K^+ 통로이다.

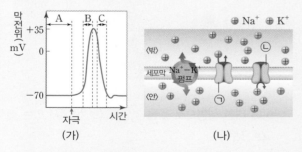

(가)   (나)

(1) A~C 중 (나)와 같은 이동이 일어나는 구간을 쓰시오.

(2) A~C 중 ㉠을 통해 Na^+이 세포 밖에서 세포 안으로 이동하는 구간을 쓰시오.

3-4

그림은 어떤 뉴런에 역치 이상의 자극을 주었을 때 이 뉴런 세포막의 한 지점에서 시간에 따른 이온 ㉠, ㉡의 막 투과도를 나타낸 것이다. ㉠, ㉡은 각각 Na^+, K^+ 중 하나이다.

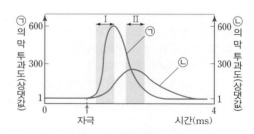

빈칸에 들어갈 알맞은 말을 쓰거나 고르시오.

(1) 역치 이상의 자극을 받았을 때 막 투과도가 빠르게 증가하는 ㉠이 **❶**☐ 이고, 느리게 증가하는 ㉡이 **❷**☐ 이다.

(2) 구간 I 은 (탈분극 , 재분극), 구간 II는 (탈분극 , 재분극) 상태이다.

대표 기출 유형 2014학년도 4월 학평 7번

그림 (가)는 어떤 신경 세포의 축삭 돌기에서 지점 A ~C를, (나)는 (가)의 지점 A에 자극을 준 후 지점 B와 C 중 한 지점에서의 막전위 변화를 나타낸 것이다.

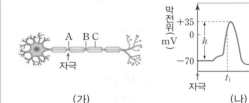

(가)　　　　　(나)

이에 대한 설명으로 옳은 것만을 〈보기〉에서 있는 대로 고른 것은?

보기
ㄱ. (나)는 지점 B에서의 막전위 변화이다.
ㄴ. (나)에서 t_1일 때 Na^+의 유입에 ATP가 사용된다.
ㄷ. 이 자극보다 세기가 큰 자극을 주면 h값이 커진다.

① ㄱ　　　　② ㄴ　　　　③ ㄱ, ㄷ
④ ㄴ, ㄷ　　　⑤ ㄱ, ㄴ, ㄷ

개념 point

활동 전위: 역치 이상의 자극을 받았을 때 나타나는 막전위 변화로 +35 mV로 일정하다.

│보기│ 풀이

ㄱ. 이 신경 세포는 말이집 신경이다. 지점 A에 자극을 준 후 지점 B에서는 활동 전위가 발생하고 지점 C에서는 활동 전위가 발생하지 않는다.
ㄴ. t_1일 때(탈분극 상태)는 Na^+ 통로를 통해 확산에 의한 Na^+의 유입이 일어나므로 ATP가 사용되지 않는다.
ㄷ. 뉴런에 자극을 가할 때 자극의 세기가 증가하더라도 활동 전위(h)의 값은 변하지 않고 시간당 활동 전위의 발생 빈도가 증가하게 된다.

함정 탈출

자극의 세기가 증가하더라도 활동 전위의 크기는 변하지 않는다.

답 ①

---

1 그림은 시냅스로 연결된 뉴런 A~C를 나타낸 것이다.

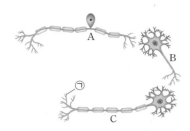

이에 대한 설명으로 옳은 것만을 〈보기〉에서 있는 대로 고른 것은?

보기
ㄱ. A는 원심성 뉴런이다.
ㄴ. 뇌와 척수를 구성하는 뉴런은 B이다.
ㄷ. ㉠은 가지돌기이다.

① ㄱ　　　　② ㄴ　　　　③ ㄱ, ㄴ
④ ㄴ, ㄷ　　　⑤ ㄱ, ㄴ, ㄷ

2020학년도 9월 학평 13번 변형

2 그림은 어떤 뉴런의 일부를 나타낸 것이다. ㉠과 ㉡은 각각 가지 돌기와 축삭 돌기 중 하나이다.

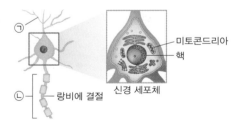

이에 대한 설명으로 옳은 것만을 〈보기〉에서 있는 대로 고른 것은?

보기
ㄱ. ㉠은 축삭 돌기 말단이다.
ㄴ. 이 뉴런은 말이집 신경이다.
ㄷ. 신경 세포체에서 물질대사가 일어난다.

① ㄱ　　　　② ㄴ　　　　③ ㄱ, ㄴ
④ ㄴ, ㄷ　　　⑤ ㄱ, ㄴ, ㄷ

2013학년도 4월 학평 10번 변형

3 그림은 뉴런 (가)~(다)를 나타낸 것이다.

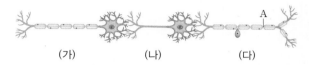

(가)   (나)   (다)

이에 대한 설명으로 옳은 것만을 〈보기〉에서 있는 대로 고른 것은?

보기
ㄱ. (가)는 감각 뉴런이다.
ㄴ. (나)는 민말이집 신경이다.
ㄷ. A 지점에 역치 이상의 자극이 주어지면 (다) → (나) → (가)로 흥분이 전달된다.

① ㄱ   ② ㄴ   ③ ㄷ
④ ㄱ, ㄴ   ⑤ ㄴ, ㄷ

2019학년도 9월 학평 8번 변형

4 그림은 어떤 뉴런에 역치 이상의 자극을 주었을 때, 이 뉴런의 축삭 돌기 한 지점 X에서 측정한 막전위 변화를 나타낸 것이다.

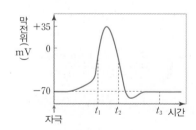

(1) t_1일 때 X의 상태를 쓰시오.

(2) t_2일 때 X에서 세포막을 통한 K^+의 이동에 대해 서술하시오. (단, 이동 수단과 방향을 모두 포함할 것)

(3) t_3일 때 X에서 세포막을 통한 Na^+과 K^+의 이동에 대해 서술하시오. (단, 이동 수단과 방향을 모두 포함할 것)

5 그림 (가)는 뉴런의 두 지점 A, B를, (나)는 A에 자극을 주었을 때 B에서의 막전위 변화를 나타낸 것이다.

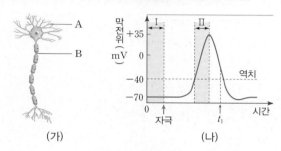

(가)   (나)

(1) 구간 Ⅰ과 Ⅱ 중 Na^+-K^+ 펌프가 작동하는 구간을 모두 쓰시오.

(2) 다음은 t_1에서 막전위가 하강하는 까닭을 설명한 것이다. 빈칸에 들어갈 알맞은 말을 쓰시오.

❶□□□ 통로가 닫히고 ❷□□□ 통로가 열려 K^+이 세포 ❸□□으로 확산되어 막전위가 하강한다.

2020학년도 6월 학평 14번 변형

6 그림 (가)는 뉴런에 자극을 주었을 때의 막전위 변화를, (나)는 (가)의 한 시점에서 세포막의 이온 통로를 통한 이온의 이동을 나타낸 것이다.

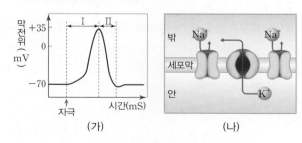

(가)   (나)

(1) 구간 Ⅰ에서 K^+의 농도는 세포 안이 세포 밖보다 □□□다.

(2) (나)와 같은 이온의 이동이 일어나는 구간을 (가)에서 찾아 쓰고, 그렇게 생각한 까닭을 서술하시오.

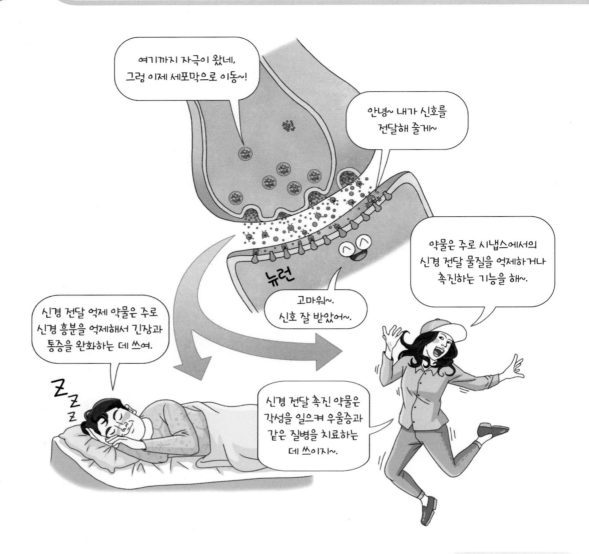

핵심 개념

1 흥분의 전도

- **흥분의 전도:** 한 뉴런 내에서 흥분이 이동하는 현상 ➡ 뉴런의 막 한 부위에서 활동 전위가 발생하면 이웃한 부위에서 연속적으로 탈분극이 일어나 활동 전위가 축삭 돌기를 따라 연속적으로 발생하면서 흥분이 전도된다. 흥분이 전도되는 동안 활동 전위의 크기는 일정하다.
- **흥분의 전도 속도**

  ① 말이집 신경은 [**①**] 전도가 일어나 민말이집 신경보다 흥분 전도 속도가 빠르다.

  ② 축삭 돌기의 지름이 클수록 저항을 적게 받기 때문에 흥분 전도 속도가 [**②**].
- **도약 전도:** 말이집 신경에서 말이집이 절연체 역할을 하여 랑비에 결절에서만 활동 전위가 발생하는 현상

2 흥분의 전달

- **흥분의 전달:** 한 뉴런에서 다음 뉴런으로 흥분이 전해지는 현상 ➡ [**③**] 틈으로 아세틸콜린과 같은 신경 전달 물질(화학 물질)이 분비되어 흥분이 전달된다.
- **흥분의 전달 과정:** ① 흥분이 축삭 돌기 말단에 도달 ② 축삭 돌기 말단의 시냅스 소포에서 시냅스 틈으로 신경 전달 물질 방출 ③ 신경 전달 물질이 확산되어 시냅스 이후 뉴런의 수용체에 결합 ④ 시냅스 이후 뉴런의 이온 통로가 열리면서 탈분극 발생 ➡ 활동 전위 발생
- **흥분의 전달 속도:** 화학 물질의 확산에 의해 일어나므로 축삭에서 일어나는 흥분의 전기적 전도보다 속도가 느리다.
- **흥분의 전달 방향:** 항상 시냅스 이전 뉴런에서 시냅스 이후 뉴런으로만 전달된다.

답 ❶ 도약 ❷ 빠르다 ❸ 시냅스

1-1

그림은 뉴런에 역치 이상의 자극을 1회 준 후 흥분이 B에 도달했을 때 세포 안팎의 대전 상태를 나타낸 것이다.

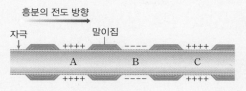

(1) A, B, C 부분을 무엇이라고 하는지 쓰시오.

(2) A와 C 중 B의 흥분이 전도되는 곳은 어디인지 쓰시오.

(3) C는 ❶ [　　　] 상태이며, 세포 안에는 ❷ [　　　]이, 세포 밖에는 ❸ [　　　]이 많이 있다.

1-2

그림은 민말이집 신경의 축삭 돌기 일부, 표는 그림의 두 지점 X나 Y 중 한 곳만을 자극하여 흥분의 전도가 1회 일어날 때, 네 지점($d_1 \sim d_4$)에서 동시에 측정한 막전위를 나타낸 것이다.

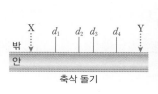

지점	막전위(mV)
d_1	-70
d_2	-80
d_3	$+35$
d_4	-70

(1) d_2, d_3, d_4의 막전위 상태를 쓰시오.

d_2: _____ d_3: _____ d_4: _____

(2) 시간적으로 d_2가 d_3보다 먼저 흥분이 전도된 것이므로 자극을 준 지점은 [　　　]이다.

2-1

그림 (가)는 뉴런 내에서, (나)는 시냅스에서 흥분이 이동하는 과정을 나타낸 것이다.

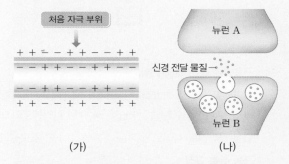

(1) (가)와 (나) 중 흥분 이동 속도가 더 빠른 것은?

(2) (나)에서 흥분의 전달 방향을 쓰시오.

2-2

그림은 3개의 뉴런이 연결된 모습을 나타낸 것이다.

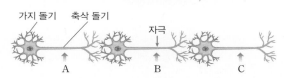

빈칸에 들어갈 알맞은 말을 쓰시오.

(1) 지점 B에 자극을 주었을 때 활동 전위는 ❶ [　　　]에서는 나타나지 않고 ❷ [　　　]에서만 나타난다.

(2) 활동 전위가 ❶ [　　　]에서만 나타나는 까닭은 신경 전달 물질이 뉴런의 ❷ [　　　] 말단에서만 분비되어 흥분이 시냅스 이전 뉴런의 ❸ [　　　] 말단에서 시냅스 이후 뉴런의 ❹ [　　　]나 신경 세포체 쪽으로만 전달되기 때문이다.

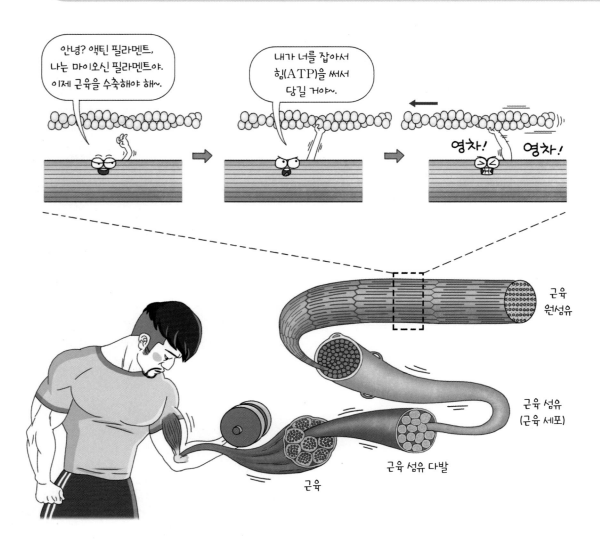

📖 **핵심 개념**

③ 근육의 구조

● **골격근의 구조**: 골격근은 여러 개의 근육 섬유 다발로 구성되어 있고, 하나의 근육 섬유는 미세한 근육 원섬유 다발로 구성된다.
└─ 근육 세포를 의미하며, 근육 세포는 여러 개의 핵을 가지는 다핵 세포이다.

● **근육 원섬유**: 가는 액틴 필라멘트와 굵은 마이오신 필라멘트로 구성되며, 근육 원섬유 마디가 반복되어 있다.

● **근육 원섬유 마디(근절)**: 근수축이 일어나는 단위이다. Z선과 Z선 사이의 한 마디로, 액틴 필라멘트와 마이오신 필라멘트가 일부 겹쳐 배열해 있다.

A대(암대)	굵은 마이오신 필라멘트가 있어 어둡게 보이는 부분
I대(명대)	가는 액틴 필라멘트만 있어 밝게 보이는 부분
H대	A대 중에서 마이오신 필라멘트만 있는 부분

④ 근육 수축의 원리

● **근육 수축의 원리(활주설)**: ❶ [ ] 필라멘트가 ❷ [ ] 필라멘트 사이로 미끄러져 들어가 근육 원섬유 마디가 짧아지면서 근육 수축이 일어난다. ➡ 액틴 필라멘트가 마이오신 필라멘트 사이로 들어갈 때 ❸ [ ] 가 소모된다.

● **근육 수축 과정**
① 골격근에 연결된 운동 뉴런에서 아세틸콜린이 분비되어 근육 섬유에서 탈분극이 일어나 근육 수축이 시작된다.
② 액틴 필라멘트와 마이오신 필라멘트가 겹치는 부위가 늘어나면서 근육 원섬유 마디가 짧아져 근육이 수축한다.
➡ 근육 원섬유 마디, I대, H대의 길이는 짧아지고, A대의 길이는 변화 없다.

🔑 ❶ 액틴 ❷ 마이오신 ❸ ATP

3-1

그림은 골격근의 근육 섬유와 근육 원섬유의 구조를 나타낸 것이다. 빈칸에 들어갈 알맞은 말을 쓰시오.

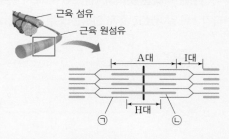

(1) 하나의 근육 섬유는 여러 개의 [　　　]로 이루어져 있다.

(2) ㉠은 **❶**[　　　] 필라멘트, ㉡은 **❷**[　　　] 필라멘트이다.

(3) 골격근이 수축하면 H대의 길이는 [　　　].

3-2

그림 (가)는 팔을 구부렸을 때와 폈을 때를, (나)는 근육 ㉠의 근육 원섬유를 나타낸 것이다.

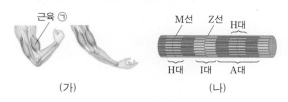

(가)　　　　　　　　　(나)

(1) 팔을 구부렸을 때 근육 ㉠의 길이는 어떻게 되는지 쓰시오.

(2) 팔을 구부리는 동안 (나)에서 A대의 길이는 어떻게 되는지 쓰시오.

(3) (나)에서 근육이 수축하는 동안 길이가 줄어드는 것을 모두 쓰시오.

4-1

그림은 근육이 수축할 때와 이완할 때 근육 원섬유 마디의 변화를 나타낸 것이다.

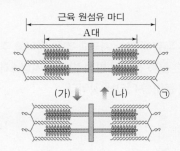

(1) ㉠의 이름을 쓰시오.

(2) 근육이 수축할 때는 **❶**[　　　] 필라멘트가 **❷**[　　　] 필라멘트 사이로 미끄러져 들어가 근육 원섬유 마디의 길이가 **❸**[　　　]. 따라서 **❹**[　　　]는 근육이 수축할 때, **❺**[　　　]는 근육이 이완할 때이다.

4-2

그림은 좌우 대칭인 근육 원섬유 마디 X의 구조를, 표는 시점 t_1과 t_2일 때 X와 ㉡의 길이를 나타낸 것이다. ㉠은 마이오신 필라멘트만, ㉡은 액틴 필라멘트만 있는 부분이다.

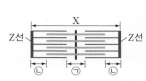

시점	X의 길이	㉡의 길이
t_1	?	0.4 μm
t_2	2.0 μm	0.2 μm

(1) ㉠의 이름을 쓰시오.

(2) t_1일 때 X의 길이를 구하시오.

(3) t_1과 t_2일 때 A대의 길이를 부등호로 비교하시오.

> t_1일 때 A대의 길이 [　　　] t_2일 때 A대의 길이

대표 기출 유형 ─ 2020학년도 6월 학평 12번

그림은 시냅스로 연결된 뉴런 (가)~(다)를 나타낸 것이다. (가)~(다)는 각각 감각 뉴런, 연합 뉴런, 운동 뉴런 중 하나이다.

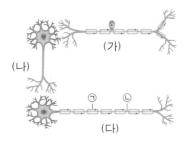

이에 대한 설명으로 옳은 것만을 〈보기〉에서 있는 대로 고른 것은?

── 보기 ──
ㄱ. (가)는 운동 뉴런이다.
ㄴ. ㉠은 슈반 세포로 이루어져 있다.
ㄷ. ㉡ 지점에 역치 이상의 자극을 주면 (가)와 (나)에서 모두 활동 전위가 발생한다.

① ㄴ　　　② ㄷ　　　③ ㄱ, ㄴ
④ ㄱ, ㄷ　　　⑤ ㄴ, ㄷ

─── 개념 point ───

감각 뉴런: 신경 세포체가 축삭 돌기의 중간에 위치한다.
흥분 전달 방향: 감각 뉴런 → 연합 뉴런 → 운동 뉴런

─── 보기 풀이 ───

(가)는 감각 뉴런, (나)는 연합 뉴런, (다)는 운동 뉴런이다.
㉠은 말이집, ㉡은 랑비에 결절이다.
ㄱ. (가)는 감각 뉴런이다.
ㄴ. 말이집은 슈반 세포로 이루어져 있다.
ㄷ. 흥분 전달 방향은 (가) → (나) → (다)이므로, ㉡에 역치 이상의 자극을 주어도 (가)와 (나)에서 활동 전위가 발생하지 않는다.

─── 함정 탈출 ───

흥분의 전달은 축삭 돌기에서 시냅스 이후 뉴런의 가지 돌기나 신경 세포체 방향으로만 전달된다.

답 ①

2020학년도 6월 학평 15번 변형

1 그림은 신경 A~C의 P 지점에 역치 이상의 자극을 동시에 1회 주고 일정 시간이 지난 후 t일 때 Q 지점에서 측정한 막전위를 나타낸 것이다. (단, A~C에서 흥분의 전도는 각각 1회 일어났고, 휴지 전위는 모두 −70 mV이다.)

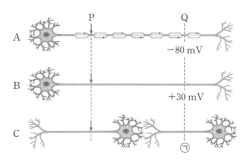

(1) 흥분 전도 속도는 A와 B 중 어디에서 더 빠른지 쓰고, 그 까닭을 주어진 막전위를 이용하여 서술하시오.

(2) t일 때 C의 Q 지점에서 측정한 막전위 ㉠의 크기는 얼마인지 쓰시오.

2 그림은 뉴런에 약한 자극과 강한 자극을 주었을 때, 시간에 따른 활동 전위의 발생 빈도와 시냅스에서 신경 전달 물질의 분비를 나타낸 것이다.

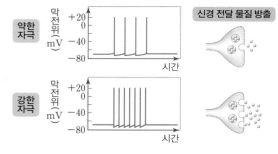

자극이 강할수록 (가) 활동 전위의 발생 빈도, (나) 신경 전달 물질의 분비량, (다) 활동 전위의 크기는 각각 어떻게 되는지 쓰시오.

2013학년도 7월 학평 14번

3 그림 (가)는 뉴런의 Ⅰ 지점에 자극을 한 번 주었을 때 Ⅱ 지점에서의 막전위 변화를, (나)는 뉴런의 세포막을 경계로 Na^+과 K^+의 이동을 나타낸 것이다.

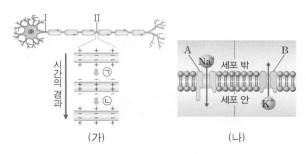

이에 대한 설명으로 옳은 것만을 〈보기〉에서 있는 대로 고른 것은?

─── 보기 ───
ㄱ. (가)의 뉴런에서 도약 전도가 일어난다.
ㄴ. ㉠ 과정에서 A를 통해 Na^+이 유입된다.
ㄷ. ㉡ 과정에서 B를 통한 K^+의 이동에 ATP가 소모된다.

① ㄱ   ② ㄴ   ③ ㄱ, ㄴ
④ ㄱ, ㄷ   ⑤ ㄴ, ㄷ

2017학년도 3월 학평 11번

4 그림 (가)는 시냅스로 연결된 두 개의 뉴런을, (나)는 (가)의 특정 부위에 역치 이상의 자극을 주었을 때 지점 d_2에서의 시간에 따른 막전위를 나타낸 것이다.

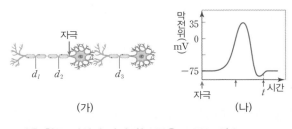

t 이후 활동 전위가 나타나는 곳을 모두 쓰시오.

5 그림은 근육 원섬유의 구조를 나타낸 것이다.

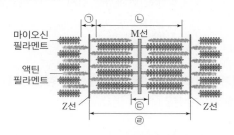

(1) 근수축이 일어날 때 길이가 짧아지는 것의 기호를 쓰시오.

(2) 근수축이 일어날 때 길이의 변화가 없는 것의 기호를 쓰시오.

2019학년도 6월 학평 11번

6 그림 (가)는 팔을 굽힐 때 근육 A와 B를, (나)는 근육 원섬유 마디의 구조를 나타낸 것이다. 근육 원섬유 마디는 좌우 대칭이다. ㉠은 액틴 필라멘트와 마이오신 필라멘트가 겹쳐져 있는 부분이고, ㉡은 액틴 필라멘트와 마이오신 필라멘트 중 하나이다.

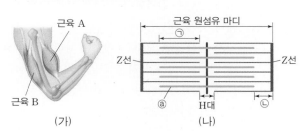

이에 대한 설명으로 옳은 것만을 〈보기〉에서 있는 대로 고른 것은?

─── 보기 ───
ㄱ. A는 골격근이다.
ㄴ. ⓐ는 마이오신 필라멘트이다.
ㄷ. B에서 ㉠+㉡의 길이는 팔을 굽히기 전보다 길다.

① ㄱ   ② ㄴ   ③ ㄷ
④ ㄱ, ㄴ   ⑤ ㄱ, ㄴ, ㄷ

2015학년도 3월 학평 1번

1 다음은 모기와 관련된 생명 현상이다.

> (가) 장구벌레는 번데기를 거쳐 모기가 된다.
> (나) 살충제를 살포한 후 살충제에 저항성을 갖는 모기가 증가하였다.

(가), (나)와 가장 관련이 깊은 생명 현상의 특성을 옳게 짝 지은 것은?

	(가)	(나)
①	발생과 생장	물질대사
②	발생과 생장	적응과 진화
③	적응과 진화	생식과 유전
④	생식과 유전	물질대사
⑤	생식과 유전	적응과 진화

2020학년도 6월 학평 4번

2 다음은 생명 현상을 두 가지 방법으로 탐구한 결과이다. (가)와 (나)는 각각 연역적 탐구 방법과 귀납적 탐구 방법 중 하나이다.

> (가) 다윈은 비글호를 타고 세계 여러 곳을 항해하면서 동·식물을 채집하고 관찰한 결과를 정리하여 '생물은 진화한다.'라는 결론을 내렸다.
> (나) 레디는 ㉠고기 주위에 파리가 모여든 후 구더기가 생긴 것을 보고 '구더기는 파리로부터 생길 것이다.'라는 생각을 하였다. 이후 실험을 통해 이를 검증하여 생물 속생설이 등장하게 된 계기를 마련했다.

이에 대한 설명으로 옳은 것만을 〈보기〉에서 있는 대로 고른 것은?

> **보기**
> ㄱ. ㉠은 가설 설정 단계이다.
> ㄴ. (나)에서는 대조 실험을 해야 한다.
> ㄷ. 관찰 결과를 종합하고 분석하여 결론을 이끌어내는 연구 방법은 (가)이다.

① ㄱ ② ㄴ ③ ㄷ
④ ㄱ, ㄴ ⑤ ㄴ, ㄷ

2020학년도 11월 학평 4번

3 다음은 에너지 대사와 건강에 대한 학생 A~C의 발표 내용이다.

생명 활동을 유지하는 데 필요한 최소한의 에너지양을 1일 대사량이라고 합니다.

물질대사 이상으로 발생하는 질환을 대사성 질환이라고 합니다.

고지혈증은 대사성 질환에 해당합니다.

학생 A 학생 B 학생 C

제시한 내용이 옳은 학생만을 있는 대로 고른 것은?

① A ② C ③ A, B
④ B, C ⑤ A, B, C

[4~5] 그림은 물질대사 과정의 일부를 나타낸 것이다. ㉠~㉢은 각각 ATP, O_2, CO_2 중 하나이다.

녹말 →ⓐ→ 포도당 → 조직 세포 ～에너지～ ADP+P_i → ㉢

물+㉡

4 이에 대한 설명으로 옳은 것만을 〈보기〉에서 있는 대로 고르시오.

> **보기**
> ㄱ. ⓐ는 동화 작용이다.
> ㄴ. ㉠은 O_2, ㉡은 CO_2이다.
> ㄷ. 포도당에서 방출된 에너지는 모두 ㉢에 저장된다.

5 ㉠이 우리 몸으로 들어와 조직 세포로 이동하여 이용되기까지의 과정을 서술하시오.

6 그림은 세 가지 신경을 구성하는 뉴런 (가)~(다)가 시냅스를 이루고 있는 모습이다. A와 B 사이의 거리와 C와 D 사이의 거리는 같다.

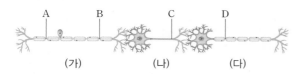

(가)   (나)   (다)

이에 대한 설명으로 옳은 것만을 〈보기〉에서 있는 대로 고른 것은?

보기
ㄱ. (가)는 감각 뉴런이다.
ㄴ. (나)는 뇌와 척수를 이룬다.
ㄷ. A와 C에 동시에 자극을 주었을 때, B보다 D에서 먼저 활동 전위가 발생한다.

① ㄱ   ② ㄴ   ③ ㄱ, ㄴ
④ ㄴ, ㄷ   ⑤ ㄱ, ㄴ, ㄷ

2014학년도 11월 학평 14번 변형

7 표는 세포 밖과 안의 이온 X와 Y의 농도를, 그림은 뉴런의 한 지점에 역치 이상의 자극을 주었을 때 시간에 따른 막전위를 나타낸 것이다. X와 Y는 각각 K^+과 Na^+ 중 하나이다.

물질	X	Y
세포 밖	142	5
세포 안	10	140

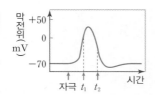

이에 대한 설명으로 옳은 것만을 〈보기〉에서 있는 대로 고른 것은?

보기
ㄱ. X는 Na^+-K^+ 펌프에 의해 세포 밖에서 안으로 운반된다.
ㄴ. t_1일 때 X가 세포 내로 유입된다.
ㄷ. t_2에서 재분극이 일어나고 있다.

① ㄱ   ② ㄴ   ③ ㄱ, ㄴ
④ ㄴ, ㄷ   ⑤ ㄱ, ㄴ, ㄷ

8 그림은 시냅스에서의 흥분 전달 과정을 나타낸 것이다. 이에 대한 설명으로 옳은 것만을 〈보기〉에서 있는 대로 고르시오.

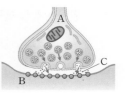

보기
ㄱ. A는 축삭 돌기 말단이다.
ㄴ. 흥분은 B → A 방향으로 전달된다.
ㄷ. 물질 C는 B의 막을 탈분극시킨다.

2016학년도 4월 학평 17번 변형

9 그림은 팔을 구부리는 과정을, 표는 이 과정에서 두 시점 (가)와 (나)일 때 근육 ㉠을 구성하는 근육 원섬유 마디 X의 A대와 I대 길이를 나타낸 것이다.

물질	A대	I대
(가)	ⓐ	1.0 μm
(나)	1.4 μm	0.6 μm

(1) (가)와 (나) 중 팔을 구부렸을 때 근육 ㉠의 상태에 해당하는 것을 쓰시오.

(2) ⓐ의 길이는 몇 μm인지 쓰시오.

10 그림은 근육 원섬유의 구조를 나타낸 것이다.

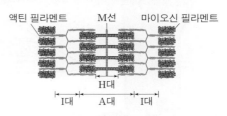

근수축이 일어날 때 A대, I대, H대의 길이 변화를 서술하시오.

1
주

100점

지영이는 점점 혈당 지수가 높아지고 있는 아빠를 위해 포스터를 만들었다.

| 2020학년도 6월 학평 6번 |

다음은 대사성 질환에 대해 조사한 자료의 일부가 지워진 것이다.

> • 대사성 질환은 오랜 기간 영양 과잉이나 ⓐ ㉠ 부족 등으로 에너지의 불균형이 지속되는 경우 나타난다.
>
> • 대사성 질환의 종류로는 지방간, ㉡ , 고지혈증 등이 있다.
>
> • 규칙적으로 운동을 하면 몸의 근육이 발달하고 ㉢ 기초 대사량이 높아져 대사성 질환을 예방할 수 있다.

이에 대한 설명으로 옳은 것만을 <보기>에서 있는 대로 고른 것은?

─ 보기 ─
ㄱ. '운동'은 ㉠에 해당될 수 있다.
ㄴ. '고혈압, 당뇨병'은 ㉡에 해당될 수 있다.
ㄷ. ㉢은 하루 동안 활동하는 데 필요한 모든 에너지양을 의미한다.

① ㄴ   ② ㄷ   ③ ㄱ, ㄴ   ④ ㄱ, ㄷ   ⑤ ㄱ, ㄴ, ㄷ

1주
특강

특강 ▶ 대사성 질환

• **대사성 질환**: 체내에서 일어나는 물질대사의 이상으로 발생하는 질환

① 발생 원인: 물질대사 조절에 관여하는 효소나 호르몬 등에 이상이 있거나 오랜 기간 영양 과잉·운동 부족과 같은 생활 습관에 따른 에너지의 불균형이 지속되면 대사성 질환이 발생할 수 있다.

② 대사성 질환의 종류: 당뇨병, 고지혈증, 고혈압, 지방간 등이 있으며, 이러한 질환에 의해 발생하는 심혈관계 질환, 뇌혈관계 질환 등도 포함된다.

• **기초 대사량과 1일 대사량**

① 기초 대사량: 생명을 유지하는 데 필요한 최소한의 에너지양

② 활동 대사량: 기초 대사량 외에 신체 활동을 하는 데 필요한 에너지양

③ 1일 대사량: 하루에 필요한 총 에너지양

    ➡ 기초 대사량＋활동 대사량＋음식물의 소화·흡수에 필요한 에너지양

• **에너지 대사의 균형**

1일 대사량보다 많은 에너지를 섭취하면 체중이 늘어난다.

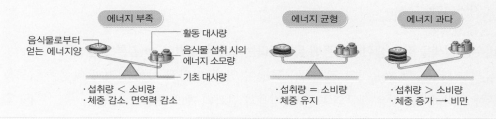

1

생명 과학의 탐구 방법과 생명 현상의 특성

다음은 어떤 과학자가 수행한 탐구이다.

(가) 서식 환경과 비슷한 털색을 갖는 생쥐가 포식자의 눈에 잘 띄지 않아 생존에 유리할 것이라고 생각했다.
(나) ㉠ 갈색 생쥐 모형과 ㉡ 흰색 생쥐 모형을 준비해서 지역 A와 B 각각에 두 모형을 설치했다. A와 B는 각각 갈색 모래 지역과 흰색 모래 지역 중 하나이다.
(다) A에서는 ㉠이 ㉡보다, B에서는 ㉡이 ㉠보다 포식자로부터 더 많은 공격을 받았다.
(라) ⓐ 서식 환경과 비슷한 털색을 갖는 생쥐가 생존에 유리하다는 결론을 내렸다.

이에 대한 설명으로 옳은 것만을 〈보기〉에서 있는 대로 고른 것은?

─ 보기 ─
ㄱ. A는 갈색 모래 지역이다.
ㄴ. 연역적 탐구 방법이 이용되었다.
ㄷ. ⓐ는 생물의 특성 중 적응과 진화의 예에 해당한다.

① ㄱ　　　② ㄴ　　　③ ㄱ, ㄷ　　　④ ㄴ, ㄷ　　　⑤ ㄱ, ㄴ, ㄷ

(가) 서식 환경과 비슷한 털색을 갖는 생쥐가 포식자의 눈에 잘 띄지 않아 생존에 유리할 것이라고 생각했다.

➡ **가설 설정**

관찰 사실로부터 문제를 인식하고 그에 대한 잠정적 결론인 가설을 세운 것이다. 탐구 방법 중 가설을 설정하는 것은 연역적 탐구 방법이다.

(나) ㉠ 갈색 생쥐 모형과 ㉡ 흰색 생쥐 모형을 준비해서 지역 A와 B 각각에 두 모형을 설치했다. A와 B는 각각 갈색 모래 지역과 흰색 모래 지역 중 하나이다. ➡ **대조 실험**

갈색 모래 지역에 갈색 생쥐 모형(실험군)과 흰색 생쥐 모형(대조군)을 두고, 흰색 모래 지역에도 역시 흰색 생쥐 모형(실험군)과 갈색 생쥐 모형(대조군)을 두어 각각 대조 실험을 진행하였다. 연역적 탐구 과정에서는 실험 결과의 타당성을 높이기 위해 대조 실험을 실시한다.

(다) A에서는 ㉠이 ㉡보다, B에서는 ㉡이 ㉠보다 포식자로부터 더 많은 공격을 받았다. ➡ **탐구 결과**

(라)에서 서식 환경과 비슷한 털색을 갖는 생쥐가 생존에 유리하다는 결론을 내렸으므로, 포식자로부터 ㉡ 흰색 생쥐 모형보다 ㉠ 갈색 생쥐 모형이 더 많은 공격을 받은 A 지역은 흰색 모래 지역이고, B 지역은 갈색 모래 지역이다.

(라) ⓐ 서식 환경과 비슷한 털색을 갖는 생쥐가 생존에 유리하다는 결론을 내렸다. ➡ **결론 도출**

생물은 생존에 유리한 방향으로 적응하고 진화하는 특성이 있다. 따라서 서식 환경과 비슷한 털색을 갖는 생쥐가 생존에 유리하다는 것은 생물의 특성 중 적응과 진화의 예에 해당한다. **답 ④**

2
2012학년도 6월 모평 1번   **생명 현상의 특성**

다음은 신문 기사의 일부이다.

○○ 신문
2000년 ○○월 ○○일

세계 각국의 보건 당국은 현재 알려진 ㉠ 대부분의 항생제를 투여해도 죽지 않는 신종 슈퍼박테리아(NDM−1)의 출현을 예의 주시하면서 확산 경로를 면밀히 추적하고 있다.

㉠에 나타난 생명 현상의 특성과 가장 관련이 깊은 것은?

① 아메바는 분열법으로 증식한다.

② 미모사에 손을 대면 잎이 접힌다.

③ 시험관 안의 불린 콩이 발아하면서 열이 발생한다.

④ 살충제를 사용한 후 저항성이 생긴 바퀴벌레가 나타난다.

⑤ 운동 후에 높아진 체온은 시간이 지나면서 정상 체온으로 돌아온다.

>> **자료 분석 Tip**
㉠에서 '항생제 투여'라는 환경의 변화에 돌연변이에 의한 신종 슈퍼박테리아(NDM−1)가 출현하여 적응한 것이므로 생명 현상의 특성 중 적응과 진화에 해당한다.

>> **문제 해결 Tip**
적응과 진화는 '환경에 잘 적응하였는가?', '새로운 개체가 나타나는가?'에 초점을 맞추어 찾으면 쉽게 찾을 수 있다.

1주 특강

3
2020학년도 6월 학평 2번   **생명 과학의 특성**

다음은 생명 과학에 대한 학생 A~C의 발표 내용이다.

제시한 의견이 옳은 학생만을 있는 대로 고른 것은?

① A   ② B   ③ C   ④ A, B   ⑤ B, C

>> **자료 분석 Tip**
생명 과학은 생물을 구성하는 물질의 분자 수준에서부터 세포, 조직, 기관, 개체, 개체군, 군집, 생태계까지 다양한 범위의 생명 현상을 연구한다. 생명 과학의 연구 성과는 인류의 생존과 복지에 관한 문제를 해결하는 데 이용된다. 생명 과학은 다른 여러 학문 분야와 영향을 주고받으면서 통합적으로 발달하고 있다.

>> **문제 해결 Tip**
대화 유형은 주로 기본 개념을 묻는 문항이므로 기본 개념을 반드시 암기해 두어야 한다.

4

물질대사와 에너지 전환

다음은 생물체에서 일어나는 물질대사와 에너지 전환에 대한 학생 A~C의 발표 내용이다.

❶ 미토콘드리아에서 일어나는 세포 호흡은 이화 작용에 해당합니다.

❷ 식물은 빛에너지를 화학 에너지의 형태로 저장합니다.

❸ 1분자당 저장된 화학 에너지는 ADP가 ATP보다 많습니다.

학생 A   학생 B   학생 C

제시한 내용이 옳은 학생만을 있는 대로 고른 것은?

① A   ② C   ③ A, B   ④ B, C   ⑤ A, B, C

---

❶ **미토콘드리아에서 일어나는 세포 호흡은 이화 작용에 해당합니다. (○)**

세포 호흡은 포도당(고분자 물질)을 이산화 탄소와 물(저분자 물질)로 분해하는 반응으로, 이때 에너지가 방출된다. ➡ 이화 작용

❷ **식물은 빛에너지를 화학 에너지의 형태로 저장합니다. (○)**

식물의 광합성은 빛에너지를 이용하여 이산화 탄소와 물로부터 포도당을 합성하는 과정으로 빛에너지를 포도당의 화학 에너지로 저장한다. ➡ 동화 작용

❸ **1분자당 저장된 화학 에너지는 ADP가 ATP보다 많습니다. (×)**

세포 호흡에 의해 포도당이 물과 이산화 탄소로 분해되면서 방출되는 에너지의 일부는 ATP에 저장된다. ATP는 아데노신(아데닌＋리보스)에 3개의 인산이 결합된 화합물로, 인산과 인산은 고에너지 결합을 하고 있다. ATP는 인산 한 분자를 떨어뜨리고 ADP가 되면서 에너지를 방출한다. 즉 1분자당 저장된 화학 에너지는 ATP가 ADP보다 많다.

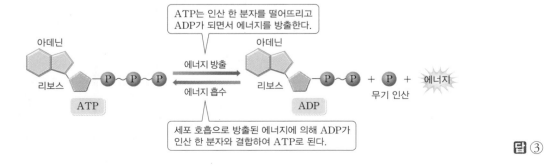

답 ③

5 · Na⁺−K⁺ 펌프와 이온 통로

다음은 인터넷에 올라온 학생의 질문과 선생님의 답변이다.

✉ 게시판(Q&A) — ▢ ✕

?질문 선생님, $Na^+ - K^+$ 펌프와 이온 통로의 차이점은 무엇인가요?

↳답변 Na^+과 K^+의 이온 통로는 막전위 변화에 따라 열리고 닫히며, 농도가 높은 곳에서 낮은 곳으로 이온이 확산됩니다. 이 과정에는 ⓐ 와 같은 외부 에너지 지원이 사용되지 않지만, $Na^+ - K^+$ 펌프는 ⓐ 를 소모하여 농도에 역행하여 Na^+을 세포 밖으로, K^+을 세포 안으로 이동시킵니다. $Na^+ - K^+$ 펌프의 작용으로 뉴런이 휴지 상태일 때 ⓑ 은 세포 밖보다 세포 안에 더 많이 분포하고, ⓒ 은 세포 안보다 밖에 더 많이 분포하게 됩니다.

ⓐ~ⓒ에 들어갈 말이 순서대로 옳게 짝 지어진 것은?

① ATP, Na^+, K^+
② ATP, K^+, Na^+
③ ADP, K^+, Na^+
④ 아세틸콜린, Na^+, K^+
⑤ 아세틸콜린, K^+, Na^+

> **》 자료 분석 Tip**
> $Na^+ - K^+$ 펌프는 ATP를 이용해 Na^+을 세포 안에서 밖으로, K^+을 세포 밖에서 안으로 수송한다. 뉴런의 세포막에는 Na^+과 K^+이 이동하는 이온 통로가 있는데, 이온 통로를 통해 농도가 높은 곳에서 낮은 곳으로 이온이 확산되며, 이 과정에는 ATP와 같은 에너지는 사용되지 않는다.

> **》 문제 해결 Tip**
> · $Na^+ - K^+$ 펌프 ➡ ATP를 이용한 능동 수송에 의한 이온의 이동
> · Na^+ 통로, K^+ 통로 ➡ 고농도에서 저농도로 확산에 의해 이동, ATP 이용 ✕

6 · 근수축

다음은 골격근의 구조를 보고 세 학생이 대화하고 있는 모습을 나타낸 것이다.

옳게 설명한 학생만을 있는 대로 고른 것은?

① A
② B
③ C
④ A, C
⑤ B, C

> **》 자료 분석 Tip**
> 근육 원섬유에서 상대적으로 어둡게 보이는 부분(ⓐ)을 A대, 밝게 보이는 부분(ⓑ)을 I대라고 한다. I대는 액틴 필라멘트로만 이루어진 부분이고, A대는 마이오신 필라멘트이다. A대 중에서 액틴 필라멘트와 겹치지 않는 부위를 따로 H대라고 한다.

> **》 문제 해결 Tip**
> 근육의 수축과 이완이 일어날 때 액틴 필라멘트와 마이오신 필라멘트 자체의 길이 변화는 일어나지 않는다는 사실을 꼭 기억해야 한다.

이번 주에는 무엇을 공부할까? ❶

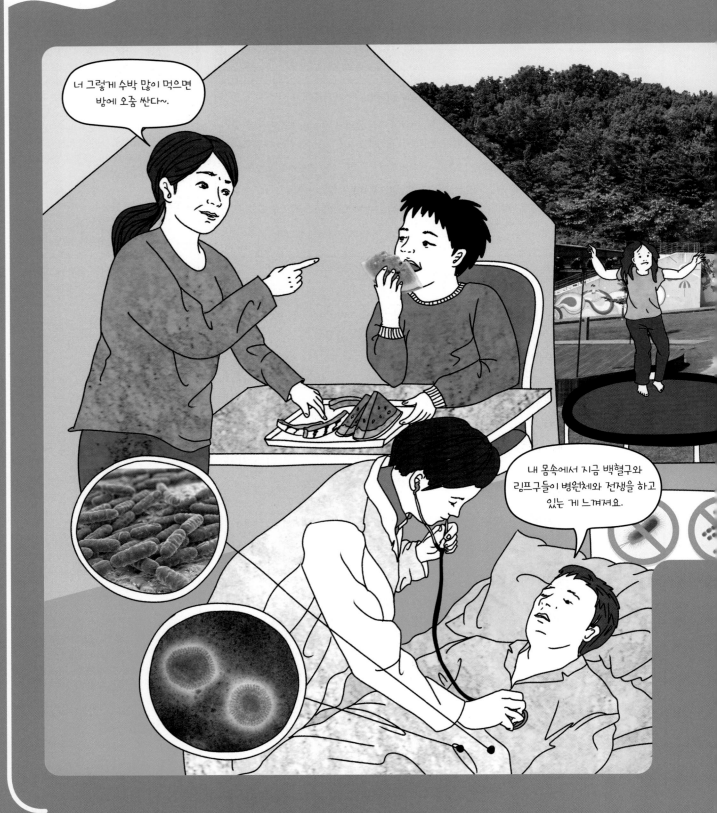

Ⅲ. 항상성과 몸의 조절

중학 기초 개념

1 신경계

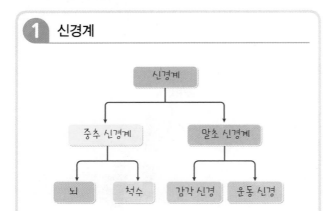

우리 몸에서 자극을 빠르게 전달하고 판단하여 반응하도록 신호를 보내는 기관계를 신경계라고 한다. 신경계는 중추 신경계와 말초 신경계로 구분된다.

Quiz
중추 신경계는 뇌와 ❶ ☐ 로 이루어져 있다. 말초 신경계는 감각 신경과 ❷ ☐ 으로 이루어져 있으며, 온몸에 퍼져 있어 중추 신경계와 온몸을 연결한다.

2 척수와 척추

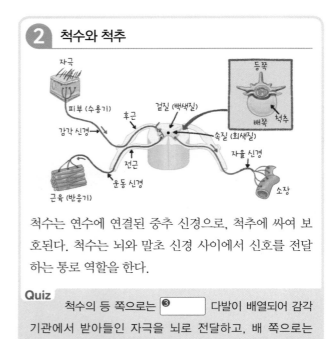

척수는 연수에 연결된 중추 신경으로, 척추에 싸여 보호된다. 척수는 뇌와 말초 신경 사이에서 신호를 전달하는 통로 역할을 한다.

Quiz
척수의 등 쪽으로는 ❸ ☐ 다발이 배열되어 감각 기관에서 받아들인 자극을 뇌로 전달하고, 배 쪽으로는 ❹ ☐ 다발이 배열되어 뇌에서 보낸 신호를 반응 기관으로 전달한다.

3 자율 신경계

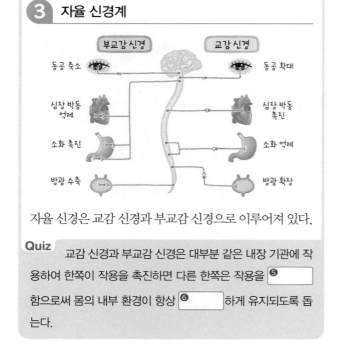

자율 신경은 교감 신경과 부교감 신경으로 이루어져 있다.

Quiz
교감 신경과 부교감 신경은 대부분 같은 내장 기관에 작용하여 한쪽이 작용을 촉진하면 다른 한쪽은 작용을 ❺ ☐ 함으로써 몸의 내부 환경이 항상 ❻ ☐ 하게 유지되도록 돕는다.

4 무조건 반사

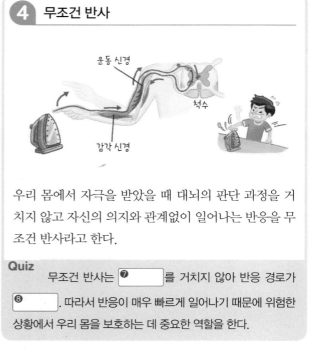

우리 몸에서 자극을 받았을 때 대뇌의 판단 과정을 거치지 않고 자신의 의지와 관계없이 일어나는 반응을 무조건 반사라고 한다.

Quiz
무조건 반사는 ❼ ☐ 를 거치지 않아 반응 경로가 ❽ ☐ . 따라서 반응이 매우 빠르게 일어나기 때문에 위험한 상황에서 우리 몸을 보호하는 데 중요한 역할을 한다.

답 ❶ 척수 ❷ 운동 신경 ❸ 감각 신경 ❹ 운동 신경 ❺ 억제 ❻ 일정 ❼ 대뇌 ❽ 짧다

2
주

⑤ 항상성

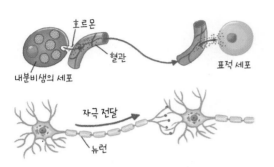

우리 몸은 몸 안팎의 환경이 변해도 적절하게 반응하여 몸의 상태를 일정하게 유지하는 성질이 있는데, 이를 항상성이라고 한다.

Quiz
항상성은 ❶ [　　　] 과 ❷ [　　　] 의 작용으로 유지되며, 세포의 생명 활동이 원활하게 일어나게 하는 데 중요한 역할을 한다.

⑥ 호르몬

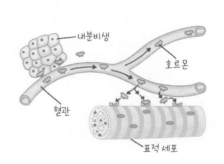

호르몬은 내분비샘에서 분비되어 특정 세포나 기관으로 신호를 전달하여 몸의 기능을 조절하는 물질이다.

Quiz
호르몬은 특정 호르몬 수용체를 가진 ❸ [　　　] 혹은 표적 기관에만 작용하며, 미량으로 생리 작용을 조절하며 부족하면 ❹ [　　　] 이, 많으면 과다증이 나타난다.

⑦ 혈당량 조절

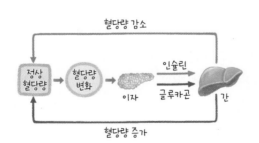

이자에서 분비하는 호르몬인 인슐린과 글루카곤의 작용으로 혈당량이 일정하게 유지된다.

Quiz
이자섬의 β세포에서 분비하는 ❺ [　　　] 은 혈당량을 낮추고, 이자섬의 α세포에서 분비하는 ❻ [　　　] 은 혈당량을 높인다.

⑧ 체온 조절

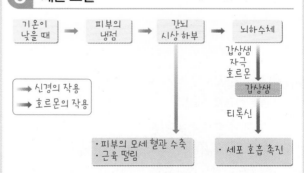

교감 신경과 갑상샘에서 분비하는 호르몬인 티록신의 작용으로 체온이 일정하게 유지된다.

Quiz
❼ [　　　] 의 시상 하부에서 체온 저하를 감지하면 신경의 작용으로 피부에 있는 모세 혈관이 수축하여 피부 근처로 흐르는 혈액의 양이 감소하여 몸 표면을 통한 ❽ [　　　] 이 감소한다.

답 ❶ 호르몬 ❷ 신경 ❸ 표적 세포 ❹ 결핍증 ❺ 인슐린 ❻ 글루카곤 ❼ 간뇌 ❽ 열 방출량

1일 중추 신경계와 말초 신경계

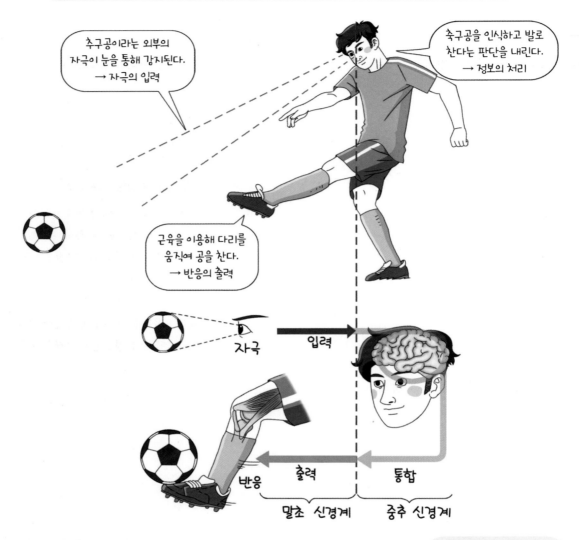

추구공이라는 외부의 자극이 눈을 통해 감지된다.
→ 자극의 입력

축구공을 인식하고 발로 찬다는 판단을 내린다.
→ 정보의 처리

근육을 이용해 다리를 움직여 공을 찬다.
→ 반응의 출력

자극 → 입력 → 통합 → 출력 → 반응

말초 신경계   중추 신경계

📖 핵심 개념

1 **중추 신경계** — 감각 신경을 통해 들어온 감각 정보를 통합하여 반응기에 명령을 내린다.
- 중추 신경계: 뇌와 ❶⬚⬚⬚로 구성
- 뇌: 대뇌, 간뇌, 소뇌, <u>뇌줄기</u>(중간뇌, 뇌교, 연수)로 구성
  └ 생명과 직결된 기능을 담당

대뇌	추리, 기억, 상상, 언어 등의 정신 활동 담당, 감각과 수의 운동의 중추
간뇌	항상성 유지의 중추로, 체온과 삼투압 등을 조절(시상과 시상 하부로 이루어진다.)
소뇌	수의 운동을 조절하여 몸의 평형 유지
중간뇌	안구 운동과 홍채의 크기 조절 ┐
뇌교	대뇌와 소뇌 사이의 정보 전달 ├ 뇌줄기
연수	심장 박동, 호흡 및 소화 운동 조절 ┘

- 척수: 뇌와 말초 신경 사이의 흥분 전달 통로이며, 무릎 반사, 움츠림 반사, 젖분비·땀분비·배뇨 반사 등의 중추

2 **의식적인 반응과 무조건 반사**
- 의식적인 반응: ❷⬚⬚⬚의 판단과 명령에 따라 일어나는 반응 예 날아오는 공을 보고 야구 방망이로 친다.

> 자극 → 감각기 → 감각 신경 → <u>대뇌</u> → 운동 신경 → 반응기 → 반응
> └ 중추

- **무조건 반사**: 대뇌가 관여하지 않고, 척수, 연수, 중간뇌 등을 중추로 하여 일어나는 반응 ➡ 자극이 대뇌에 전달되기 전에 일어나 빠르게 위험으로부터 몸을 보호할 수 있다. 예 척수 반사(회피 반사, 무릎 반사 등), 연수 반사(기침, 재채기, 침 분비 등), 중간뇌 반사(동공 반사)

> 자극 → 감각기 → 감각 신경 → <u>척수, 연수, 중간뇌</u> → 운동 신경 → 반응기 → 반응
> └ 중추

답 ❶ 척수 ❷ 대뇌

1-1

그림은 뇌의 구조를 나타낸 것이다.

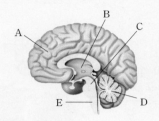

(1) A~E 각 부분의 이름을 쓰시오.

(2) 언어, 감각, 운동, 정신 활동의 중추는 어디인지 쓰시오.

(3) 체온, 항상성, 삼투압 등 항상성 조절 중추는 어디인지 쓰시오.

(4) 동공에 빛을 비추었을 때 동공의 크기가 작아지는 반응은 어느 부분과 관련이 있는지 쓰시오.

1-2

그림은 척수의 단면을 나타낸 것이다.

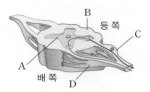

빈칸에 들어갈 알맞은 말을 고르시오.

(1) A는 신경 세포체가 모여 있어 (백색질 , 회색질)인 (속질 , 겉질)이고, B는 축삭 돌기가 모여 있어 (백색질 , 회색질)인 (속질 , 겉질)이다.

(2) 등 쪽에 있는 C는 (전근 , 후근)으로 (감각 신경 , 운동 신경) 다발이고, 배 쪽에 있는 D는 (전근 , 후근)으로 (감각 신경 , 운동 신경) 다발이다.

2
주

1일

2-1

그림은 자극에 의하여 반사가 일어날 때 흥분 전달 경로를 나타낸 것이다. ㉠과 ㉡은 각각 운동 뉴런과 연합 뉴런 중 하나이다.

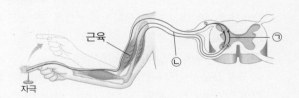

(1) ㉠과 ㉡의 뉴런의 종류를 쓰시오.

(2) ㉡은 전근과 후근 중 어디를 통해 나오는지 쓰시오.

(3) 이 반사의 조절 중추를 쓰시오.

2-2

그림은 무릎 반사가 일어날 때 수용기와 반응기 사이의 흥분 전달 경로를 나타낸 것이다.

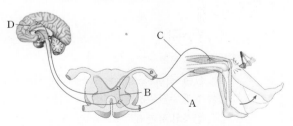

이에 대한 설명으로 옳은 것은 ○, 옳지 <u>않은</u> 것은 ×로 표시하시오.

(1) 무릎 반사의 경로는 A → B → C이다. (   )
(2) 고무망치에 의한 자극은 D로 전달된다. (   )
(3) 무조건 반사는 대뇌를 거치지 않으므로 의식적인 반응보다 몸을 보호하는 데 유리하다. (   )

중추 신경계와 말초 신경계

일

중추 신경계

편히 쉬면서 맛있게 먹어 볼까?

으앗!! 빨리 도망가야 해~.

크앙

콩닥 콩닥

부교감 신경은 주로 긴장 상태에서 다시 원래의 상태로 이완시키는 작용을 하지. 주로 소화 작용을 촉진해.

교감 신경은 위급한 상황에 대비할 수 있도록 우리 몸을 긴장시키는 역할을 하지. 주로 긴급하게 에너지를 쓸 수 있게 하는 작용이 많아.

📖✨ 핵심 개념

3 말초 신경계

- **말초 신경계**: 중추 신경계에서 나와 온몸의 말단부까지 퍼져 나가는 신경으로 12쌍의 뇌신경과 31쌍의 척수 신경으로 구성
  ① **구심성 신경**: 감각 기관 → 중추 신경계로 흥분 전달
  ② **원심성 신경**: 중추 신경계 → 반응 기관으로 흥분 전달, 체성 신경계와 자율 신경계로 구분된다.
- **체성 신경계(운동 신경)**: 운동 신경으로 구성, 골격근에 분포하며, 주로 **❶** 　　　의 지배를 받아 의식적인 골격근의 운동을 담당한다.
- **자율 신경계**: ① 내장 기관, 혈관, 분비샘 등에 분포하며, 간뇌, 중간뇌, 연수의 조절을 받아 몸의 기능을 조절한다.
  ② 교감 신경과 부교감 신경으로 구성되며, <u>교감 신경과 부교감 신경은 **❷** 　　　으로 각 기관의 기능을 조절한다.</u>
  └─ 같은 내장 기관에 분포한다.

4 체성 신경계와 자율 신경계 비교

- **체성 신경**: 중추 신경과 반응 기관 사이에 1개의 뉴런이 명령을 전달하며(신경절이 없다.), 축삭 돌기 말단에서 아세틸콜린을 분비한다. └─ 신경 세포체들이 모여 있는 곳으로 신경절을 기준으로 신경절 이전 뉴런과 신경절 이후 뉴런으로 구분한다.
- **자율 신경**: 2개의 뉴런이 명령을 전달한다.
  ① **교감 신경**: 신경절 이전 뉴런이 신경절 이후 뉴런보다 짧으며, 신경절 이전 뉴런의 축삭 돌기 말단에서는 아세틸콜린을, 신경절 이후 뉴런의 축삭 돌기 말단에서는 **❸** 　　　을 분비한다.
  ② **부교감 신경**: 신경절 이전 뉴런이 신경절 이후 뉴런보다 길고, 신경절 이전 뉴런의 축삭 돌기 말단과 신경절 이후 뉴런의 축삭 돌기 말단에서 **❹** 　　　이 분비된다.

답 ❶ 대뇌 ❷ 길항 작용 ❸ 노르에피네프린 ❹ 아세틸콜린

3-1

그림은 체성 신경, 교감 신경, 부교감 신경을 구분하는 과정을 나타낸 것이다.

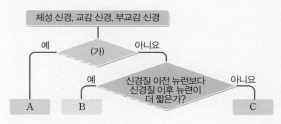

(1) A, B, C는 각각 무엇인지 쓰시오.

(2) ㉠과 ㉡ 중 (가)에 알맞은 것을 고르시오.

> ㉠ 대뇌의 지배를 받는가?
> ㉡ 심장 박동을 조절하는가?

3-2

표는 자율 신경계의 작용을 나타낸 것이다.

구분	심장 박동	소화액 분비	위 운동	호흡 운동	동공	방광
교감 신경	촉진	억제	억제	촉진	확대	확장
부교감 신경	억제	촉진	촉진	억제	축소	수축

(1) 교감 신경과 부교감 신경은 같은 기관에 분포하면서 서로 반대되는 작용을 하여 생리 기능을 조절한다. 이러한 작용을 무엇이라고 하는지 쓰시오.

(2) 다음 중 부교감 신경이 작용하는 경우는 '부', 교감 신경이 작용하는 경우는 '교'를 쓰시오.
㉠ 달리기를 할 때 (   )
㉡ 스트레스를 받아 소화가 잘 되지 않을 때 (   )

4-1

그림은 중추 신경계와 연결된 말초 신경계의 종류를 나타낸 것이다.

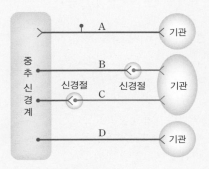

(1) 구심성 신경의 기호를 쓰시오.

(2) 체성 운동 신경의 기호를 쓰시오

(3) 교감 신경의 기호를 쓰시오.

(4) 부교감 신경의 기호를 쓰시오.

4-2

그림은 자율 신경이 위에 연결된 모습을 나타낸 것이다.

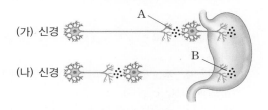

(1) (가)와 (나)는 각각 무엇인지 쓰시오.

(2) 신경 전달 물질 A, B는 각각 무엇인지 쓰시오.

(3) (가)가 흥분하면 위의 소화 작용은 어떻게 되는지 쓰시오.

1일

기초 유형 연습 | 중추 신경계와 말초 신경계

대표 기출 유형 [2020학년도 10월 학평 5번]

그림은 사람의 중추 신경계와 심장을 연결하는 자율 신경을 나타낸 것이다. ㉠과 ㉡은 각각 연수와 척수 중 하나이다.

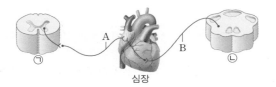

이에 대한 설명으로 옳은 것만을 〈보기〉에서 있는 대로 고른 것은?

보기
ㄱ. ㉠의 속질은 백색질이다.
ㄴ. ㉡은 뇌줄기를 구성한다.
ㄷ. 뉴런 A와 B의 말단에서 분비되는 신경 전달 물질은 같다.

① ㄱ   ② ㄴ   ③ ㄷ
④ ㄱ, ㄴ   ⑤ ㄴ, ㄷ

개념 point

뇌줄기: 중간뇌, 뇌교, 연수를 아울러 뇌줄기라고 한다.
연수: 뇌와 척수 사이를 연결하는 곳이며, 심장 박동, 호흡 운동, 소화 운동과 소화액 분비 등을 조절한다.

보기 풀이

ㄱ. ㉠은 척수이다. 척수의 겉질은 백색질, 속질은 회색질이다.
ㄴ. 심장 박동의 중추는 연수이다. 따라서 ㉡은 연수이다. 연수는 뇌줄기를 구성한다.
ㄷ. 척수에서 나온 신경은 신경절 이전 뉴런이 짧으므로 교감 신경, 연수에서 나온 신경은 신경절 이전 뉴런이 길므로 부교감 신경이다. 따라서 A의 말단에서는 노르에피네프린이, B의 말단에서는 아세틸콜린이 분비된다.

함정 탈출

일반적으로 제시되던 형태가 아니어서 신경절 이전 뉴런과 이후 뉴런을 판단하는 데 혼동이 올 수 있다. 중추 신경계에서 나온 뉴런이 신경절 이전 뉴런이다.

답 ②

---

1 [2019학년도 9월 학평 17번]

그림은 사람의 뇌 구조를 나타낸 것이다. A~C는 각각 간뇌, 대뇌, 소뇌 중 하나이다.

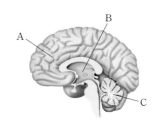

이에 대한 설명으로 옳은 것만을 〈보기〉에서 있는 대로 고른 것은?

보기
ㄱ. A의 겉질은 회색질이다.
ㄴ. B는 소뇌이다.
ㄷ. C는 몸의 평형 유지에 관여한다.

① ㄱ   ② ㄴ   ③ ㄱ, ㄷ
④ ㄴ, ㄷ   ⑤ ㄱ, ㄴ, ㄷ

2 그림은 감각기에 수용된 자극이 중추 신경계를 거쳐 반응기에 전달되는 경로를 나타낸 것이다.

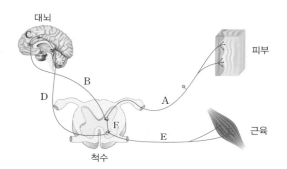

다음 각 반응이 일어나기까지 자극의 이동 경로를 기호로 쓰시오.

(1) 손이 시려워 장갑을 낀다.

(2) 실수로 뜨거운 것을 만졌을 때 팔을 움찔한다.

2020학년도 6월 학평 17번

3 그림은 무릎 반사가 일어나는 과정에서 흥분 전달 경로를 나타낸 것이다. (가)는 중추 신경계에 속한다.

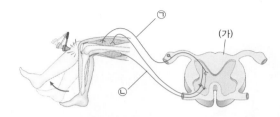

이에 대한 설명으로 옳은 것만을 〈보기〉에서 있는 대로 고른 것은?

보기
ㄱ. ㉠은 자율 신경계에 속한다.
ㄴ. ㉡은 (가)의 후근을 이룬다.
ㄷ. ㉡의 신경 세포체는 (가)의 회색질에 있다.

① ㄴ 　② ㄷ 　③ ㄱ, ㄴ
④ ㄱ, ㄷ 　⑤ ㄴ, ㄷ

2016학년도 수능 13번 변형

4 그림은 중추 신경계에 속한 A~C로부터 자율 신경을 통해 각 기관에 연결된 경로를 나타낸 것이다. A~C는 각각 연수, 중간뇌, 척수 중 하나이다.

이에 대한 설명으로 옳은 것만을 〈보기〉에서 있는 대로 고른 것은?

보기
ㄱ. A는 척수이다.
ㄴ. B의 속질은 회색질이다.
ㄷ. C는 중간뇌이다.

① ㄱ 　② ㄴ 　③ ㄱ, ㄷ
④ ㄴ, ㄷ 　⑤ ㄱ, ㄴ, ㄷ

2019학년도 6월 학평15번

5 그림은 방광과 연결된 신경을 나타낸 것이다. 신경 X와 Y는 각각 교감 신경과 부교감 신경 중 하나이다.

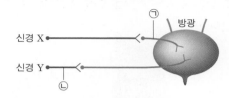

(1) 신경 X와 Y는 각각 무엇인지 쓰시오.

(2) ㉠과 ㉡의 말단에서 분비되는 신경 전달 물질을 쓰시오.

(3) 신경 Y가 흥분하면 방광은 어떻게 되는지 쓰시오.

2019학년도 11월 학평 10번

6 그림은 중추 신경계로부터 말초 신경을 통해 홍채, 심장, 골격근에 연결된 경로를 나타낸 것이다.

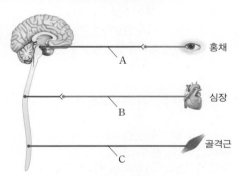

이에 대한 설명으로 옳은 것만을 〈보기〉에서 있는 대로 고른 것은?

보기
ㄱ. A는 중간뇌와 연결되어 있다.
ㄴ. B의 축삭 돌기 말단에서 분비되는 신경 전달 물질은 아세틸콜린이다.
ㄷ. C는 체성 신경계에 속한다.

① ㄱ 　② ㄴ 　③ ㄱ, ㄷ
④ ㄴ, ㄷ 　⑤ ㄱ, ㄴ, ㄷ

호르몬과 항상성 유지

호르몬은 혈액으로 소량이 분비되어 우리 몸의 여러 기능을 조절하는 물질이에요. 우리 몸에는 이러한 호르몬을 분비하는 여러 기관이 있는데, 이를 내분비샘이라고 해요!

갑상샘

부신

정소

뇌하수체

이자

난소

📖 핵심 개념

1 호르몬

- 호르몬: 생리 작용을 조절하는 화학 물질
  ① 내분비샘에서 생성되어 ❶ □□□ 으로 분비된다.
  ② ❷ □□ 세포 또는 ❷ □□ 기관에만 작용한다.
  ③ 매우 ❸ □□ 양으로 생리 작용을 조절한다.

- 호르몬과 신경의 비교

구분	전달 매체	전달 속도	작용 범위	효과 지속성	작용 범위	특징
호르몬	혈액	비교적 느림	넓다	오래 지속됨	넓다	표적 세포에만 작용
신경	뉴런	빠름	좁다	빨리 사라짐	좁다	한 방향으로 전달

2 내분비샘과 주요 호르몬

내분비샘		호르몬
뇌하수체	전엽	생장 호르몬(생장 촉진), 갑상샘 자극 호르몬, 생식샘 자극 호르몬, 부신 겉질 자극 호르몬
	후엽	항이뇨 호르몬(수분 재흡수 촉진), 옥시토신
갑상샘		티록신(물질대사 촉진), 칼시토닌
부신	겉질	당질 코르티코이드(혈당량 증가), 무기질 코르티코이드(나트륨 흡수 촉진)
	속질	에피네프린(혈당량 증가, 심장 박동 촉진)
이자		인슐린(혈당량 감소), 글루카곤(혈당량 증가)
정소		테스토스테론(2차 성징 발현)
난소		에스트로겐(2차 성징 발현), 프로게스테론

└ 간에서 포도당을 글리코젠으로 합성 촉진

❶ 혈액 ❷ 표적 ❸ 적은

1-1

그림은 내분비샘 A에서 생장 호르몬이 분비되어 표적 세포에 작용하는 과정을 나타낸 것이다.

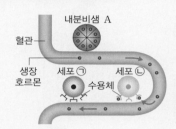

(1) 내분비샘 A는 무엇인지 쓰시오.

(2) 생장 호르몬의 표적 세포는 ㉠과 ㉡ 중 어느 것인지 쓰시오.

(3) 호르몬이 특정한 표적 세포에만 신호를 전달할 수 있는 까닭은 표적 세포의 세포막에는 특정 호르몬과 결합하는 ☐ 가 있기 때문이다.

1-2

그림은 체내 신호 전달의 두 가지 방식을 나타낸 것이다.

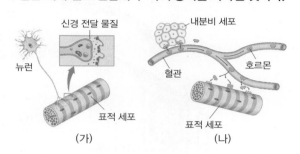

(1) ㉠ 신경계에서 일어나는 것과 ㉡ 내분비계에서 일어나는 것의 기호를 쓰시오.

(2) (가)와 (나)의 작용을 비교한 다음 표를 완성하시오.

구분	전달 매체	효과의 지속성	작용 범위	반응 속도
(가)	❶	짧다	❷	빠르다
(나)	❸	길다	❹	느리다

2-1

다음 물음에 답하시오.

(1) 다음 호르몬이 공통적으로 분비되는 내분비샘을 쓰시오.

- 생장 호르몬
- 생식샘 자극 호르몬
- 항이뇨 호르몬
- 갑상샘 자극 호르몬

(2) 내분비샘과 분비되는 호르몬의 연결이 옳은 것만을 〈보기〉에서 있는 대로 고르시오.

--- 보기 ---
ㄱ. 뇌하수체 전엽 — 항이뇨 호르몬
ㄴ. 뇌하수체 후엽 — 갑상샘 자극 호르몬
ㄷ. 갑상샘 — 에피네프린
ㄹ. 이자 — 글루카곤

2-2

표는 호르몬의 결핍증으로 인한 내분비계 질환을 나타낸 것이다.

질환	호르몬	결핍증
당뇨병	A	포도당이 오줌으로 배설된다.
요붕증	B	희석된 다량의 오줌이 나온다.
갑상샘 기능 저하증	C	물질대사가 활발하지 못하고 추위를 탄다.

(1) 호르몬 A, B, C의 이름을 쓰시오.

(2) 호르몬 A의 표적 기관을 쓰시오.

(3) 콩팥에서 물의 재흡수를 촉진하는 호르몬의 기호를 쓰시오.

호르몬과 항상성 유지

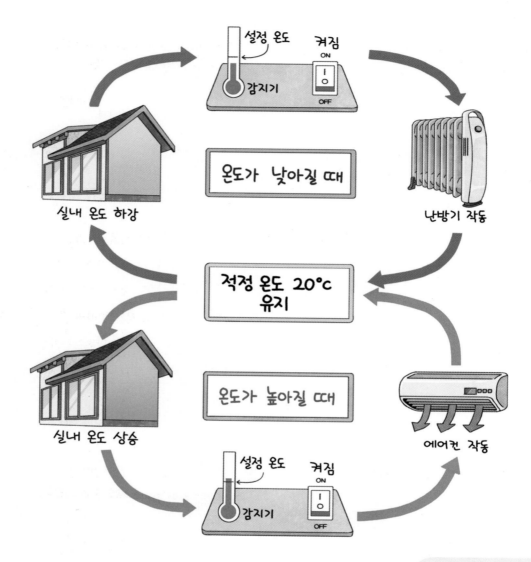

설정 온도

켜짐
ON
OFF

감지기

온도가 낮아질 때

난방기 작동

실내 온도 하강

적정 온도 20℃
유지

실내 온도 상승

온도가 높아질 때

에어컨 작동

설정 온도

켜짐
ON
OFF

감지기

✨📖 핵심 개념

3 항상성의 유지 원리

- **항상성**: 체내외의 환경이 변하더라도 체온, 혈당량, 혈장 삼투압 등 체내 상태를 ❶[   ]하게 유지하려는 성질
- **항상성 유지 원리**: 신경계와 내분비계에 의한 음성 피드백과 ❷[   ]으로 유지된다.

  ① **음성 피드백**: 어떤 원인으로 나타난 ❸[   ]가 원인을 억제하는 조절 원리

  ② **길항 작용**: 한 기관에 두 개의 요인이 함께 작용할 때 한 요인이 기관의 기능을 촉진하면 다른 요인은 기능을 억제하여 그 기관의 기능을 일정하게 유지하는 작용
  예 인슐린과 글루카곤의 작용

4 혈당량 조절

- **혈당량**: 혈액 속 포도당의 양으로, 정상인은 약 0.1 %(약 100 mg/100 mL)로 유지된다.
- **혈당량 조절 과정**: 이자에서 분비되는 ❹[   ]과 글루카곤의 길항 작용과 음성 피드백으로 조절된다.

  ① **혈당량이 높을 때**: 이자섬의 β세포에서 인슐린(포도당 → 글리코젠으로 합성 촉진) 분비량 증가, 포도당의 흡수 촉진 → 혈당량 감소

  ② **혈당량이 낮을 때**: 이자섬의 α세포에서 글루카곤(글리코젠 → 포도당으로 분해 촉진) 분비량 증가 → 혈당량 증가

3-1

그림은 티록신의 분비 조절 과정을 나타낸 것이다. TRH 는 TSH 방출 호르몬, TSH는 갑상샘 자극 호르몬이다.

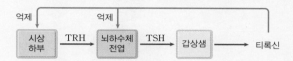

(1) (가) 혈중 티록신의 농도가 높아졌을 때, (나) 혈중 티록신의 농도가 낮아졌을 때 TRH의 분비는 각각 어떻게 변하는지 쓰시오.

(2) 티록신의 분비 조절 과정에서 피드백 요인으로 작용하는 것은 무엇인지 쓰시오.

(3) 이와 같은 자동 조절 원리를 무엇이라고 하는지 쓰시오.

3-2

그림은 건강한 사람이 운동을 할 때의 인슐린과 글루카곤의 혈중 농도 변화를 나타낸 것이다.

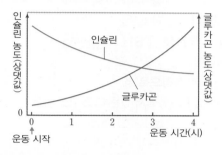

빈칸에 들어갈 알맞은 말을 쓰시오.

(1) 운동을 하면 운동에 필요한 에너지를 얻기 위해 ❶[ ]이 활발해져 혈액 속의 포도당 농도가 ❷[ ]하므로 시간에 따라 ❸[ ] 분비량은 감소하고 ❹[ ]의 분비량은 증가한다.

(2) 인슐린과 글루카곤은 간에서 [ ]을 통해 혈당량을 조절한다.

4-1

그림은 혈당량 조절 경로를 나타낸 것이다.

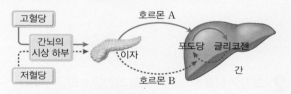

빈칸에 들어갈 알맞은 말을 쓰시오.

(1) 호르몬 A는 고혈당일 때 간에서 ❶[ ]이 ❷[ ]으로 합성되는 과정을 촉진하므로 혈당량을 낮추는 ❸[ ]이다.

(2) 호르몬 B는 저혈당일 때 간에서 ❶[ ]이 ❷[ ]으로 분해되는 과정을 촉진하여 혈당량을 높이므로 ❸[ ]이다.

(3) 혈당량 조절 중추는 간뇌의 [ ]이다.

4-2

그림은 정상인과 이자에 이상이 생긴 당뇨병 환자의 식사 후 혈당량과 혈액 내 인슐린의 농도 변화를 나타낸 것이다.

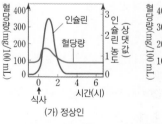 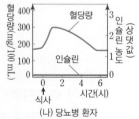

(가) 정상인　　(나) 당뇨병 환자

빈칸에 들어갈 알맞은 말을 쓰시오.

(1) (가)의 경우 식사 직후에 혈당량이 ❶[ ]하고, 이에 따라 ❷[ ]의 분비가 늘어난다.

(2) (나)의 경우 식사 후에도 인슐린의 양이 0에 가까우므로, 인슐린을 분비하는 이자의 [ ]에 이상이 있음을 알 수 있다.

(3) (나)의 오줌에서는 [ ]이 검출될 것이다.

대표 **기출 유형** · 2021학년도 9월 모평 3번

그림은 티록신 분비 조절 과정의 일부를 나타낸 것이다. ㉠과 ㉡은 각각 TRH와 TSH 중 하나이다.

이에 대한 설명으로 옳은 것만을 〈보기〉에서 있는 대로 고른 것은?

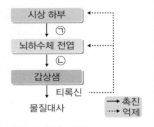

시상 하부
↓ ㉠
뇌하수체 전엽
↓ ㉡
갑상샘
↓ 티록신
물질대사

→ 촉진
⋯▶ 억제

— 보기 —
ㄱ. ㉠은 혈액을 통해 표적 세포로 이동한다.
ㄴ. ㉡은 TRH이다.
ㄷ. 티록신의 분비는 음성 피드백에 의해 조절된다.

① ㄱ   ② ㄴ   ③ ㄷ
④ ㄱ, ㄷ   ⑤ ㄴ, ㄷ

개념 point

TRH: 갑상샘 자극 호르몬 방출 호르몬으로 시상 하부에서 분비되어 뇌하수체 전엽을 자극하여 TSH의 분비를 촉진한다.
TSH: 갑상샘 자극 호르몬으로 뇌하수체 전엽에서 분비되며, 갑상샘을 자극하여 티록신 분비를 촉진한다.
음성 피드백: 어떤 원인으로 나타난 결과가 원인을 억제하는 조절 원리
표적 기관: 호르몬의 조절을 받는 기관

보기 풀이

ㄱ. ㉠은 TRH이다. TRH는 혈액을 통해 표적 세포로 이동하는 호르몬이다.
ㄴ. ㉡은 뇌하수체 전엽에서 분비되어 갑상샘에 작용하는 TSH이다.
ㄷ. 티록신의 분비가 증가하면 분비된 티록신에 의해 시상 하부와 뇌하수체 전엽에서의 TRH와 TSH의 분비가 억제되어 티록신의 농도가 일정 수준 이상으로 증가하지 않고 유지된다. 이와 같은 조절을 음성 피드백 조절이라고 한다.

함정 탈출

TRH와 TSH도 호르몬으로 혈액을 통해 이동한다.

답 ④

2018학년도 9평 모평 5번

1 그림은 사람의 호르몬 분비 장소를 나타낸 것이다.

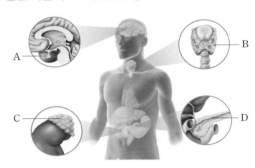

이에 대한 설명으로 옳은 것만을 〈보기〉에서 있는 대로 고른 것은?

— 보기 —
ㄱ. A에서 분비되는 호르몬에는 B를 자극하는 호르몬이 있다.
ㄴ. C에서는 코르티코이드, 에피네프린이 분비된다.
ㄷ. D는 외분비샘으로도 작용한다.

① ㄱ   ② ㄷ   ③ ㄱ, ㄴ
④ ㄱ, ㄷ   ⑤ ㄱ, ㄴ, ㄷ

2 그림은 티록신의 분비 조절 과정을 나타낸 것이다.

억제 ┌─────┐ 억제 ┌──────────────┐
시상 하부 →TRH→ 뇌하수체 전엽 →TSH→ 갑상샘 → 티록신

(1) 티록신이 정상보다 과다 분비되었을 때를 예로 들어 티록신의 농도가 일정하게 유지되는 원리를 서술하시오.

(2) 어떤 사람의 갑상샘을 제거했을 때 나타나는 TRH와 TSH의 분비량의 변화를 그 까닭과 함께 서술하시오.

3 그림은 호르몬과 신경에 의한 신호 전달을 나타낸 것이다.

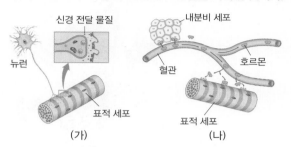

이에 대한 설명으로 옳은 것만을 〈보기〉에서 있는 대로 고른 것은?

보기
ㄱ. (가)는 (나)보다 작용 범위가 넓다.
ㄴ. (가)는 (나)보다 반응이 빠르게 나타난다.
ㄷ. (가)와 (나)의 신호 전달에는 화학 물질이 사용된다.

① ㄱ   ② ㄴ   ③ ㄷ
④ ㄱ, ㄷ   ⑤ ㄴ, ㄷ

2020학년도 9월 학평 16번 변형

5 그림 (가)는 정상인의 혈중 포도당 농도에 따른 혈중 ⊙과 ⓒ의 농도를, (나)는 간에서 일어나는 포도당과 글리코젠 사이의 전환을 나타낸 것이다. ⊙과 ⓒ은 각각 인슐린과 글루카곤 중 하나이다.

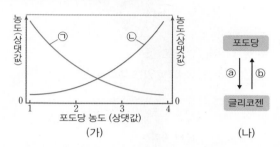

이에 대한 설명으로 옳은 것만을 〈보기〉에서 있는 대로 고르시오.

보기
ㄱ. ⊙은 이자의 β세포에서 분비된다.
ㄴ. ⓒ은 ⓑ 과정을 촉진한다.
ㄷ. ⊙과 ⓒ은 간에서 길항 작용을 한다.

---

4 다음은 혈당량 조절에 관여하는 호르몬의 작용을 나타낸 것이다.

(가) 근육 세포에서 포도당 흡수를 촉진한다.
(나) 간세포에서 포도당 생성을 촉진한다.
(다) 간세포에서 글리코젠 합성을 촉진한다.

(1) 이 자료에서 혈당량을 감소시키는 작용만을 있는 대로 고르시오.

(2) (나) 과정에 관여하는 호르몬을 한 가지 쓰시오.

(3) (다) 과정에 관여하는 호르몬을 쓰시오.

---

6 그림 (가)와 (나)는 탄수화물을 섭취한 후 시간에 따른 A와 B의 혈중 포도당 농도와 혈중 X 농도를 각각 나타낸 것이다. A와 B는 정상인과 당뇨병 환자를 순서 없이 나타낸 것이고, X는 인슐린과 글루카곤 중 하나이다.

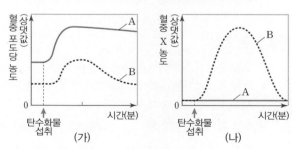

(1) 호르몬 X는 무엇인지 쓰시오.

(2) A와 B 중 당뇨병 환자는 누구인지 쓰고, 그렇게 생각한 까닭을 서술하시오.

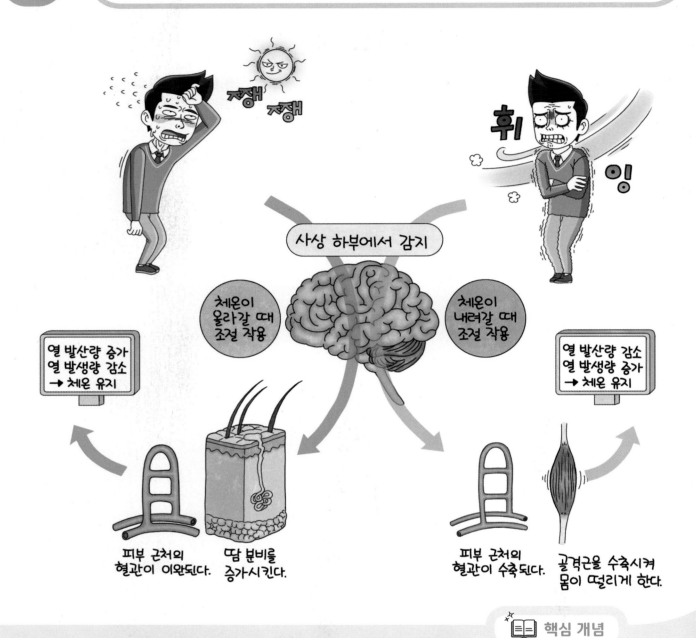

사상 하부에서 감지

체온이 올라갈 때 조절 작용

체온이 내려갈 때 조절 작용

열 발산량 증가
열 발생량 감소
→ 체온 유지

열 발산량 감소
열 발생량 증가
→ 체온 유지

피부 근처의 혈관이 이완된다.

땀 분비를 증가시킨다.

피부 근처의 혈관이 수축된다.

골격근을 수축시켜 몸이 떨리게 한다.

핵심 개념

1 체온 조절

- 간뇌의 시상 하부에서 체온의 변화를 감지하고, 열 발생량과 열 발산량(방출량)을 조절하여 체온을 일정하게 유지한다. └ 중추   └ 36.1~36.5 ℃
- 추울 때: 열 발생량 **①**□□□(티록신과 에피네프린 분비 증가 → 물질대사 촉진, 골격근 수축에 의한 몸의 떨림), 열 방출량 **②**□□□(교감 신경 흥분 → 피부 근처 혈관 수축)
- 더울 때: 열 발생량 감소(티록신과 에피네프린 분비 감소 → 물질대사 억제), 열 방출량 증가(교감 신경 작용 완화 → 피부 근처 혈관 확장, 땀 분비 증가)

2 삼투압 조절

- 간뇌의 시상 하부에서 혈장 삼투압의 변화를 감지하고, 뇌하수체 후엽에서 분비되는 ADH(항이뇨 호르몬, 콩팥에서 수분 재흡수 촉진)의 분비량을 조절하여 삼투압을 일정하게 유지한다. └ 중추   └ 오줌량 감소
- 삼투압이 높을 때: ADH 분비 **③**□□□ → 콩팥에서 물의 재흡수량 증가 → 오줌양 감소, 체내 수분량 증가 └ 혈장 삼투압 감소
- 삼투압이 낮을 때: ADH 분비 **④**□□□ → 콩팥에서 물의 재흡수 억제 → 오줌양 증가, 체내 수분량 감소 └ 혈장 삼투압 증가

답 ❶ 증가 ❷ 감소 ❸ 증가 ❹ 감소

1-1

그림은 더울 때와 추울 때 피부 모세 혈관의 상태를 순서 없이 나타낸 것이다. 빈칸에 들어갈 알맞은 말을 쓰시오.

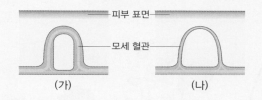

(1) (가)는 **❶** [　　] 때, (나)는 **❷** [　　] 때이다. 따라서 열 발산량은 **❸** [　　]에서가 **❹** [　　]에서보다 많다.

(2) 체온이 올라갈 때는 **❶** [　　] 신경의 작용이 완화되어 피부 근처 모세 혈관이 **❷** [　　]되고, 땀샘이 자극되어 땀 분비가 **❸** [　　]한다. 따라서 **❹** [　　]보다 **❺** [　　]일 때 땀 분비가 촉진된다.

1-2

그림은 저온 자극이 주어졌을 때 일어나는 체온 조절 과정의 일부를 나타낸 것이다. (가)~(다)는 자극 전달 경로이다.

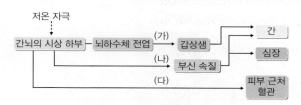

(1) 교감 신경에 의한 자극 전달 경로를 쓰시오.

(2) (가)는 **❶** [　　]을 통한 자극의 전달, (다)는 **❷** [　　]에 의한 자극의 전달이므로, (가)보다 (다)의 자극 전달 속도가 **❸** [　　].

2-1

그림은 체내의 수분량을 조절하는 호르몬의 분비 과정을 나타낸 것이다.

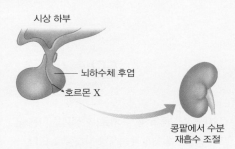

빈칸에 들어갈 알맞은 말을 쓰시오.

(1) 호르몬 X의 표적 기관은 [　　]이다.

(2) 음식을 짜게 먹으면 혈장 삼투압이 **❶** [　　]하여 호르몬 X의 분비량이 **❷** [　　]한다.

(3) 호르몬 X의 분비량이 증가하면 **❶** [　　]에서 수분의 재흡수량이 **❷** [　　]하고, 이에 따라 혈액량이 **❸** [　　]하며, 오줌양은 **❹** [　　]한다.

2-2

그림은 건강한 사람의 혈액량이 정상일 때와 ㉠일 때, 혈장 삼투압에 따른 항이뇨 호르몬의 혈중 농도를 나타낸 것이다. ㉠은 정상일 때에 비해 혈액량이 증가한 상태와 감소한 상태 중 하나이다.

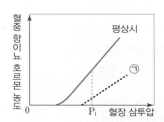

빈칸에 들어갈 알맞은 말을 쓰시오.

P_1에서 평상시(정상일 때)보다 ㉠일 때 항이뇨 호르몬의 농도가 낮다. 이것은 ㉠이 정상보다 혈액량이 **❶** [　　]한 상태여서 체내 수분량을 **❷** [　　]시키는 방향으로 항상성 조절이 일어나기 때문이다. 따라서 ㉠일 때 수분 재흡수량은 평상시보다 **❸** [　　].

 항상성 유지, 질병과 병원체

비감염성 질병의 원인

유전 · 운동 부족 · 비만 · 스트레스 · 음주, 흡연 · 과도한 염분 섭취

감염성 질병의 원인

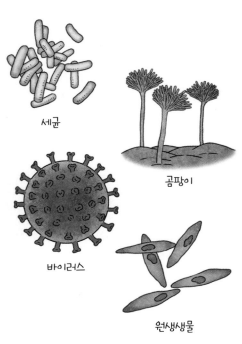

세균
곰팡이
바이러스
원생생물

핵심 개념

3 **질병의 구분**

- **비감염성 질병**: 병원체와 상관없이 발병, 다른 사람에게 전염되지 않는다. 예 고혈압, 혈우병, 당뇨병 등
- **감염성 질병**: 세균, 바이러스, 원생생물, 곰팡이 등의 병원체에 ❶ 되어 발생, 다른 사람에게 전염될 수 있다. 예 감기, 독감, 결핵, 말라리아, 무좀 등
- **감염성 질병의 예방**: 병원체에 감염되는 경로를 차단하면 감염성 질병을 예방할 수 있다.

4 **병원체의 종류와 특성**

- **세균**: ① 핵막이 없는 단세포 원핵생물로, 핵막과 막으로 둘러싸인 세포 소기관이 없다. ② 핵산(DNA와 RNA) 및 효소가 있어 스스로 물질대사를 한다. ③ 질병: 결핵, 파상

풍, 세균성 식중독 등 ④ **치료**: 항생제를 이용하면 세균의 세포벽 형성을 방해하여 증식을 억제할 수 있다.

- **바이러스**: ① 핵산(DNA 혹은 RNA)과 단백질 껍질로 구성, 세포의 구조를 갖추고 있지 않다. ② 세균보다 크기가 작다. ③ ❷ 가 없어 스스로 물질대사를 못하고, 살아 있는 숙주 세포 내에서만 증식할 수 있다. ④ **질병**: 감기, 독감, 후천성 면역 결핍증(AIDS) 등 ⑤ **치료**: 항바이러스제를 이용하지만 바이러스는 돌연변이가 자주 일어나고 숙주 세포도 함께 손상되므로 치료가 어렵다.
- **원생생물**: ① 핵막이 있으며 대부분 단세포 진핵생물이다. ② **질병**: 말라리아, 이질, 수면병 등 _{오염된 음식물이나 매개 생물 (모기, 쥐 등)을 통해 감염된다.}
- **곰팡이**: ① 균사로 이루어진 다세포 진핵생물이다. ② **질병**: 무좀, 칸디다증 등 ③ **치료**: 항진균제로 치료

답 ❶ 감염 ❷ 효소

3-1

표는 사람의 6가지 질병을 구분하여 나타낸 것이다.

구분	질병
A	고혈압, 혈우병
B	결핵, 탄저병
C	홍역, 독감

(1) A~C 중 비감염성 질병을 쓰시오.

(2) A~C 중 병원체가 바이러스인 것을 쓰시오.

(3) A~C 중 병원체가 세포 분열을 통해 스스로 증식하는 것을 있는 대로 쓰시오.

3-2

그림은 구분 기준 A와 B에 따라 사람의 여러 질병을 구분하는 과정을 나타낸 것이다.

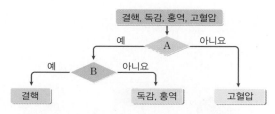

A와 B에 해당하는 구분 기준을 있는 대로 골라 기호로 쓰시오.

구분 기준
(가) 감염성 질병인가?
(나) 병원체가 세포 구조로 되어 있는가?
(다) 병원체가 핵산을 가지는가?
(라) 병원체는 독립적으로 물질대사를 하는가?

(1) A: _____
(2) B: _____

4-1

그림은 독감을 일으키는 병원체 A와 결핵을 일으키는 병원체 B의 공통점과 차이점을 나타낸 것이다.

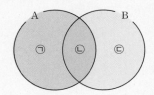

다음은 각각 ㉠, ㉡, ㉢ 중 어디에 해당하는지 쓰시오.

(1) 세포로 되어 있다.

(2) 유전 물질을 가지고 있다.

(3) 분열에 의해 스스로 증식한다.

(4) 질병을 유발할 수 있다.

4-2

다음은 병원체에 대한 세 학생의 대화 내용이다. 옳은 학생만을 골라 있는 대로 고르시오.

대표 기출 유형

2020학년도 6월 모평 12번

다음은 사람의 항상성에 대한 학생 A~C의 발표 내용이다.

> 학생 A: 체온이 떨어지면, 교감 신경이 작용하여 피부의 모세 혈관이 이완(확장)됩니다.
>
> 학생 B: 땀을 많이 흘리면, 항이뇨 호르몬(ADH)이 작용하여 콩팥에서의 수분 재흡수가 촉진됩니다.
>
> 학생 C: 혈중 티록신 농도가 증가하면, 뇌하수체 전엽에서 갑상샘 자극 호르몬(TSH)의 분비가 촉진됩니다.

제시한 내용이 옳은 학생만을 있는 대로 고른 것은?

① A ② B ③ A, C
④ B, C ⑤ A, B, C

개념 point

체온이 떨어질 때: 열 발생량이 증가(물질 대사 촉진, 몸 떨림)하고, 열 발산량은 감소(피부 근처 혈관 수축)한다.
음성 피드백: 어떠한 반응의 결과가 다시 그 반응의 원인을 억제하는 현상 ➡ 결과인 호르몬의 양이 원인인 내분비샘의 작용을 억제한다.

보기 풀이

ㄱ. 체온이 떨어지면, 열 발산량을 줄이기 위해 교감 신경이 작용하여 피부의 모세 혈관이 수축된다.
ㄴ. 땀을 많이 흘리면, 뇌하수체 후엽에서 분비되는 항이뇨 호르몬이 작용하여 콩팥에서의 수분 재흡수가 촉진되어 삼투압이 조절된다.
ㄷ. 혈중 티록신 농도가 증가하면, 음성 피드백에 의해 뇌하수체 전엽에서 갑상샘 자극 호르몬(TSH)의 분비가 억제된다.

함정 탈출

• 교감 신경은 몸을 긴장 상태로 만드는 작용을 한다. 따라서 피부 근처 모세 혈관이 수축한다.
• 땀을 많이 흘리면 몸속의 수분이 부족하게 된다. 즉 혈장 삼투압이 증가한다. 따라서 콩팥에서 수분 재흡수를 촉진하여 오줌량을 줄이게 된다.

답 ②

2020학년도 6월 학평 19번

1 그림은 사람에게 저온 자극이 주어졌을 때 체온 조절 과정의 일부를 나타낸 것이다. A는 물질대사에 관여하는 호르몬이고, ⊙은 수축 또는 이완 중 하나이다.

이에 대한 설명으로 옳은 것만을 〈보기〉에서 있는 대로 고른 것은?

> **보기**
> ㄱ. A는 티록신이다.
> ㄴ. ⊙은 수축이다.
> ㄷ. 골격근 떨림에 의해 열 발생량(열 생산량)이 증가한다.

① ㄱ ② ㄴ ③ ㄷ
④ ㄱ, ㄴ ⑤ ㄱ, ㄴ, ㄷ

2014학년도 11월 학평 8번

2 그림은 호르몬 A의 분비와 작용을 나타낸 것이다.

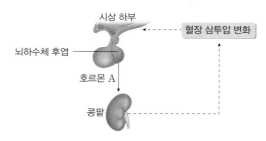

(1) 혈장 삼투압의 조절 중추를 쓰시오.

(2) 호르몬 A는 무엇인지 쓰시오.

(3) 혈장 삼투압이 높아지면 호르몬 A의 분비는 어떻게 되는지 쓰시오.

(4) 호르몬 A의 분비가 촉진되면 오줌의 농도 변화는 어떻게 되는지 그 까닭과 함께 서술하시오.

2019학년도 4월 학평 9번 변형

3 그림은 어떤 정상인이 물과 소금물을 섭취하였을 때 단위 시간당 오줌 생성량을 시간에 따라 나타낸 것이다.

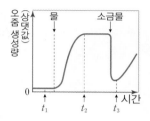

이에 대한 설명으로 옳은 것만을 〈보기〉에서 있는 대로 고른 것은? (단, 제시된 조건 이외에 체내 수분량에 영향을 미치는 요인은 없다.)

— 보기 —
ㄱ. 소금물을 마시면 오줌의 양이 증가한다.
ㄴ. 혈중 항이뇨 호르몬(ADH)의 농도는 t_1에서가 t_2에서보다 높다.
ㄷ. 콩팥에서 단위 시간당 수분 재흡수량은 t_2에서가 t_3에서보다 높다.

① ㄱ   ② ㄴ   ③ ㄷ
④ ㄱ, ㄴ   ⑤ ㄴ, ㄷ

2018학년도 9월 모평 6번

5 표는 질병 A~C의 특징을 나타낸 것이다. A~C는 각각 결핵, 혈우병, 후천성 면역 결핍 증후군(AIDS) 중 하나이다.

구분	특징
A	비감염성 질병이다.
B	병원체는 세포 구조로 되어 있다.
C	병원체는 스스로 물질대사를 하지 못한다.

이에 대한 설명으로 옳은 것만을 〈보기〉에서 있는 대로 고른 것은?

— 보기 —
ㄱ. A는 혈우병이다.
ㄴ. B의 병원체는 핵산을 가지고 있다.
ㄷ. C의 병원체는 인간 면역 결핍 바이러스(HIV)이다.

① ㄱ   ② ㄷ   ③ ㄱ, ㄴ
④ ㄴ, ㄷ   ⑤ ㄱ, ㄴ, ㄷ

2주 **3**일

4 그림은 세 가지 병원체를 분류하는 과정을 나타낸 것이다.

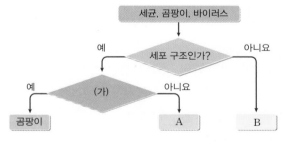

(1) 분류 기준 (가)에 들어갈 수 있는 내용을 보기에서 골라 기호로 쓰시오.

— 보기 —
ㄱ. 핵이 있는가?
ㄴ. 유전 물질을 가지는가?
ㄷ. 독립적으로 물질대사를 하는가?

(2) 무좀을 일으키는 병원체는 무엇인지 쓰시오.

6 그림 (가)는 결핵의 병원체인 세균을, (나)는 중동 호흡기 증후군(MERS)의 병원체인 바이러스를 나타낸 것이다.

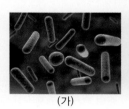 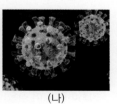

(가)   (나)

(1) 결핵과 중동 호흡기 증후군은 각각 비감염성 질병인지, 감염성 질병인지 쓰시오.

(2) (가) 병원체와 (나) 병원체에 의해 발생하는 질병의 치료는 각각 무엇을 이용하는지 쓰시오.

(3) (가)와 (나) 병원체의 공통점을 한 가지만 서술하시오.

4일 우리 몸의 방어 작용(1)

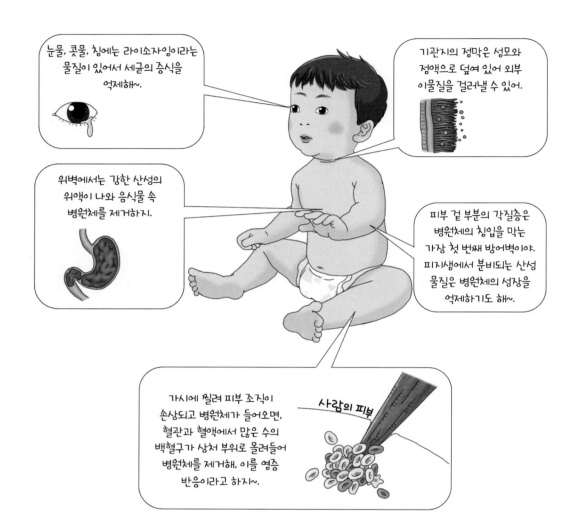

눈물, 콧물, 침에는 라이소자임이라는 물질이 있어서 세균의 증식을 억제해~.

기관지의 점막은 섬모와 점액으로 덮여 있어 외부 이물질을 걸러낼 수 있어.

위벽에서는 강한 산성의 위액이 나와 음식물 속 병원체를 제거하지.

피부 겉 부분의 각질층은 병원체의 침입을 막는 가장 첫 번째 방어벽이야. 피지샘에서 분비되는 산성 물질은 병원체의 성장을 억제하기도 해~.

가시에 찔려 피부 조직이 손상되고 병원체가 들어오면, 혈관과 혈액에서 많은 수의 백혈구가 상처 부위로 몰려들어 병원체를 제거해, 이를 염증 반응이라고 하지~.

사람의 피부

핵심 개념

1 방어 작용의 종류

- 비특이적 방어 작용과 특이적 방어 작용으로 구분된다.
- **비특이적 방어 작용:** ① 감염 즉시 병원체의 종류를 가리지 않고 일어난다(비특이적). ② 이전의 감염 여부에 관계없이 일어나는 ❶   면역 작용이다. ③ 표면의 방어벽(피부, 점막)과 내부 방어 작용(식세포 작용, 염증 반응)으로 구분된다.
- **특이적 방어 작용:** ① 병원체의 종류를 인식한 후 이에 반응하는 방어 작용이다(특이적). ② 병원체의 종류를 인식하고 반응하는 데 시간이 걸린다. ③ 병원체에 노출되면서 발달하는 ❷   면역 작용이다. ④ 세포성 면역과 체액성 면역이 있다.

2 비특이적 방어 작용(선천성 면역)

- **피부와 점막:** ① 물리적 장벽 역할 ② 땀, 눈물, 침 등에는 세균의 세포벽을 분해하는 효소인 ❸   이 있어 세균의 침입을 막는다. ③ 기관, 소화관 등의 내벽은 점막으로 덮여 있다. 점막은 라이소자임이 있어 병원체의 침입을 막는다. ④ 위에서는 강한 산성을 띠는 위산을 분비하여 음식물 속의 병원체를 제거한다.
- **식세포 작용:** 다양한 종류의 백혈구가 체내로 침입한 병원체를 세포 내로 끌어들여 분해한다.
- **염증 반응:** 피부나 점막이 손상되어 병원체가 체내로 침입하면 염증 반응을 통해 대부분의 병원체는 병을 일으키지 않고 제거된다.

답 ❶ 선천성 ❷ 후천성 ❸ 라이소자임

1-1

그림은 우리 몸의 방어 작용을 구분한 것이다.

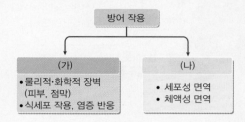

(1) (가), (나)에 해당하는 말을 쓰시오.

(2) (가)는 **❶** ☐ 의 종류와 관계없이 일어나는 **❷** ☐ 면역 작용이고, (나)는 특정 **❸** ☐ 를 인식하여 제거하는 **❹** ☐ 면역 작용이다. 빈칸에 들어갈 알맞은 말을 쓰시오.

1-2

그림은 비특이적 방어 작용 A와 특이적 방어 작용 B의 공통점과 차이점을 나타낸 것이다.

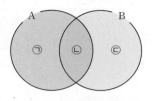

다음은 ㉠, ㉡, ㉢ 중 어디에 해당하는지 쓰시오.

(1) 피부와 같은 물리적 장벽이 존재한다.

(2) 염증 반응이 일어난다.

(3) 특정 병원체를 제거한다.

2-1

다음은 사람의 여러 가지 방어 작용에 대한 설명이다.

(가) 눈물, 콧물 속에는 ㉠ 세균의 증식을 억제하는 물질이 들어 있다.
(나) 백혈구가 항원을 식세포 작용(식균 작용)으로 제거한다.
(다) B 림프구가 바이러스에 감염된 체세포를 인식한 후 제거한다.
(라) 피부가 물리적 장벽의 역할을 하여 항원의 침입을 막는다.

(1) 비특이적 방어 작용에 해당하는 것의 기호를 쓰시오.

(2) ㉠에 해당하는 물질을 쓰시오.

2-2

그림은 가시에 찔려 피부가 손상되었을 때 일어나는 반응을 나타낸 것이다.

(1) 이 반응은 (염증 반응, 식균 작용)으로, (특이적, 비특이적) 방어 작용이다. 알맞은 말을 고르시오.

(2) 히스타민을 분비하는 세포의 이름을 쓰시오.

(3) A의 이름을 쓰시오.

4일 우리 몸의 방어 작용(1)

특이적 면역 — T세포(T 림프구), B세포(B 림프구)

비특이적 면역 - 내부 방어벽 — 식세포, 염증과 발열

비특이적 면역 - 외부 방어벽 — 화학적 장벽, 기계적 장벽, 반사 작용

병원체의 침입 — 곰팡이, 기생충, 바이러스, 세균

📖 핵심 개념

3 특이적 방어 작용(후천성 면역)

- **항원 항체 반응:** 항체가 항원과 결합하여 항원의 기능을 ┌─외부에서 침입한 이물질 무력화하고 식균 작용을 촉진하는 작용 ➡ 특정 항체는 오직 그 항체를 만들게 한 ❶ [   ]하고만 반응하는데, 이를 '항원 항체 반응의 특이성'이라고 한다.
- **세포성 면역:** 병원체를 삼킨 대식세포가 항원을 제시하면 보조 T 림프구가 이를 인식하여 활성화되고 세포독성 T 림프구를 활성화시킨다. 활성화된 세포독성 T 림프구가 병원체(항원)에 감염된 세포를 직접 제거한다.
- **체액성 면역:** B 림프구가 ❷ [   ]로 분화한 후 항체를 생성하여 항원을 제거한다. 1차 면역 반응과 2차 면역 반응으로 구분된다.

4 1차 면역 반응과 2차 면역 반응

- 항원이 처음 침입하면 1차 면역 반응이 일어나고, 같은 항원이 재침입하면 2차 면역 반응이 일어나 항원을 효과적으로 제거한다.
- **1차 면역 반응:** 항원의 종류를 인식한 보조 T 림프구의 ┌─골수에서 생성, 가슴샘에서 성숙─┐ 도움으로 B 림프구가 형질 세포와 ❸ [   ]로 분화하고, ┌─골수에서 생성, 성숙─ 형질 세포가 항체를 생성한다. 잠복기가 있다.
- **2차 면역 반응:** 항원의 1차 침입 때 생성된 기억 세포가 빠르게 증식하고, 형질 세포로 분화하여 다량의 항체를 생성한다. 잠복기 없이 항체의 혈중 농도가 1차 침입 때보다 빠르게 증가한다.

답 ❶ 항원 ❷ 형질 세포 ❸ 기억 세포

3-1

그림은 사람의 혈액에서 추출한 항체의 구조를 나타낸 것이다.

(1) 빈칸에 들어갈 알맞은 말을 쓰시오.

> 항체는 **❶**⬚에서 만들어지며, Y자 모양의 단백질이다. 항체는 항원과 결합하는 부위가 존재한다. 항원과 결합하는 부위는 **❷**⬚, **❸**⬚의 두 군데이다.

(2) 특정 항체는 그 항체를 만들게 한 항원하고만 반응하는데 이를 무엇이라고 하는지 쓰시오.

3-2

그림 (가)는 어떤 항원 A와 B의 표면에서 항체와 결합하는 부위를, (나)는 A와 B에 모두 감염되었을 때 생성되는 항체 ㉠~㉢의 구조를 나타낸 것이다.

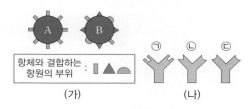

(1) A에 의해 생성되는 항체를 (나)에서 고르시오.

(2) ㉠과 항원 항체 반응을 할 수 있는 항원을 (가)에서 고르시오.

4-1

그림은 어떤 질병을 일으키는 병원체 X가 체내에 침입했을 때 일어나는 방어 작용의 일부를 나타낸 것이다.

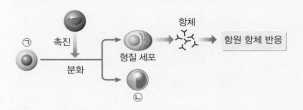

(1) 이 질병은 (감염성, 비감염성) 질병이며, 이 방어 작용은 (세포성, 체액성) 면역 반응이다. 알맞은 말을 고르시오.

(2) ㉠과 ㉡에 해당하는 세포의 이름을 쓰시오.

(3) 항체를 생성하는 세포의 이름을 쓰시오.

4-2

그림은 항원 A가 인체에 두 차례에 걸쳐 침입했을 때 생성되는 항체 농도 변화를 나타낸 것이다.

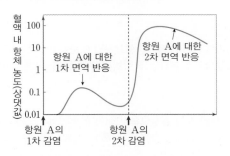

빈칸에 들어갈 알맞은 말을 쓰시오.

> 항원의 1차 침입 때보다 2차 침입 때 항체가 신속하게 대량으로 생산되는 까닭은 1차 면역 반응 때 **❶**⬚가 생성되고, 2차 침입 때 **❷**⬚가 빠르게 **❸**⬚로 분화하여 다량의 **❹**⬚를 생성하기 때문이다. 2차 면역 반응은 1차 면역 반응과 다르게 **❺**⬚가 거의 없다.

대표 기출 유형 [2012학년도 수능 4번]

그림은 사람 (가)에 세균 X가 1차 침입할 때 일어나는 면역 반응 과정을 나타낸 것이다.

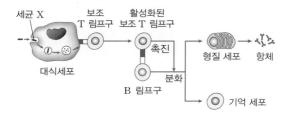

이에 대한 설명으로 옳은 것만을 〈보기〉에서 있는 대로 고른 것은?

— 보기 —
ㄱ. 형질 세포에서 분비된 항체는 X와 결합한다.
ㄴ. 대식세포에 의해 분해된 X의 조각은 보조 T 림프구와 반응한다.
ㄷ. (가)에 X가 1차 침입할 때 형질 세포는 기억 세포로 분화된다.

① ㄱ   ② ㄴ   ③ ㄷ
④ ㄱ, ㄴ   ⑤ ㄴ, ㄷ

개념 point

체액성 면역 과정: T 림프구의 도움을 받아 B 림프구가 형질 세포로 분화한 후 항체를 생성하여 항원을 제거한다.

|보기| 풀이

ㄱ. 세균 X의 침입으로 인해 형질 세포에서 생성되어 분비된 항체는 항원 X와 특이적으로 결합하는 항원 항체 반응을 한다.
ㄴ. 대식 세포의 식세포 작용에 의해 분해된 X의 조각은 보조 T 림프구를 활성화시켜 B 림프구가 형질 세포와 기억 세포로 분화되도록 한다.
ㄷ. X의 1차 침입으로 인해 활성화된 보조 T 림프구에 의해 B 림프구가 형질 세포와 기억 세포로 분화된 후 분화된 형질 세포로부터 항체가 생산된다. 동일한 X가 2차 침입할 때 X에 대한 기억 세포가 형질 세포로 분화된다.

답 ④

---

1 그림은 병원체의 침입을 막는 인체의 방어 작용을 단계적으로 나타낸 것이다.

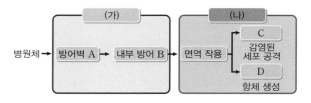

이에 대한 설명으로 옳지 **않은** 것은?

① A의 예로는 피부와 점막이 있다.
② 백혈구에 의한 식균 작용은 B에 해당한다.
③ (나) 방어 작용은 비특이적 방어 작용이다.
④ C는 T 림프구에 의해 일어나는 세포성 면역이다.
⑤ D에 관여하는 B 림프구는 골수에서 생성되고 성숙한다.

[2012학년도 11월 학평 19번]

2 그림 (가)와 (나)는 어떤 사람이 세균 X에 처음 감염되었을 때 일어나는 방어 작용의 일부를 각각 나타낸 것이다.

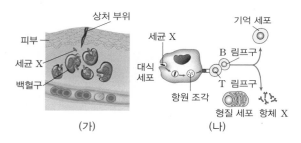

이에 대한 설명으로 옳은 것만을 〈보기〉에서 있는 대로 고른 것은?

— 보기 —
ㄱ. (가)의 식균 작용은 특이적 방어 작용에 포함된다.
ㄴ. (나)에서 항원 항체 반응이 일어난다.
ㄷ. 이 사람이 세균 X에 다시 감염되면 처음 감염되었을 때보다 항체 X가 빨리 생성된다.

① ㄱ   ② ㄴ   ③ ㄷ
④ ㄱ, ㄴ   ⑤ ㄴ, ㄷ

3 그림은 생쥐의 체내에 항원 A와 B를 각각 두 차례에 걸쳐 주사했을 때 생성되는 항체의 농도 변화를 나타낸 것이다.

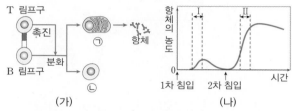

이에 대한 설명으로 옳은 것은? (단, 항원 A와 B는 이전에 침입한 적이 없다.)

① 항원 A와 항원 B에 의해 생성되는 항체의 종류는 같다.

② 항원 A를 1차 주사했을 때 기억 세포가 생성되지 않았다.

③ 항원 B를 1차 주사했을 때 기억 세포가 생성되지 않았다.

④ 항원 A를 2차 주사했을 때 기억 세포로부터 직접 항체가 생성된다.

⑤ 항체의 생성량이 증가한 후 감소하는 것은 기억 세포의 양이 감소하기 때문이다.

2015학년도 10월 학평 10번 변형

4 그림 (가)~(라)는 체내에 항원 A가 1차 침입할 때 일어나는 방어 작용의 일부를 순서 없이 나타낸 것이다. 세포 ㉠~㉢은 각각 B 림프구, T 림프구, 대식세포 중 하나이다.

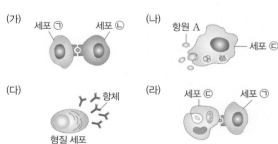

(1) ㉠은 어디에서 성숙해지는지 쓰시오.

(2) 비특이적 방어 작용을 골라 기호로 쓰시오.

(3) 방어 작용이 진행되는 순서대로 나열하시오.

5 그림 (가)는 항원 X가 인체에 침입했을 때 일어나는 방어 작용의 일부를, (나)는 X의 침입에 의해 생성되는 혈중 항체의 농도 변화를 나타낸 것이다. ㉠과 ㉡은 각각 기억 세포와 형질 세포 중 하나이다.

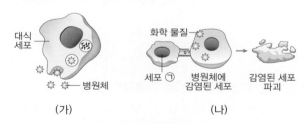

이에 대한 설명으로 옳은 것만을 〈보기〉에서 있는 대로 고른 것은?

보기
ㄱ. B 림프구는 가슴샘(흉선)에서 생성된다.
ㄴ. 구간 Ⅰ에서 특이적 면역 반응이 일어난다.
ㄷ. 구간 Ⅱ에서 ㉠은 ㉡으로 분화된다.

① ㄱ   ② ㄴ   ③ ㄱ, ㄷ
④ ㄴ, ㄷ   ⑤ ㄱ, ㄴ, ㄷ

6 그림 (가)와 (나)는 병원체가 침입했을 때 체내에서 일어나는 방어 작용의 일부를 나타낸 것이다. 세포 ㉠은 B 림프구와 T 림프구 중 하나이다.

빈칸에 들어갈 알맞은 말을 쓰시오.

(가)는 대식세포가 병원체를 세포 내로 끌어들여 분해하는 것으로 **❶**[ ] 방어 작용 중 **❷**[ ] 이다.
(나)는 병원체에 감염된 세포를 인식한 후 ㉠이 병원체에 감염된 세포를 직접 파괴하는 것으로 **❸**[ ] 방어 작용 중 **❹**[ ] 면역이다.

5 우리 몸의 방어 작용(2)

🔖 핵심 개념

1 혈액의 응집 반응과 혈액형의 판정

- **혈액의 응집 반응:** 사람의 적혈구 세포막에 있는 **①** (항원)과 혈장에 있는 **②** (항체)가 반응하는 항원 항체 반응의 일종이다.

- **ABO식 혈액형의 응집원과 응집소**

구분	A형	B형	AB형	O형
응집원	A	B	A, B	없음
응집소	β	α	없음	α, β

- **Rh식 혈액형:** 적혈구 세포막에 Rh 응집원이 있으면 Rh^+형, 없으면 Rh^-형이다.

- **ABO식 혈액형의 판정:** 항 A 혈청(B형 표준 혈청)과 항 B 혈청(A형 표준 혈청)에 대한 응집 반응으로 판정

구분	A형	B형	AB형	O형
항 A 혈청 (응집소 α 포함)	응집 ○	×	응집 ○	×
항 B 혈청 (응집소 β 포함)	×	응집 ○	응집 ○	×

- **Rh식 혈액형의 판정:** Rh 응집소가 있는 항 Rh 혈청에 혈액을 떨어뜨렸을 때 응집 반응이 일어나면 **③** 형, 응집 반응이 일어나지 않으면 **④** 형이다.

답 ❶ 응집원 ❷ 응집소 ❸ Rh^+ ❹ Rh^-

1-1

다음 물음에 답하시오.

(1) 혈액형과 그 혈액형인 사람이 갖는 응집소를 옳게 연결하시오.

① A형 ・　　　　　　・ ㉠ 응집소 α, 응집소 β

② B형 ・　　　　　　・ ㉡ 응집소 α

③ O형 ・　　　　　　・ ㉢ 응집소 β

(2) 빈칸에 들어갈 알맞은 말을 쓰시오.

> 적혈구의 막에는 항원으로 작용할 수 있는 ❶[　　　]이 있고, 혈장에는 적혈구 막에 존재하는 항원과 결합할 수 있는 항체인 ❷[　　　]가 있다. 서로 다른 혈액형끼리 수혈을 하면 ❸[　　　]이 일어나 위험할 수 있다.

1-2

그림은 철수와 영희의 혈액에 있는 ABO식 혈액형의 응집원과 응집소를 나타낸 것이다.

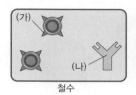
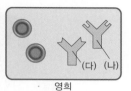

철수　　　　　　영희

철수의 혈액형 판정 실험을 한 결과 혈액이 항 B 혈청에만 응집되었다. 빈칸에 들어갈 알맞은 말을 쓰시오.

(1) 철수의 혈액이 항 B 혈청에만 응집되었으므로 철수의 혈액형은 ❶[　　　]형이다. 따라서 (가)는 응집원 ❷[　　　], (나)는 응집소 ❸[　　　]이다.

(2) 영희의 혈액에 응집원은 없고, 응집소만 있으므로 영희의 혈액형은 ❶[　　　]형이다. 따라서 (다)는 응집소 ❷[　　　]이다.

1-3

그림은 어떤 사람의 혈액형 판정 실험 결과를 나타낸 것이다.

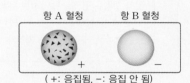

항 A 혈청　　　　　　항 B 혈청

(+: 응집됨, −: 응집 안 됨)

빈칸에 들어갈 알맞은 말을 쓰시오.

(1) 항 A 혈청에는 응집소 ❶[　　　], 항 B 혈청에는 응집소 ❷[　　　]가 있다. 이 사람은 항 A 혈청에만 응집 반응이 일어났으므로 응집원 ❸[　　　]를 가진 ❹[　　　]형이다.

(2) 이 사람은 ❶[　　　]형과 ❷[　　　]형으로부터 수혈받을 수 있다.

(3) 혈액형 판정 실험은 [　　　]의 원리가 이용된다.

1-4

사람의 Rh식 혈액형은 붉은털원숭이의 혈액을 이용해 판정한다. 그림은 A, B 두 사람의 Rh식 혈액형을 조사하기 위해서 혈청을 만드는 과정을 나타낸 것이다. A와 B는 이전에 한 번도 수혈받은 적이 없다.

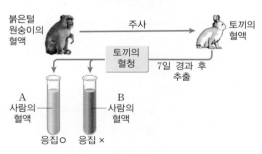

붉은털원숭이의 혈액　　→ 주사 →　토끼의 혈액

토끼의 혈청　　7일 경과 후 추출

A 사람의 혈액　　　　B 사람의 혈액

응집 ○　　　응집 ×

빈칸에 들어갈 알맞은 말을 쓰시오.

(1) 토끼의 혈청에는 [　　　]가 들어 있다.

(2) [　　　]의 적혈구에는 Rh 응집원이 존재한다.

(3) A는 ❶[　　　]형이고, B는 ❷[　　　]형이다.

우리 몸의 방어 작용(2)

백신은 병원성을 약화시킨 항원이야. 백신을 접종하면 기억 세포가 미리 형성되어 질병에 걸리지 않게 돼~.

자가 면역 질환은 우리 몸의 면역 세포가 외부의 적이 아닌 우리 몸의 세포나 기관을 공격하는 질병이야. 류머티스 관절염이 대표적이지.

알레르기는 필요하지 않은 상황에도 면역 반응이 과도하게 일어나 오히려 우리 몸을 아프게 하는 병이야.

면역 결핍은 면역을 담당하는 세포나 기관에 이상이 생겨 방어 작용이 잘 일어나지 못하게 되는 병이야.

📖 핵심 개념

2 백신의 작용 원리

- **백신**: 병원성을 약화시킨 병원체 또는 병원체의 독소 등으로 만든 것으로 항원의 특성을 가지고 있다.
- **백신의 원리**: 체내에 백신을 주사하면 **❶**⬚ 면역 반응이 일어나 그 병원체에 대한 **❷**⬚ 가 형성된다. ➡ 실제 병원체가 침입했을 때 **❸**⬚ 면역 반응이 일어나 다량의 **❹**⬚ 가 빠르게 생성되어 질병을 예방한다.

3 면역 관련 질환

- **알레르기**: 면역계가 특정 항원에 과민하게 반응하는 것으로 음식물이나 꽃가루, 세제 등에 과민하게 반응하여 두드러기, 콧물, 눈물, 천식 등의 증상이 나타난다. 예 알레르기성 비염, 천식, 아토피 등
- **자가 면역 질환**: 자기 조직 성분을 항원으로 인지하여 항체(자가 항체)가 자신의 조직을 공격하는 질병이다. 예 제1형 당뇨병, 류머티즘 관절염, 홍반성 루프스 등
- **면역 결핍**: 면역을 담당하는 세포나 기관에 이상이 생겨 면역 기능이 저하되는 질병이다. 예 후천성 면역 결핍증 (AIDS)
  └ HIV(사람 면역 결핍 바이러스)가 보조 T 림프구를 공격해 파괴한다.

답 ❶ 1차 ❷ 기억 세포 ❸ 2차 ❹ 항체

2-1

백신에 대한 설명으로 옳은 것만을 〈보기〉에서 있는 대로 고르시오.

보기
ㄱ. 비감염성 질병은 백신으로 예방할 수 없다.
ㄴ. 백신은 항원 항체 반응을 이용하여 생산한다.
ㄷ. 백신을 맞은 후 병원체에 감염되면 2차 면역 반응이 일어난다.

2-2

그림은 어떤 사람에게 백신 X를 주사하고 4주 후 백신 Y를 주사하였을 때 체내 항체 농도의 변화를 나타낸 것이다. 항원 A와 B는 병원체이며, 항원 A에 감염되면 항체 a가, 항원 B에 감염되면 항체 b가 생성된다.

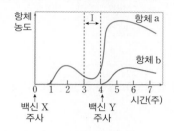

(1) 백신 X에 들어 있는 항원을 쓰시오.

(2) 백신 Y에 들어 있는 항원을 쓰시오.

3-1

면역 관련 질병에 대한 설명으로 옳은 것만을 〈보기〉에서 있는 대로 고르시오.

보기
ㄱ. 알레르기는 병원체에 의해서만 발생한다.
ㄴ. 자가 면역 질환의 대표적인 예로 류머티즘 관절염이 있다.
ㄷ. 사람 면역 결핍 바이러스(HIV)는 체내에 침입하여 T 림프구를 파괴하여 면역 능력을 상실하게 한다.

3-2

다음은 자가 면역 질환에 관한 자료이다.

T 림프구와 ㉠ B 림프구로 성숙하는 과정에서 자기 세포를 구별하지 못하는 림프구는 제거된다. 그러나 이 과정에서 문제가 생기면 면역 세포가 자기 세포나 조직을 항원으로 인식하여 공격할 수 있고, ㉡ 자기 세포를 공격하는 항체를 만들 수 있다. 이처럼 면역 세포가 자기 조직을 공격하는 것을 자가 면역 질환이라고 한다. 대표적인 예로 류머티즘 관절염 등이 있다.

빈칸에 들어갈 알맞은 말을 고르시오.

(1) ㉠이 일어나는 장소는 (골수, 가슴샘)이다.

(2) ㉡을 만들어 내는 세포는 (T 림프구, B 림프구, 형질 세포)이다.

대표 기출 유형 [2013학년도 수능 7번]

표는 민수가 가족의 ABO식 혈액형에 대한 응집원 ㉠과 응집소 ㉡의 유무를 조사한 것이다. 민수네 가족은 4명이고, 이들의 ABO식 혈액형은 모두 다르다.

구분	아버지	어머니	누나
응집원 ㉠	있음	없음	있음
응집소 ㉡	있음	?	없음

이에 대한 설명으로 옳은 것만을 〈보기〉에서 있는 대로 고른 것은?

─ 보기 ─
ㄱ. 아버지의 혈액과 어머니의 혈액을 섞으면 응집된다.
ㄴ. 민수의 혈액에는 응집소 ㉡이 있다.
ㄷ. 누나의 혈액형은 AB형이다.

① ㄱ   ② ㄴ   ③ ㄱ, ㄷ
④ ㄴ, ㄷ   ⑤ ㄱ, ㄴ, ㄷ

개념 point

A형: 응집원 A와 응집소 β가 있다.
B형: 응집원 B와 응집소 α가 있다.
AB형: 응집원 A와 B가 모두 있고 응집소는 없다.
O형: 응집원은 없고 응집소 α와 β가 모두 있다.

보기 풀이

ㄱ. 아버지가 A형이면 어머니는 B형, 아버지가 B형이면 어머니는 A형이다. A형 혈액과 B형 혈액을 섞으면 응집 반응이 일어난다.
ㄴ, ㄷ. 누나와 민수는 각각 AB형과 O형 중 하나에 해당한다. 누나는 응집원이 있고 응집소가 없으므로 AB형이고 민수는 O형이다. 그러므로 민수의 혈액에는 응집소 α와 β가 모두 있다.

함정 탈출

가족 4명의 혈액형이 모두 다르므로 부모의 혈액형은 A형(AO)과 B형(BO)이거나 AB형(AB)과 O형(OO)이다. 그런데 아버지가 응집원과 응집소를 모두 가지고 A형이거나 B형이다.

답 ⑤

1 그림 (가)는 철수의 혈액형 판정 실험 결과를, (나)는 철수의 혈액을 채취하여 항응고제를 처리한 후 원심 분리한 결과를 나타낸 것이다.

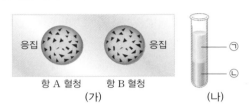

응집   응집
항 A 혈청   항 B 혈청   ㉠
(가)   ㉡
                             (나)

이에 대한 설명으로 옳은 것만을 〈보기〉에서 있는 대로 고른 것은?

─ 보기 ─
ㄱ. 철수는 O형인 사람에게 수혈할 수 있다.
ㄴ. ㉠에 응집소 α와 β가 들어 있다.
ㄷ. ㉡과 O형의 혈액을 섞으면 응집 반응이 일어난다.

① ㄱ   ② ㄴ   ③ ㄷ
④ ㄱ, ㄷ   ⑤ ㄴ, ㄷ

2 그림은 O형과 A형 혈액을 섞었을 때 일어나는 현상을 나타낸 것이다.
이에 대한 설명으로 옳은 것만을 〈보기〉에서 있는 대로 고른 것은? (단, Rh식 혈액형은 고려하지 않는다.)

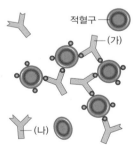

적혈구
(가)
(나)

─ 보기 ─
ㄱ. (가)는 응집소 α이다.
ㄴ. (나)는 O형의 혈액에만 있다.
ㄷ. B형의 적혈구에는 (나)와 결합할 수 있는 항원이 있다.

① ㄱ   ② ㄷ   ③ ㄱ, ㄷ
④ ㄴ, ㄷ   ⑤ ㄱ, ㄴ, ㄷ

3 그림은 토끼 Y로부터 Rh 응집소가 들어 있는 혈청을 얻는 방법을 나타낸 것이다.

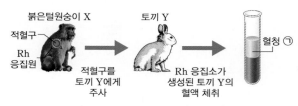

붉은털원숭이 X
적혈구
Rh 응집원
적혈구를 토끼 Y에게 주사

토끼 Y
Rh 응집소가 생성된 토끼 Y의 혈액 체취

혈청 ㉠

혈청 ㉠과 반응시켰을 때 응집 반응이 일어나는 적혈구로 옳은 것만을 〈보기〉에서 있는 대로 고른 것은?

— 보기 —
ㄱ. 토끼 Y의 적혈구
ㄴ. 붉은털원숭이 X의 적혈구
ㄷ. 혈액형이 Rh⁺형인 사람의 적혈구

① ㄱ ② ㄷ ③ ㄱ, ㄴ
④ ㄴ, ㄷ ⑤ ㄱ, ㄴ, ㄷ

4 그림은 토끼에서 일어나는 방어 작용을 알아보기 위한 실험을 나타낸 것이다. X에는 항원을 제거하는 단백질 성분이 포함되어 있다. X는 ㉠과 ㉡ 중 하나이다.

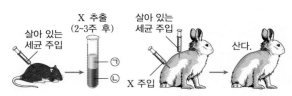

살아 있는 세균 주입
X 추출 (2~3주 후)
살아 있는 세균 주입
산다.
㉠
㉡
X 주입

(1) X는 ㉠과 ㉡ 중 어떤 것에 해당하는지 쓰시오.

(2) 살아 있는 세균을 주입한 토끼가 죽지 않은 까닭을 서술하시오.

5 다음은 백신과 관련된 실험이다. 항원 A와 B가 체내로 들어오면 각각 항체 a와 b가 만들어진다.

[실험 과정]
(가) 항원 A와 B에 감염된 적이 없는 건강한 쥐 Ⅰ, Ⅱ를 준비한다.
(나) 그중 한 마리에게만 백신을 주사한다.
(다) 일정 시간이 지난 후 각 쥐에게 같은 양의 항원 A와 B를 주사한다.
(라) 시간에 따른 혈중 항체의 농도를 조사한다.

[실험 결과]

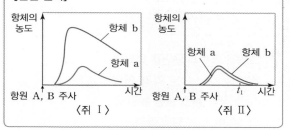

항체의 농도
항체 b
항체 a
항원 A, B 주사
시간
〈쥐 Ⅰ〉

항체의 농도
항체 a
항체 b
항원 A, B 주사
t_1
시간
〈쥐 Ⅱ〉

이에 대한 설명으로 옳은 것만을 〈보기〉에서 있는 대로 고른 것은?

— 보기 —
ㄱ. 백신에는 항원 A가 들어 있다.
ㄴ. (나)에서 백신을 맞은 쥐는 Ⅰ이다.
ㄷ. t_1 시점에 쥐 Ⅱ의 체내에는 항원 B에 대한 기억 세포가 존재하지 않는다.

① ㄴ ② ㄷ ③ ㄱ, ㄴ
④ ㄱ, ㄷ ⑤ ㄱ, ㄴ, ㄷ

6 다음은 대표적인 바이러스성 질병이다.

천연두, 소아마비, 감기

위 질병 중 백신으로 예방하기 어려운 질병을 쓰고, 그 까닭을 서술하시오.

2019학년도 6월 학평 12번

1 그림은 중추 신경계의 일부 구조를 나타낸 것이다. ㉠~㉣은 각각 간뇌, 대뇌, 연수, 중간뇌 중 하나이다.
이에 대한 설명으로 옳은 것만을 〈보기〉에서 있는 대로 고르시오.

— 보기 —
ㄱ. ㉠에는 시상 하부가 있다.
ㄴ. ㉡과 ㉢은 뇌줄기에 속한다.
ㄷ. ㉣의 겉질은 회색질이다.

2 그림은 척수의 단면을 나타낸 것이다. A~C는 각각 연합 뉴런, 감각 뉴런, 운동 뉴런 중 하나이며, C는 팔의 골격근과 연결되어 있다.

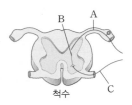

(1) 감각 기관과 연결되어 있는 뉴런의 기호와 이름을 쓰시오.
(2) 전근을 이루는 뉴런의 기호와 이름을 쓰시오.

2019학년도 6월 학평 14번

3 그림은 감각 기관 A와 B에서 수용된 자극이 중추 신경계를 거쳐 반응 기관 (가)~(다)로 전달되는 경로를 나타낸 것이다.

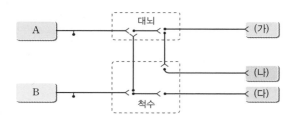

(1) 날아오는 공을 손으로 잡는 과정의 반응 경로를 쓰시오.
(2) 뜨거운 것을 만졌을 때 자신도 모르게 손을 떼는 반응 경로를 쓰시오.

4 그림은 사람의 내분비샘을 나타낸 것이다. 내분비샘과 분비되는 호르몬을 짝 지은 것으로 옳지 않은 것은?

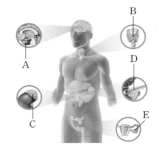

① A: 뇌하수체 — 갑상샘 자극 호르몬
② B: 갑상샘 — 티록신
③ C: 부신—코르티코이드, 에피네프린
④ D: 이자—인슐린, 글루카곤
⑤ E: 난소—여포 자극 호르몬

2020학년도 3월 학평 4번 변형

5 그림은 어떤 사람에게 저온 자극이 주어졌을 때 일어나는 체온 조절 과정의 일부를 나타낸 것이다.

이에 대한 설명으로 옳은 것만을 〈보기〉에서 있는 대로 고르시오.

— 보기 —
ㄱ. ㉠은 티록신이다.
ㄴ. A는 교감 신경이다.
ㄷ. 피부의 혈관 수축으로 열 발산량이 증가한다.

6 그림은 혈당량 조절 과정의 일부를 나타낸 것이다.

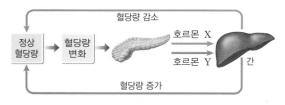

호르몬 Y의 분비량이 증가할 때 간에서 일어나는 작용을 서술하시오.

2
주

100점

2019학년도 9월 학평 18번

7 그림은 사람의 세 가지 질병을 구분하는 과정을 나타낸 것이다.

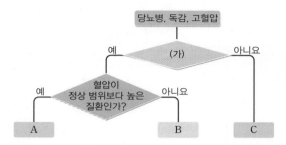

이에 대한 설명으로 옳은 것만을 〈보기〉에서 있는 대로 고른 것은?

> **보기**
> ㄱ. '대사성 질환인가?'는 (가)에 해당한다.
> ㄴ. A는 고혈압이다.
> ㄷ. B는 감염성 질병이다.

① ㄱ   ② ㄷ   ③ ㄱ, ㄴ
④ ㄴ, ㄷ   ⑤ ㄱ, ㄴ, ㄷ

2013학년도 11월 학평 18번

8 그림은 염증 반응이 일어나는 과정을 나타낸 것이다.

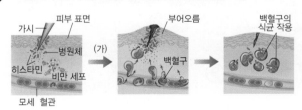

이에 대한 설명으로 옳은 것만을 〈보기〉에서 있는 대로 고른 것은?

> **보기**
> ㄱ. (가) 과정에서 모세 혈관이 수축된다.
> ㄴ. 염증 반응은 비특이적 방어 작용이다.
> ㄷ. 이 과정에서 일어나는 백혈구의 식균 작용은 체액성 면역이다.

① ㄱ   ② ㄴ   ③ ㄱ, ㄴ
④ ㄱ, ㄷ   ⑤ ㄴ, ㄷ

9 그림은 어떤 사람이 항원 X에 감염되었을 때 일어나는 면역 반응 과정을 나타낸 것이다.

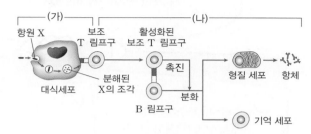

이에 대한 설명으로 옳은 것만을 〈보기〉에서 있는 대로 고른 것은?

> **보기**
> ㄱ. 대식세포는 항원 X의 정보를 보조 T 림프구에 전달한다.
> ㄴ. (가)는 특이적 면역이다.
> ㄷ. (나)에서 체액성 면역 반응이 일어난다.

① ㄱ   ② ㄴ   ③ ㄷ
④ ㄱ, ㄷ   ⑤ ㄴ, ㄷ

10 그림 (가)는 혈액형이 A형인 사람의 ABO식 혈액형 판정 결과이고, (나)는 이 사람의 혈액을 현미경으로 관찰한 것이다.

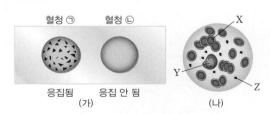

(1) 혈청 ㉠과 ㉡에 들어 있는 응집소의 종류를 쓰시오.

(2) 응집원은 어디에 존재하는지 (나)에서 찾아 기호를 쓰시오.

| 2020학년도 7월 학평 6번 |

표 (가)는 병원체 A~C의 특징을, (나)는 사람의 6가지 질병을 I~III으로 구분하여 나타낸 것이다. A~C는 세균, 균류(곰팡이), 바이러스를 순서 없이 나타낸 것이고, I~III은 세균성 질병, 바이러스성 질병, 비감염성 질병을 순서 없이 나타낸 것이다.

구분	질병
A	핵이 있음
B	항생제에 의해 제거됨
C	세포 구조가 아님

(가)

구분	질병
I	㉠ 당뇨병, 고혈압
II	독감, 홍역
III	결핵, 파상풍

(나)

이에 대한 설명으로 옳은 것만을 <보기>에서 있는 대로 고른 것은?

─ 보기 ─
ㄱ. ㉠은 *대사성 질환이다.
ㄴ. II의 병원체는 B이다.
ㄷ. III의 병원체는 유전 물질을 갖는다.

① ㄱ   ② ㄴ   ③ ㄱ, ㄴ   ④ ㄱ, ㄷ   ⑤ ㄴ, ㄷ

특강 ▶ 질병과 병원체

● **질병의 구분**: 크게 비감염성 질병과 감염성 질병으로 구분한다.

① 비감염성 질병: 병원체의 감염 없이 발생하는 질병으로 생활 습관, 환경, 유전 등의 여러 원인이 복합적으로 작용해 생긴다. 예 고혈압, 당뇨병, 백혈병, 혈우병

② 감염성 질병: 세균, 바이러스, 곰팡이, 원생생물 등의 병원체에 의해 발생하는 질병으로 다른 사람에게 전염될 수 있다. 예 감기, 결핵, 독감 등

● **병원체**: 질병을 일으키는 감염 인자로, 세균, 바이러스, 원생생물, 곰팡이 등이 있다.

● **세균과 바이러스**

세균	바이러스
• 세포 구조이다. • 막으로 둘러싸인 세포 소기관이나 핵이 없으며, DNA가 세포질에 분포한다. • 항생제를 이용하여 치료한다. • 질병: 결핵, 세균성 식중독, 세균성 폐렴 등	• 세포의 구조를 갖추고 있지 않다. • 유전 물질(DNA 또는 RNA)과 단백질로 되어 있다. • 항바이러스제를 이용하여 치료한다. • 질병: 감기, 독감, 홍역, 소아마비, 후천성 면역 결핍증(AIDS) 등

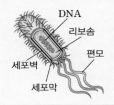

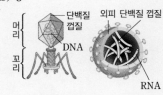

용어 * 대사성 질환: 물질대사 과정에 이상이 생겨 나타나는 질환을 대사성 질환이라고 하며, 고혈압, 당뇨병, 고지혈증 등이 있다.

1

2021학년도 9월 모평 7번

항상성 조절

그림 (가)는 자율 신경 X에 의한 체온 조절 과정을, (나)는 항이뇨 호르몬(ADH)에 의한 체내 삼투압 조절 과정을 나타낸 것이다. ㉠은 '피부 근처 혈관 수축'과 '피부 근처 혈관 확장' 중 하나이다.

❶ (가) 저온 자극 ┈┈▶ 조절 중추 ──X──▶ ㉠

❷ (나) 정상 범위 보다 높은 혈장 삼투압 ┈┈▶ 조절 중추 ──▶ 내분비샘 ──ADH──▶ 콩팥에서의 수분 재흡수량 증가

이에 대한 설명으로 옳은 것만을 〈보기〉에서 있는 대로 고른 것은?

보기
ㄱ. ㉠은 '피부 근처 혈관 수축'이다.
ㄴ. 혈중 ADH의 농도가 증가하면, 생성되는 오줌의 삼투압이 감소한다.
ㄷ. (가)와 (나)에서 조절 중추는 모두 연수이다.

① ㄱ　　② ㄴ　　③ ㄷ　　④ ㄱ, ㄴ　　⑤ ㄱ, ㄷ

❶ **저온 자극 시:** 간뇌의 시상 하부에서 체온의 변화 감지 → 열 발생량 증가, 열 발산량(방출량) 감소 → 체온 상승

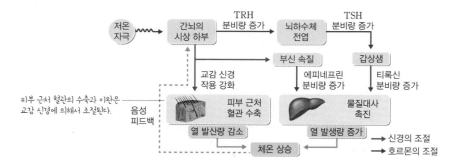

❷ **정상 범위보다 높은 혈장 삼투압:** 땀을 많이 흘리거나 염분을 섭취하면 체내 삼투압 증가 → 간뇌 시상 하부에서 삼투압 변화 감지 → 항이뇨 호르몬(ADH) 분비 증가 → 콩팥에서 물의 재흡수량 증가 → 체내 수분량 증가, 오줌양 감소, 오줌의 삼투압 증가 → 혈장 삼투압 감소

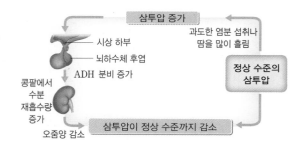

답 ①

2

2020학년도 9월 모평 6번 　　　　　　　　　**중추 신경계**

그림은 대뇌, 연수, 중간뇌를 구분하는 과정을 나타낸 것이다.

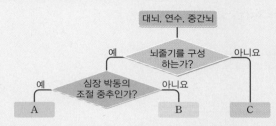

이에 대한 설명으로 옳은 것만을 〈보기〉에서 있는 대로 고른 것은?

보기
ㄱ. A는 연수이다.
ㄴ. B는 홍채 운동을 조절한다.
ㄷ. C의 겉질은 백색질이다.

① ㄱ 　　② ㄷ 　　③ ㄱ, ㄴ 　　④ ㄴ, ㄷ 　　⑤ ㄱ, ㄴ, ㄷ

》 **자료 분석 Tip**
　중추 신경계의 구조 가운데 뇌줄기에 속하는 연수와 중간뇌를 제외한 대뇌가 C에 해당한다. 연수와 중간뇌 중 심장 박동의 조절 중추는 연수이므로 A는 연수, 남은 중간뇌가 B이다.

》 **문제 해결 Tip**
　뇌줄기와 대뇌(또는 척수)의 겉질과 속질에 대한 문제는 중추 신경계에서 빈번하게 출제되는 개념이므로 잘 알아두어야 한다.
　• 뇌줄기: 뇌교, 연수, 중간뇌
　• 대뇌: 겉질은 회색질, 속질은 백색질이다.
　• 척수: 겉질은 백색질, 속질은 회색질이다.

2
주

특강

3

2020학년도 9월 모평 8번 　　　　　　　　　　　**신경계**

다음은 사람의 신경계를 구성하는 구조에 대한 학생 A~C의 발표 내용이다.

제시한 내용이 옳은 학생만을 있는 대로 고른 것은?

① B 　　② C 　　③ A, B 　　④ A, C 　　⑤ A, B, C

》 **자료 분석 Tip**
　• 중추 신경계에 속하는 뇌와 척수는 연합 뉴런으로 구성되어 있다.
　• 뇌신경과 척수 신경은 말초 신경계에 속한다.
　• 뇌신경은 12쌍, 척수 신경은 31쌍이다.

》 **문제 해결 Tip**
　중추 신경계인 뇌와 척수, 말초 신경계에 속하는 뇌신경과 척수 신경에 대한 단순 지식을 묻는 문제이다. 뇌는 중추 신경계이며, 뇌에 연결된 뇌신경은 말초 신경계임을 혼동하지 않도록 한다.

4 2021학년도 수능 4번   말초 신경계

그림 (가)는 ❶동공의 크기 조절에 관여하는 말초 신경이 중추 신경계에 연결된 경로를, (나)는 ❷무릎 반사에 관여하는 말초 신경이 중추 신경계에 연결된 경로를 나타낸 것이다.

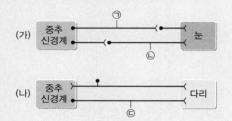

이에 대한 설명으로 옳은 것만을 〈보기〉에서 있는 대로 고른 것은?

보기
ㄱ. ㉠~㉢은 모두 자율 신경계에 속한다.
❸ㄴ. ㉠과 ㉡의 말단에서 분비되는 신경 전달 물질은 같다.
ㄷ. 무릎 반사의 중추는 척수이다.

① ㄱ   ② ㄷ   ③ ㄱ, ㄴ   ④ ㄴ, ㄷ   ⑤ ㄱ, ㄴ, ㄷ

❶ 동공의 크기 조절에 관여하는 말초 신경

동공의 크기 조절에 관여하는 말초 신경은 교감 신경과 부교감 신경이다. 교감 신경은 신경절 이전 뉴런의 길이가 신경절 이후 뉴런의 길이보다 짧고, 부교감 신경은 신경절 이전 뉴런의 길이가 신경절 이후 뉴런의 길이보다 길다. 따라서 ㉠은 부교감 신경의 신경절 이전 뉴런이며, ㉡은 교감 신경의 신경절 이후 뉴런이다. 교감 신경과 부교감 신경은 모두 자율 신경계에 속한다.

❷ 무릎 반사에 관여하는 말초 신경

무릎 반사에 관여하는 말초 신경은 감각 신경과 운동 신경이다. 감각 신경은 신경 세포체가 작고 축삭 돌기 옆쪽에 있으므로 ㉢은 중추 신경계와 근육을 연결하는 운동 신경이다. 운동 신경은 체성 신경계에 속한다. 무릎 반사의 중추는 척수이다.

❸ ㉠과 ㉡의 말단에서 분비되는 신경 전달 물질

㉠은 부교감 신경의 신경절 이전 뉴런이며, ㉡은 교감 신경의 신경절 이후 뉴런이다. 부교감 신경의 신경절 이전 뉴런에서는 아세틸콜린이 분비되고, 교감 신경의 신경절 이후 뉴런에서는 노르에피네프린이 분비된다.

답 ②

5

2015학년도 3월 학평 14번

혈액의 응집 반응

그림은 혈액 ㉠~㉢을 응집 여부에 따라 구분하는 과정을 나타낸 것이다. ㉠~㉢의 ABO식 혈액형은 각각 A형, O형, AB형 중 하나이다.

이에 대한 설명으로 옳은 것만을 〈보기〉에서 있는 대로 고른 것은? (단, ABO식 혈액형만을 고려한다.)

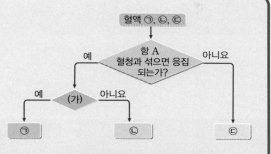

─ 보기 ─
ㄱ. ㉢의 혈액형은 O형이다.
ㄴ. ㉠과 ㉡의 혈장에는 공통된 응집소가 존재한다.
ㄷ. '항 B 혈청과 섞으면 응집되는가?'는 (가)에 해당한다.

① ㄱ   ② ㄴ   ③ ㄷ   ④ ㄱ, ㄷ   ⑤ ㄴ, ㄷ

>> **자료 분석 Tip**
· A형, O형, AB형 중 항 A 혈청(응집소 α 존재)과 섞어서 응집되지 않는 ㉢은 O형이다.
· 분류 기준 (가)는 A형과 AB형을 나눌 수 있는 기준이어야 한다.

>> **문제 해결 Tip**
ABO식 혈액형에서 각각의 혈액형에 존재하는 응집원과 응집소의 종류를 정확하게 알고 있어야 한다.

구분	응집원	응집소
A형	A	β
B형	B	α
AB형	A, B	없음
O형	없음	α, β

6

2020학년도 4월 학평 18번 변형

면역 작용

항원 A와 B에 노출된 적이 없는 생쥐 X에게 항원 A를 1차 주사하고, 일정 시간이 지난 후 X에게 항원 A를 2차, 항원 B를 1차 주사하여 그림과 같은 결과를 얻었다.

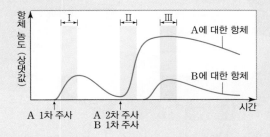

이에 대한 설명으로 옳은 것만을 〈보기〉에서 있는 대로 고른 것은?

─ 보기 ─
ㄱ. 구간 Ⅰ에서 A에 대한 1차 면역 반응이 일어났다.
ㄴ. 구간 Ⅱ에서 A에 대한 형질 세포가 기억 세포로 분화되었다.
ㄷ. 구간 Ⅲ에서 B에 대한 특이적 방어 작용이 일어났다.

① ㄱ   ② ㄴ   ③ ㄱ, ㄷ   ④ ㄴ, ㄷ   ⑤ ㄱ, ㄴ, ㄷ

>> **자료 분석 Tip**
· A와 B에 노출된 적이 없는 생쥐 X → A와 B에 대한 기억 세포가 없다.
· 구간 Ⅰ: A를 1차 주사 → 1차 면역 반응
· 구간 Ⅱ: A를 2차 주사 → 2차 면역 반응(A에 대한 기억 세포가 형질 세포로 분화되었다.)
· 구간 Ⅲ: B를 1차 주사 → 1차 면역(B에 대한 특이적 방어 작용)

>> **문제 해결 Tip**
특정 병원체에 대한 방어 작용은 특이적 방어 작용이고, 2차 면역 작용은 기억 세포가 형질 세포로 분화한다는 것을 알고 있어야 한다.

중학 기초 개념

1 체세포 분열

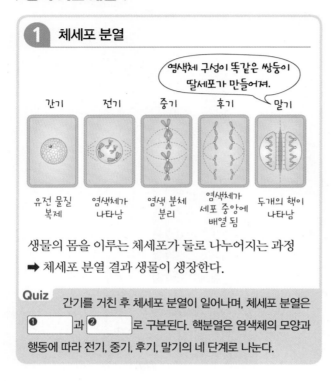

염색체 구성이 똑같은 쌍둥이 딸세포가 만들어져.

간기 　 전기 　 중기 　 후기 　 말기

유전 물질 복제 / 염색체가 나타남 / 염색 분체 분리 / 염색체가 세포 중앙에 배열 됨 / 두개의 핵이 나타남

생물의 몸을 이루는 체세포가 둘로 나누어지는 과정
➡ 체세포 분열 결과 생물이 생장한다.

Quiz 간기를 거친 후 체세포 분열이 일어나며, 체세포 분열은 ❶ [　　] 과 ❷ [　　] 로 구분된다. 핵분열은 염색체의 모양과 행동에 따라 전기, 중기, 후기, 말기의 네 단계로 나눈다.

2 생식세포 분열

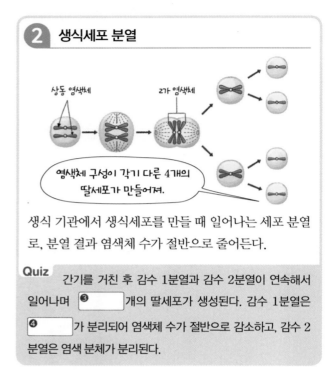

상동 염색체 　 2가 염색체

염색체 구성이 각기 다른 4개의 딸세포가 만들어져.

생식 기관에서 생식세포를 만들 때 일어나는 세포 분열로, 분열 결과 염색체 수가 절반으로 줄어든다.

Quiz 간기를 거친 후 감수 1분열과 감수 2분열이 연속해서 일어나며 ❸ [　　] 개의 딸세포가 생성된다. 감수 1분열은 ❹ [　　] 가 분리되어 염색체 수가 절반으로 감소하고, 감수 2분열은 염색 분체가 분리된다.

3 2가 염색체

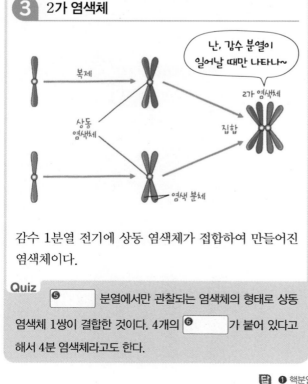

난, 감수 분열이 일어날 때만 나타나~

복제 　 상동 염색체 　 집합 　 2가 염색체 　 염색 분체

감수 1분열 전기에 상동 염색체가 접합하여 만들어진 염색체이다.

Quiz ❺ [　　] 분열에서만 관찰되는 염색체의 형태로 상동 염색체 1쌍이 결합한 것이다. 4개의 ❻ [　　] 가 붙어 있다고 해서 4분 염색체라고도 한다.

4 체세포와 생식세포의 비교

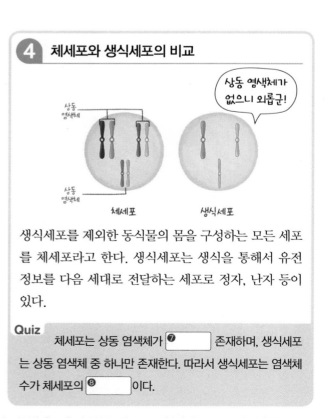

상동 염색체가 없으니 외롭군!

상동 염색체 　 상동 염색체

체세포 　 생식세포

생식세포를 제외한 동식물의 몸을 구성하는 모든 세포를 체세포라고 한다. 생식세포는 생식을 통해서 유전 정보를 다음 세대로 전달하는 세포로 정자, 난자 등이 있다.

Quiz 체세포는 상동 염색체가 ❼ [　　] 존재하며, 생식세포는 상동 염색체 중 하나만 존재한다. 따라서 생식세포는 염색체 수가 체세포의 ❽ [　　] 이다.

답 ❶ 핵분열 ❷ 세포질 분열 ❸ 4 ❹ 상동 염색체 ❺ 생식세포(감수) ❻ 염색 분체 ❼ 2개(1쌍) ❽ 절반

3
주

5 대립유전자, 순종과 잡종

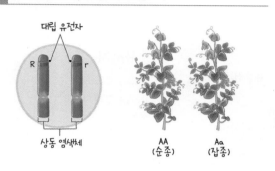

대립 유전자

R   r

상동 염색체

AA   Aa
(순종)   (잡종)

하나의 형질을 결정하는 유전자로, 상동 염색체의 같은 위치에 존재한다. 우성 유전자는 알파벳 대문자로, 열성 유전자는 알파벳 소문자로 나타낸다.

Quiz

AA와 같이 대립유전자의 구성이 같은 개체를 **❶**[   ](동형 접합), Aa와 같이 대립유전자 구성이 다른 개체를 **❷**[   ](이형 접합)이라고 한다.

6 우열의 원리

순종의
키 큰 완두
(AA)

×

순종의
키 작은 완두
(aa)

➡

잡종의
키 큰 완두
(Aa)

대립 형질을 가진 순종의 개체끼리 교배하여 얻은 잡종 1대에서 한 가지 형질만 나타난다. ➡ 잡종 1대에서 나타나는 형질이 우성, 나타나지 않는 형질이 열성

Quiz

순종의 키가 큰 완두와 키가 작은 완두를 교배하였더니 잡종 1대에서 모두 키가 큰 완두만 나타났다. ➡ 키가 큰 형질이 **❸**[   ], 키가 작은 형질이 **❹**[   ]이다.

7 분리 법칙

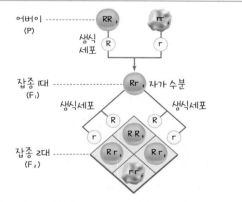

어버이
(P)

RR   rr

생식
세포

R   r

잡종 1대   Rr 자가 수분
(F₁)

생식세포   생식세포

R   R

r

RR

Rr   Rr

r

rr

잡종 2대
(F₂)

생식세포가 형성될 때 한 쌍의 대립유전자가 분리되어 각각 서로 다른 생식세포로 들어가는 현상

Quiz

잡종 1대에서 **❺**[   ]를 만들 때 유전자 R와 r가 분리되어 각각 서로 다른 **❻**[   ]로 들어가는 것을 분리 법칙이라고 한다.

8 독립 법칙

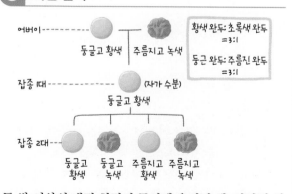

어버이

둥글고 황색   주름지고 녹색

황색 완두 : 초록색 완두
=3:1

둥근 완두 : 주름진 완두
=3:1

잡종 1대   (자가 수분)

둥글고 황색

잡종 2대

둥글고   둥글고   주름지고   주름지고
황색   녹색   황색   녹색

두 쌍 이상의 대립 형질이 동시에 유전될 때, 각각의 형질이 서로 영향을 주지 않고 독립적으로 유전되는 현상

Quiz

독립 법칙은 각각의 형질을 나타내는 유전자가 서로 **❼**[   ] 염색체에 존재할 때 성립한다. 생식세포가 형성될 때 **❽**[   ]가 각각 분리되어 들어가기 때문에 다른 형질에 영향을 주지 않는다.

❶ 순종 ❷ 잡종 ❸ 우성 ❹ 열성 ❺ 생식세포 ❻ 생식세포 ❼ 다른 ❽ 상동 염색체

유전자와 염색체

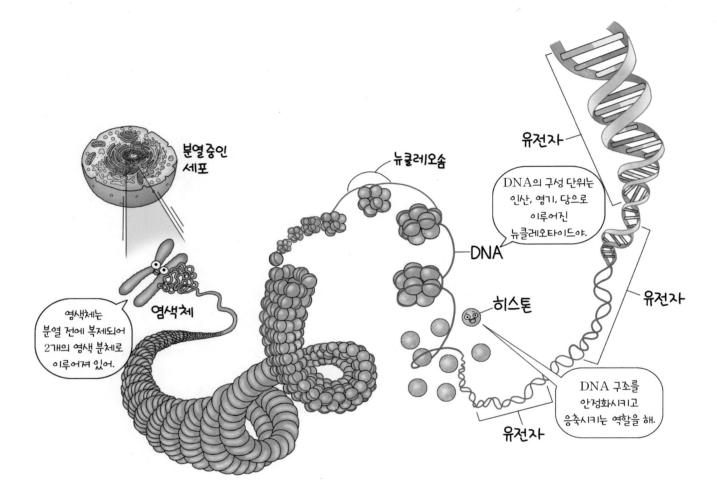

분열 중인 세포

뉴클레오솜

유전자

DNA의 구성 단위는 인산, 염기, 당으로 이루어진 뉴클레오타이드야.

DNA

염색체는 분열 전에 복제되어 2개의 염색 분체로 이루어져 있어.

염색체

히스톤

유전자

DNA 구조를 안정화시키고 응축시키는 역할을 해.

유전자

📖 **핵심 개념**

1 염색체

┌ 분열하지 않는 세포 속에서는 핵 속에 실처럼 풀어져 있다.
- **염색체**: 세포 분열 시 막대 모양으로 관찰되는 구조물로 ❶ 를 저장하고 전달하는 역할을 한다.
- **염색체의 구조**: DNA와 히스톤 단백질로 구성, DNA
  ┌ DNA 응축에 관여한다.
  가 히스톤 단백질을 휘감아 ❷ 을 형성한다.
- **DNA**: 유전 정보를 담고 있는 유전 물질이며, 기본 단위
  ┌ 이중 나선 구조
  는 ❸ 이다.
  ┌ 하나의 염색체에는 수많은 유전자가 존재한다.
- **유전자**: DNA의 특정 부분으로, 생물의 형질을 결정하는 유전 정보가 있다.
- **염색 분체**: 간기 때 복제에 의해 형성된 두 DNA가 각각 응축된 것 ➡ 유전자 구성이 같다.
  └ 두 염색 분체의 같은 위치에 있는 유전자는 복제되어 형성된 것이므로 대립유전자가 아니다.

2 상동 염색체와 대립유전자

- **상동 염색체**: 체세포에 들어 있는 크기와 모양이 같은 한 쌍의 염색체, 부모로부터 1개씩 물려받아 쌍을 이룬 것으로, 사람의 체세포에는 ❹ 쌍의 상동 염색체가 있다.
- **대립유전자**: ① 상동 염색체의 같은 위치에 존재하며, 동일한 형질을 결정한다. ② 대립유전자는 한 형질을 결정하지만, 하나는 부계로부터, 다른 하나는 모계로부터 물려받았기 때문에 같을 수도 있고, 다를 수도 있다.

1-1

다음 설명에 해당하는 것을 아래에서 찾아 쓰시오.

> DNA, 유전자, 염색체, 유전체

(1) 하나의 개체가 가지는 모든 유전 정보

(2) 생명체의 유전 정보를 저장하는 유전 물질

(3) 세포 분열 시 막대 모양으로 관찰되는 구조

(4) DNA의 특정 부위에 존재하며, 생물의 형질을 결정하는 유전 정보의 기본 단위

1-2

그림은 사람의 체세포에 있는 염색체의 구조를 나타낸 것이다.

이에 대한 설명으로 옳은 것은 ○, 옳지 않은 것은 ×로 표시하시오.

(1) ㉠은 상동 염색체이다. (　　　)

(2) ㉡은 뉴클레오솜이다. (　　　)

(3) ㉢은 유전 정보가 저장된 유전자이다. (　　　)

2-1

그림은 염색체의 구조를 나타낸 것이다.

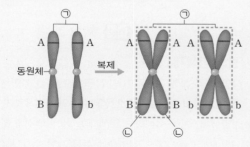

(1) ㉠은 무엇인지 쓰시오.

(2) ㉡은 무엇인지 쓰시오.

(3) A와 A, B와 b 같이 상동 염색체의 같은 위치에 있는 유전자를 무엇이라고 하는지 쓰시오.

2-2

그림 (가)는 어떤 사람의 염색체 중 하나를, (나)는 이 염색체의 구성 성분을 나타낸 것이다. 어떤 형질에 대한 이 사람의 유전자형은 Rr이다.

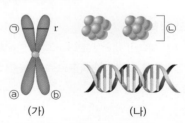

(가)　　　　　　　(나)

이에 대한 설명으로 ○, 옳지 않은 것은 ×로 표시하시오. (단, 돌연변이는 고려하지 않는다.)

(1) ㉠은 대립유전자 R이다. (　　　)

(2) ㉡은 히스톤 단백질이다. (　　　)

(3) ⓐ와 ⓑ는 부모에게서 각각 하나씩 물려받은 것이다. (　　　)

1 ^일 유전자와 염색체

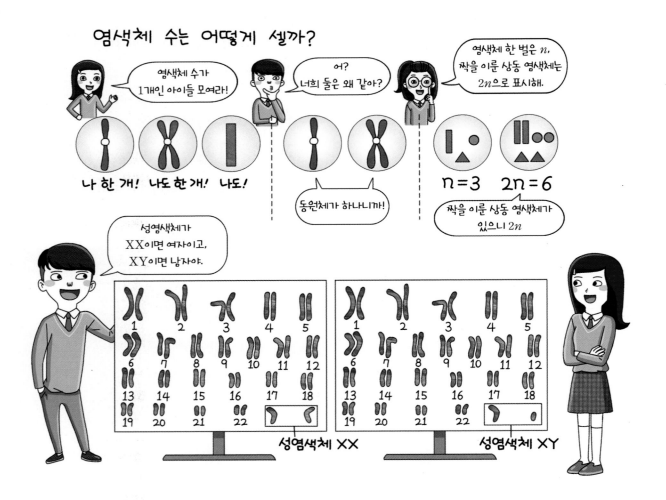

📖 **핵심 개념**

3 핵형과 핵상

- **핵형**: 한 생물의 체세포에 들어 있는 염색체 수, 모양, 크기 등과 같은 외형적인 특징으로, 생물종마다 고유한 핵형을 가진다.
- **핵형 분석**: 체세포 분열 **❶**⬜ 세포의 염색체를 사진으로 찍어 분석한다. ➡ 핵형 분석을 통해 성별이나, 염색체의 구성과 이상 여부 등을 알 수 있다.
- **핵상**: 한 세포에 들어 있는 염색체의 구성 상태로, 염색체의 상대적인 수이다.
- **핵상의 표현**: 상동 염색체가 2개씩 쌍을 이루고 있는 세포의 핵상은 **❷**⬜, 상동 염색체 중 1개씩만 있는 세포의 핵상은 **❸**⬜으로 표시한다.

4 사람의 염색체

- **상염색체**: 성에 관계없이 암수 공통으로 갖고 있는 염색체 ➡ 사람의 체세포에는 22쌍(44개)의 상염색체가 있다.
- **성염색체**: 성을 결정하는 염색체로, X 염색체와 Y 염색체가 있다. ➡ 남자의 성염색체 구성은 **❹**⬜이고, 여자의 성염색체 구성은 **❺**⬜이다.
- **사람의 염색체**: 22쌍(44개)의 상염색체와 1쌍의 성염색체로 구성되어 있다($2n=46$).
  ① 남자: $2n=44+XY$
  ② 여자: $2n=44+XX$

답 ❶ 중기 ❷ $2n$ ❸ n ❹ XY ❺ XX

3-1

그림은 서로 다른 동물 세포의 염색체 구성을 나타낸 것이다.

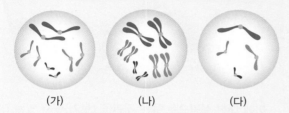

(가)   (나)   (다)

(가)~(다)의 핵상과 염색체 수를 쓰시오.

Hint 염색체의 수는 동원체의 수와 같다.

(가): _____

(나): _____

(다): _____

3-2

그림은 세포 (가)~(다)에 들어 있는 모든 염색체를 나타낸 것이다. (가)~(다) 각각은 같은 종의 수컷 A와 암컷 B의 세포 중 하나이다. 성염색체는 수컷이 XY, 암컷이 XX 이다.

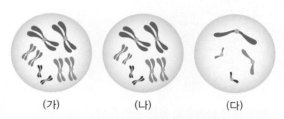

(가)   (나)   (다)

이에 대한 설명으로 옳은 것은 ○, 옳지 않은 것은 ×로 표시하시오.

(1) (가)는 수컷이고, (나)는 암컷이다. (   )

(2) (가)와 (나)의 핵상은 $2n$으로 같다. (   )

(3) (다)는 A의 세포이다. (   )

4-1

그림은 어떤 형질에 대한 유전자형이 Aa인 사람의 핵형과 대립유전자 A와 a가 있는 12번 염색체를 확대한 모습을 나타낸 것이다.

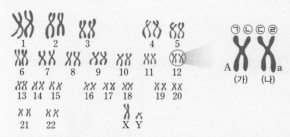

이에 대한 설명으로 옳은 것은 ○, 옳지 않은 것은 ×로 표시하시오.

(1) 이 사람은 남자이다. (   )

(2) (가)는 (나)의 상동 염색체이다. (   )

(3) ⓒ에는 대립유전자 a가, ⓒ에는 대립유전자 A가 존재한다. (   )

4-2

그림 (가)와 (나)는 두 사람의 핵형 일부를 각각 나타낸 것이다.

(가)   (나)

이에 대한 설명으로 옳은 것은 ○, 옳지 않은 것은 ×로 표시하시오. (단, 돌연변이는 고려하지 않는다.)

(1) (가)의 핵형을 가지는 사람의 염색체 구성은 22+XY이다. (   )

(2) (나)의 핵형을 가지는 사람의 체세포 염색체 수는 46개이다. (   )

(3) ⓒ과 ⓒ은 부모에게서 각각 하나씩 물려받은 것이다. (   )

1 일 기초 유형 연습 | 유전자와 염색체

그림 (가)와 (나)는 각각 동물 A$(2n=6)$와 B$(2n=?)$의 어떤 세포에 들어 있는 모든 염색체를 모식적으로 나타낸 것이다. A와 B의 성염색체는 XY이다.

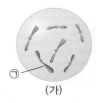
(가)

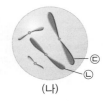
(나)

이에 대한 설명으로 옳은 것만을 〈보기〉에서 있는 대로 고른 것은? (단, 돌연변이는 고려하지 않는다.)

보기
ㄱ. ㉠은 성염색체이다.
ㄴ. ㉡은 ㉢의 상동 염색체이다.
ㄷ. A와 B의 생식세포에 들어 있는 염색체 수는 같다.

① ㄱ   ② ㄷ   ③ ㄱ, ㄴ
④ ㄴ, ㄷ   ⑤ ㄱ, ㄴ, ㄷ

개념 point

상동 염색체: 체세포 속에 들어 있는 모양과 크기가 같은 한 쌍의 염색체이다. 부모로부터 각각 하나씩 물려받은 것으로 상동 염색체의 유전자 구성은 같을 수도 있고 다를 수도 있다.

보기 풀이

ㄱ. (가)는 상동 염색체가 쌍으로 존재하는 것으로 보아 체세포임을 알 수 있으며, 그중 ㉠은 모양과 크기가 같은 염색체가 관찰되지 않는 것으로 보아 성염색체임을 알 수 있다.
ㄴ. (나)는 상동 염색체가 쌍으로 존재하지 않는 것으로 보아 생식세포이며, 따라서 ㉡과 ㉢은 상동 염색체가 아니다.
ㄷ. (가)는 $2n=6$인 세포를, (나)는 $n=4$인 세포를 나타낸 것이다. 따라서 (가)가 만드는 생식세포의 염색체 수는 3개이다.

답 ①

1 그림은 염색체의 구조를 나타낸 것이다.

이에 대한 설명으로 옳은 것만을 〈보기〉에서 있는 대로 고른 것은? (단, 돌연변이와 교차는 고려하지 않는다.)

보기
ㄱ. Ⅰ과 Ⅱ에 저장된 유전 정보는 같다.
ㄴ. ㉠에 단백질이 있다.
ㄷ. ㉡은 뉴클레오타이드로 구성된다.

① ㄱ   ② ㄷ   ③ ㄱ, ㄴ
④ ㄴ, ㄷ   ⑤ ㄱ, ㄴ, ㄷ

2 그림은 염색체가 응축되는 과정을 나타낸 것이다.

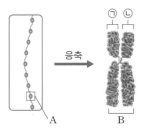

(1) A의 이름과 무엇으로 구성되어 있는지 쓰시오.

(2) ㉠과 ㉡의 유전자 구성이 같은지 다른지를 쓰고, 그렇게 생각한 까닭을 서술하시오.

3 표는 3종의 생물에서 체세포 1개에 들어 있는 염색체 수를 나타낸 것이다.

생물 종	염색체 수
사람	46
침팬지	48
감자	48

이에 대한 설명으로 옳은 것만을 〈보기〉에서 있는 대로 고른 것은? (단, 돌연변이는 고려하지 않는다.)

보기
ㄱ. 침팬지와 감자의 핵형은 동일하다.
ㄴ. 사람에서 염색체 수는 유전자 수와 같다.
ㄷ. 사람의 정자 1개에 들어 있는 상염색체는 22개이다.

① ㄱ　　　　② ㄴ　　　　③ ㄷ
④ ㄱ, ㄷ　　　⑤ ㄴ, ㄷ

4 그림은 사람의 핵형을 분석한 결과를 나타낸 것이다.

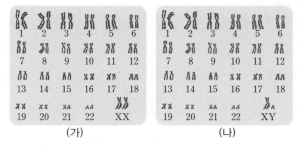

(가)　　　　　　　　(나)

이에 대한 설명으로 옳은 것만을 〈보기〉에서 있는 대로 고른 것은?

보기
ㄱ. (가)에서 관찰되는 상염색체의 염색 분체 수는 44개이다.
ㄴ. (가)와 (나)는 모두 23쌍의 상동 염색체로 이루어져 있다.
ㄷ. (가)의 X 염색체는 모두 어머니로부터 물려받은 것이다.

① ㄱ　　　　② ㄴ　　　　③ ㄷ
④ ㄴ, ㄷ　　　⑤ ㄱ, ㄴ, ㄷ

2020학년도 4월 학평 3번

5 그림은 같은 종인 동물($2n=6$) Ⅰ과 Ⅱ의 세포 (가)~(다) 각각에 들어 있는 모든 염색체를 나타낸 것이다. (가)는 Ⅰ의 세포이고, 이 동물의 성염색체는 암컷이 XX, 수컷이 XY이다.

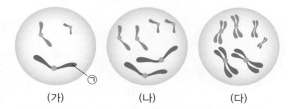

(가)　　　　　(나)　　　　　(다)

이에 대한 설명으로 옳은 것만을 〈보기〉에서 있는 대로 고른 것은? (단, 돌연변이는 고려하지 않는다.)

보기
ㄱ. Ⅱ는 수컷이다.
ㄴ. (나)와 (다)의 핵상은 같다.
ㄷ. ㉠에는 히스톤 단백질이 있다.

① ㄱ　　　　② ㄴ　　　　③ ㄷ
④ ㄱ, ㄷ　　　⑤ ㄴ, ㄷ

2016학년도 4월 학평 6번

6 표는 서로 다른 동물 A와 B의 체세포 1개에 들어 있는 염색체 수를, 그림은 A와 B 중 한 동물의 어떤 세포에 들어 있는 모든 염색체를 나타낸 것이다. A와 B의 성염색체는 모두 XY이다.

동물	염색체 수
A	6
B	12

보기
ㄱ. 그림은 A의 세포이다.
ㄴ. ㉠은 ㉡의 상동 염색체이다.
ㄷ. B의 생식세포 1개에 들어 있는 상염색체 수는 6개이다.

① ㄱ　　　　② ㄴ　　　　③ ㄱ, ㄴ
④ ㄱ, ㄷ　　　⑤ ㄱ, ㄴ, ㄷ

생식세포 형성과 유전적 다양성

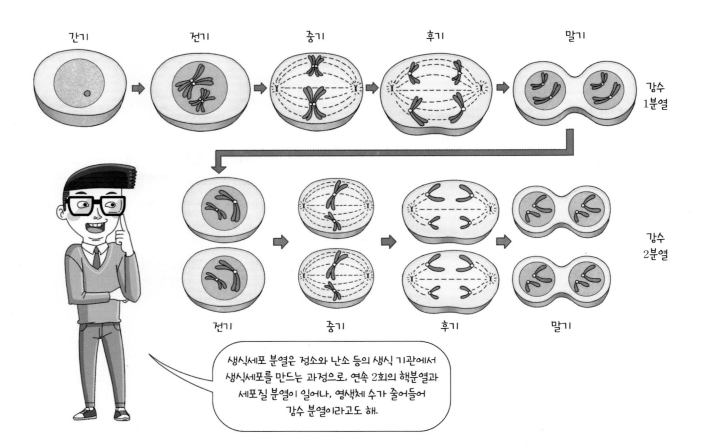

간기 　 전기 　 중기 　 후기 　 말기 　 감수 1분열

전기 　 중기 　 후기 　 말기 　 감수 2분열

생식세포 분열은 정소와 난소 등의 생식 기관에서 생식세포를 만드는 과정으로, 연속 2회의 핵분열과 세포질 분열이 일어나, 염색체 수가 줄어들어 감수 분열이라고도 해.

🔖 핵심 개념

1 세포 주기와 체세포 분열

● **세포 주기** —— 세포 분열 결과 만들어진 딸세포가 생장 과정을 거쳐 다시 분열하기까지의 기간으로 반복적으로 일어난다.

간기	G₁기	세포 생장, 세포 소기관의 수 증가
	S기	DNA 복제(DNA양 **❶**[ ]배로 증가)
	G₂기	세포 분열 준비(분열에 필요한 물질 합성)
분열기 (M기)		핵분열(DNA 분리) → 세포질 분열(DNA가 두 개의 딸세포로 나뉘어 들어간다.)

—— 염색체가 나타난다. 전기 → 중기 → 후기 → 말기

● **체세포 분열**($2n → n$): 간기에 DNA 복제 후 염색 분체가 분리된다. 2개의 딸세포 형성 ➡ 딸세포의 염색체 수와 DNA양은 모세포와 같다.

2 생식세포 분열(감수 분열)

● 한 번의 DNA 복제 후 연속 두 번의 **❷**[ ]과 세포질 분열이 일어난다. 4개의 딸세포 형성 ➡ 딸세포의 염색체 수와 DNA양은 모세포의 절반이다.

● **감수 1분열**($2n → n$): 2가 염색체가 형성되어 적도면에 배열되며, 후기에 **❸**[ ]가 분리된다. ➡ DNA양과 염색체 수가 절반으로 줄어든다.
—— 감수 1분열 전기에 상동 염색체가 접합한 것

● **감수 2분열**($n → n$): 중기에 염색체가 적도면에 배열되며, 후기에 **❹**[ ]가 분리된다. ➡ DNA양은 절반으로 줄지만 염색체 수는 변하지 않는다.

📒 ❶ 2 ❷ 핵분열 ❸ 상동 염색체 ❹ 염색 분체

1-1

그림은 체세포의 세포 주기를 나타낸 것이다. A~C는 간기의 G₁기, G₂기, S기 중 하나를 각각 나타낸 것이다.

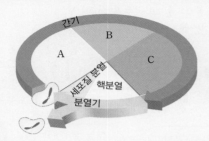

빈칸에 들어갈 알맞은 말이나 기호를 쓰시오.

(1) ❶ [　　　] 시기에 DNA가 복제된다.

(2) ❷ [　　　] 시기에 세포 내 소기관의 수가 증가한다.

(3) A 시기에 세포의 핵상은 ❸ [　　　] 이다.

1-2

그림은 체세포 분열 과정을 순서 없이 나열한 것이다.

　(가)　　　(나)　　　(다)　　　(라)　　　(마)

(1) 분열 과정을 간기부터 순서대로 나열하시오.

(2) 염색체를 관찰하기에 가장 좋은 시기의 기호와 이름을 쓰시오.

(3) 세포가 생장하고 DNA가 복제되는 시기의 기호와 이름을 쓰시오.

2-1

그림은 감수 분열 중인 세포를 순서 없이 나타낸 것이다.

　(가)　　　(나)　　　(다)　　　(라)

(1) (가)~(라)를 순서대로 배열하시오.

(2) (가)~(라) 중 상동 염색체가 분리 중인 세포의 기호를 찾아 쓰시오.

(3) (가)~(라) 중 염색 분체가 분리 중인 세포의 기호를 찾아 쓰시오.

2-2

그림은 어떤 동물의 감수 분열 과정에서 세포 1개당 DNA양 변화를 나타낸 것이다.

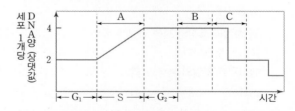

이에 대한 설명으로 옳은 것은 ○, 옳지 <u>않은</u> 것은 ×로 표시하시오.

(1) A에서 염색체 수가 2배로 증가한다. (　　　)

(2) B에서 2가 염색체를 관찰할 수 있다. (　　　)

(3) C에서 핵상의 변화가 일어난다. (　　　)

2일 생식세포 형성과 유전적 다양성

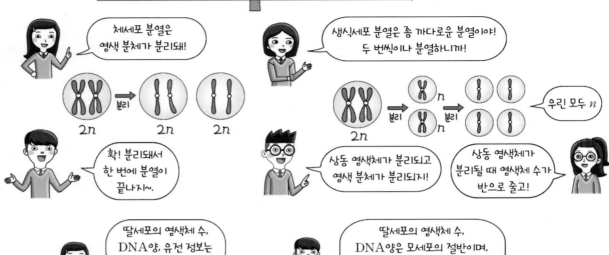

체세포 분열과 생식세포 분열은 무엇이 다를까?

체세포 분열은 염색 분체가 분리돼!

생식세포 분열은 좀 까다로운 분열이야! 두 번씩이나 분열하니까!

우리 모두 n

확! 분리돼서 한 번에 분열이 끝나지~.

상동 염색체가 분리되고 염색 분체가 분리되지!

상동 염색체가 분리될 때 염색체 수가 반으로 줄고!

딸세포의 염색체 수, DNA양, 유전 정보는 모세포와 같아.

딸세포의 염색체 수, DNA양은 모세포의 절반이며, 딸세포의 유전자 조합은 다양해!

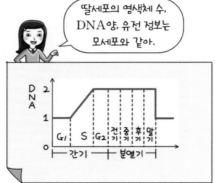

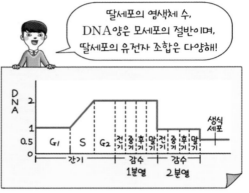

📖 핵심 개념

3 체세포 분열과 생식세포 분열의 비교

- **체세포 분열의 특징과 의의**: ① 모세포와 같은 유전자 구성을 가진 **❶[ ]**개의 딸세포가 만들어진다. ② 생물의 성장과 조직의 재생 과정에서 세포 수가 증가할 때 일어나는 분열이다.
- **생식세포 분열의 특징과 의의**: ① 모세포와 유전자 구성이 **❷[ ]** 4개의 딸세포가 만들어진다. ② 세대를 거듭해도 종의 염색체 수가 일정하게 유지되며, 유전자 조합이 다양한 자손이 태어난다.
- **체세포 분열과 생식세포 분열의 비교**

구분	분열 횟수	딸세포 수	핵상 변화	딸세포의 DNA양
체세포 분열	1회	2개	$2n \rightarrow 2n$	모세포와 동일
생식세포 분열	2회	4개	$2n \rightarrow n$	모세포의 절반

4 유전적 다양성

- **유전적 다양성**: 같은 생물종이라도 한 형질에 대해 개체마다 **❸[ ]** 조합이 달라 표현형이 다양하게 나타나는 것을 뜻한다.
- **유전적 다양성이 나타나는 까닭**: 생식세포 분열 시 상동 염색체가 무작위로 배열, 분리되어 염색체 조합(대립유전자 조합)이 다양한 생식세포가 만들어지기 때문이다.
  ➡ n쌍의 상동 염색체로 이루어진 세포가 만들 수 있는 생식세포의 종류는 **❹[ ]**개이다. 예 대립유전자 A와 a, B와 b가 각각 서로 다른 상동 염색체 쌍에 존재하는 경우, 유전자형이 AaBb인 개체($2n=4$, $n=2$)에서는 대립유전자 조합이 각각 AB, Ab, aB, ab, 즉 $2^2=4$가지의 생식세포가 만들어진다.

답 ❶ 2 ❷ 다른 ❸ 대립유전자 ❹ 2^n

3-1

그림은 어떤 동물(2n=4)에서 일어나는 두 가지 세포 분열 과정의 일부를 나타낸 것이다.

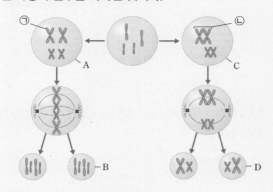

(1) ㉠과 ㉡은 각각 무엇인지 쓰시오.

(2) 세포 A, B, C, D의 핵상을 쓰시오.

(3) 세포 B와 D의 DNA양을 비교하시오.

3-2

그림 (가)는 핵상이 2n인 식물 P의 체세포 분열 과정에서 핵 1개당 DNA양 변화를, (나)는 P의 감수 분열 과정 일부에서 핵 1개당 DNA양 변화를 나타낸 것이다.

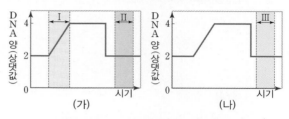

이에 대한 설명으로 옳은 것은 ○, 옳지 않은 것은 ×로 표시하시오.

(1) (가)에서는 염색 분체가 분리된다. (　　　)

(2) Ⅰ 시기에 DNA가 복제된다. (　　　)

(3) Ⅱ 시기 세포와 Ⅲ 시기 세포의 핵상은 서로 같다.

(　　　)

3주

2일

4-1

체세포의 염색체 수가 2n=8인 어떤 동물에서 만들어지는 생식세포의 염색체 조합은 이론적으로 몇 가지인가?

① 4가지　　② 8가지　　③ 16가지
④ 32가지　　⑤ 64가지

4-2

그림은 유전자형이 AaBb인 어떤 개체에서 상동 염색체의 배열에 따른 생식세포 분열 과정을 나타낸 것이다. A는 a의, B는 b의 대립유전자이고, 염색체 ㉠에 A, ㉡에 b가 존재한다.

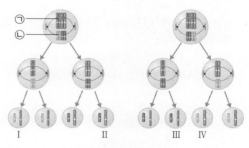

생식세포 Ⅰ~Ⅳ의 유전자형을 쓰시오.

Hint 대립유전자는 상동 염색체의 같은 위치에 존재한다.

2일 기초 유형 연습 | 생식세포 형성과 유전적 다양성

2016학년도 수능 3번 변형

대표 기출 유형

그림 (가)는 핵상이 $2n$인 식물 P에서 체세포의 세포 주기를, (나)는 P의 체세포 분열 과정 중에 있는 세포들을 나타낸 것이다.

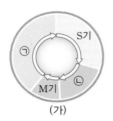
(가)

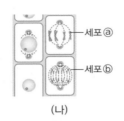
(나)

이에 대한 설명으로 옳은 것만을 〈보기〉에서 있는 대로 고른 것은?

── 보기 ──
ㄱ. ⓒ 시기에서 염색 분체가 관찰된다.
ㄴ. ⓑ는 염색 분체가 분리된 상태이다.
ㄷ. ㉠ 시기의 세포와 ⓐ의 DNA양은 같다.

① ㄱ   ② ㄴ   ③ ㄱ, ㄷ
④ ㄴ, ㄷ   ⑤ ㄱ, ㄴ, ㄷ

개념 point

세포 주기: 체세포에서 분열을 마친 딸세포가 생장하여 다시 분열을 마칠 때까지의 기간

보기 풀이

ㄱ. 세포 주기는 G_1기 → S기 → G_2기 → M기이므로 ㉠은 G_1기, ⓒ은 G_2기이다. (나)의 세포 ⓐ는 세포 중앙에 염색체들이 배열되어 있으므로 체세포 분열 중기(M기)이며, 세포 ⓑ는 염색 분체가 분리되어 양극으로 이동하였으므로 체세포 분열 후기임을 알 수 있다. ㉠(G_1기), S기, ⓒ(G_2기)은 간기이며, 간기에는 유전 물질이 염색사 형태로 존재한다. M기(분열기)의 전기에 염색사가 염색체로 응축된다.

ㄴ. ⓑ는 염색 분체가 분리되어 양극으로 이동하고 있는 후기의 세포이다.

ㄷ. 간기의 S기에 DNA의 복제가 일어나므로 세포 1개당 DNA양은 ⓐ가 ㉠ 시기 세포의 2배이다.

함정 탈출

S기에 DNA 복제가 일어나므로 G_2기(ⓒ)와 M기의 DNA양은 G_1기(㉠)의 2배이다.

답 ②

2021학년도 6월 학평 10번

1 그림은 사람 체세포의 세포 주기를 나타낸 것이다. ㉠~ⓒ은 각각 G_2기, M기(분열기), S기 중 하나이다.

이에 대한 설명으로 옳은 것만을 〈보기〉에서 있는 대로 고른 것은?

── 보기 ──
ㄱ. ㉠ 시기에 DNA가 복제된다.
ㄴ. ⓒ은 간기에 속한다.
ㄷ. ⓒ 시기에 상동 염색체의 접합이 일어난다.

① ㄱ   ② ㄴ   ③ ㄷ
④ ㄱ, ㄴ   ⑤ ㄱ, ㄷ

2 그림 (가)는 어떤 세포의 DNA가 염색체로 응축되는 과정의 일부를, (나)는 이 세포의 세포 주기를 나타낸 것이다.

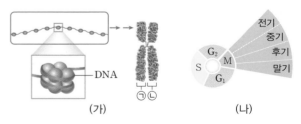
(가)   (나)

(1) (가)의 과정이 일어나는 시기를 세포 주기 (나)에서 찾아 쓰시오.

(2) (가)에서 ㉠과 ⓒ의 유전자 구성은 동일하다. 그 까닭을 (나)의 세포 주기와 관련지어 서술하시오.

2013학년도 6월 학평 8번 변형

3 그림은 백합의 꽃밥에 있는 세포 ㉠~㉣의 세포 1개당 염색체 수와 핵 1개당 DNA양을 나타낸 것이다. ㉠~㉣은 각각 G_1기, G_2기, 감수 1분열을 마친 딸세포, 감수 2분열을 마친 딸세포 중 하나이다.

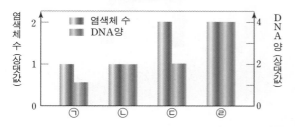

생식세포가 만들어지는 과정에 따라 ㉠~㉣을 순서대로 옳게 나열한 것은? (단, 돌연변이는 고려하지 않는다.)

① ㉠ → ㉡ → ㉢ → ㉣
② ㉡ → ㉢ → ㉣ → ㉠
③ ㉢ → ㉠ → ㉡ → ㉣
④ ㉢ → ㉣ → ㉡ → ㉠
⑤ ㉣ → ㉡ → ㉢ → ㉠

4 그림 (가)와 (나)는 어떤 동물의 분열 중인 세포를 나타낸 것이다.

(가)   (나)

이에 대한 설명으로 옳은 것은?

① (가)와 (나)의 DNA양은 같다.
② (나)에서 2가 염색체가 관찰된다.
③ (가)와 (나)는 분열 후 염색체 수가 반감된다.
④ (가)는 감수 2분열 중기, (나)는 감수 1분열 중기를 나타낸 것이다.
⑤ (가)는 분열 후 2개의 딸세포가, (나)는 4개의 딸세포가 만들어진다.

5 체세포 분열과 감수 분열을 비교한 것으로 옳지 <u>않은</u> 것은?

구분	체세포 분열	감수 분열
① DNA 복제 횟수	1회	2회
② 분열 횟수	1회	연속 2회
③ 딸세포의 수	2개	4개
④ 2가 염색체	형성 안 됨	형성됨
⑤ 염색체 수 변화	$2n \rightarrow 2n$	$2n \rightarrow n$

6 그림 (가)는 감수 분열이 일어날 때 핵 1개당 DNA양의 변화를, 그림 (나)와 (다)는 (가)의 A~E 중 어느 시기에 볼 수 있는 세포의 모습을 나타낸 것이다.

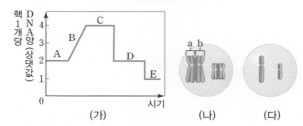

(가)   (나)   (다)

이에 대한 설명으로 옳지 <u>않은</u> 것은?

① (나)에서는 2가 염색체가 관찰된다.
② (나)의 DNA 양은 (다)의 4배이다.
③ (나)에서 a와 b는 상동 염색체이다.
④ (나)와 같은 세포는 (가)의 D 시기에 볼 수 있다.
⑤ (다)와 같은 세포는 (가)의 E 시기에 볼 수 있다.

7 유성 생식을 하는 생물들은 감수 분열을 하여 생식세포를 만든다. 감수 분열의 의의를 <u>두 가지</u> 서술하시오.

3^일 사람의 유전(1)

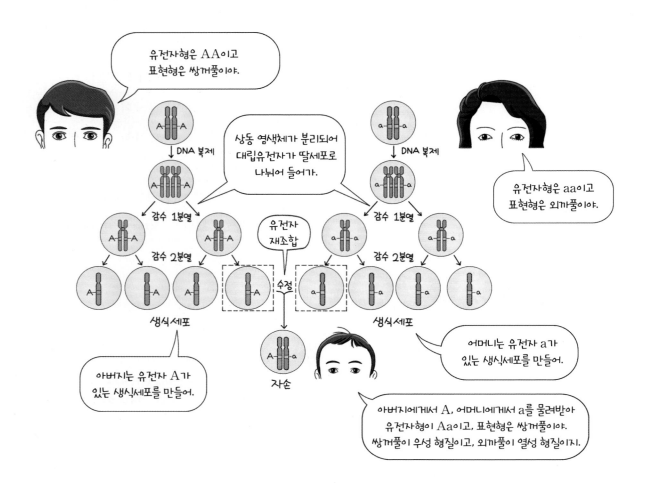

핵심 개념

1 사람의 유전 연구

- **사람의 유전 연구가 어려운 까닭**: 다른 생물보다 한 세대의 길이가 길고, 한 번에 낳을 수 있는 자손의 수가 **❶** 으며, 인위적으로 교배할 수 없어 **❷** 방법으로 유전 현상을 연구해야 한다.
- **사람의 유전 연구 방법**
  ① **가계도 조사**: 특정 형질에 대한 가계도 조사를 통해 특정 형질의 유전자 분포와 유전 방식을 연구
  ② **집단 조사**: 집단을 조사하여 자료를 수집한 후 통계 처리하여 유전 형질의 특징을 연구
  ③ **쌍둥이 연구**: 1란성 쌍둥이와 2란성 쌍둥이의 형질 차이를 통해 유전자와 환경이 형질에 미치는 영향 연구
  ④ **유전자 및 염색체 연구**: 핵형 분석, 특정 유전자의 염기 서열 분석 등을 통해 유전 형질의 특징을 연구

2 사람 유전의 기본 원리 ─ 멘델의 유전 법칙인 우열의 원리와 분리 법칙, 독립 법칙이 적용된다.

- **부모의 형질이 자손에게 유전되는 원리**: 부모의 유전자는 **❸** 의 염색체를 통해 형질을 결정하는 유전자가 자손에게 전달된다. ➡ 자손의 **❹** 는 부모에게서 하나씩 물려받은 것이다. ㉀ 아버지(AA)에게서 대립유전자 A가 있는 생식세포가, 어머니(aa)에게서 대립유전자 a가 있는 생식세포가 형성되어 수정하면 유전자형이 Aa인 쌍꺼풀이 있는 자녀가 태어난다. 이렇게 우성 형질만 나타나는 것을 우열의 원리라고 한다.
- **대립 형질**: 눈꺼풀 형질에서 쌍꺼풀과 외까풀처럼 서로 대립 관계에 있는 형질
- **우성과 열성**: 유전자형이 Aa처럼 대립유전자가 서로 다를 때 겉으로 표현되는 형질을 우성(㉀ 쌍꺼풀), 겉으로 표현되지 않는 형질(㉀ 외까풀)을 열성이라고 한다.

1-1

사람의 유전 연구에 대한 설명으로 옳은 것은 ○, 옳지 <u>않</u>은 것은 ×로 표시하시오.

(1) 인위적인 교배로 유전 현상을 연구할 수 있다.
( )

(2) 집단 조사를 통해서 특정 형질의 우열 관계를 판단할 수 있다. ( )

(3) 가계도 조사를 통해 특정 형질의 유전자형을 판단할 수 있다. ( )

(4) 쌍둥이 연구를 통해 형질의 차이가 유전에 의한 것인지 환경에 의한 것인지 파악할 수 있다. ( )

(5) 핵형 분석을 통해 염색체 수와 모양을 조사한다.
( )

1-2

표는 1란성 쌍둥이를 대상으로 이들이 함께 자랐을 때와 따로 자랐을 때, 몇 가지 형질에서 일치하는 정도를 조사한 것이다. (단, 형질이 일치할수록 수치는 1에 가깝다.)

구분 형질	1란성 쌍둥이		2란성 쌍둥이
	함께 자란 경우	따로 자란 경우	함께 자란 경우
키	0.957	0.951	0.472
지능	0.944	0.771	0.542
몸무게	0.932	0.897	0.831
일반 성적	0.898	0.681	0.831

(1) 유전적 요인이 가장 크게 작용하는 형질은 무엇인지 쓰시오.

(2) 환경의 영향을 가장 많이 받는 형질은 무엇인지 쓰시오.

2-1

어떤 형질에 대한 대립유전자가 A, a라고 할 때, 아버지의 유전자형은 Aa이고, 어머니의 유전자형은 aa이다.

(1) 아버지에게서 만들어질 수 있는 생식세포의 유전자 구성을 있는 대로 쓰시오.

(2) 어머니에게서 만들어질 수 있는 생식세포의 유전자 구성을 있는 대로 쓰시오.

(3) 아버지와 어머니 사이에서 태어날 수 있는 자손의 유전자형과 분리비를 쓰시오.

2-2

그림은 어떤 집안의 유전병 유전 가계도를 나타낸 것이다.

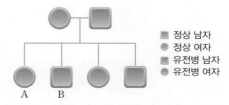

■ 정상 남자
● 정상 여자
■ 유전병 남자
● 유전병 여자

이에 대한 설명으로 옳은 것은 ○, 옳지 <u>않은</u> 것은 ×로 표시하시오.

(1) 이 유전병은 열성으로 유전된다. ( )
(2) A의 유전병 유전자형은 잡종이다. ( )
(3) A의 어머니의 유전병 유전자형은 잡종이다. ( )
(4) B의 유전병 유전자형은 순종이다. ( )

3 일 사람의 유전(1)

ABO식 혈액형은 사람의 대표적인 복대립 유전 형질이야.

대립유전자 I^A, I^B, i를 각각 A, B, O로 표기하기도 해.

ABO식 혈액형을 결정하는 유전자 위치

→ I^A
→ I^B
→ i

가능한 세 가지 대립유전자

📖 핵심 개념

3 상염색체 유전

- 상염색체 유전: 형질을 결정하는 유전자가 [①   ]에 있다. ➡ 성별에 따라 형질이 나타나는 빈도에 차이가 없다.
- 단일 대립 유전(대립유전자의 종류가 두 가지인 경우): └─ 단일 인자 유전 하나의 형질이 [②   ]쌍의 대립유전자에 의해 결정되며, 일반적으로 우성과 열성이 뚜렷하게 구분된다. 예 귓불, 눈꺼풀, 보조개, 이마선, 혀 말기 등

구분	눈꺼풀	귓불	보조개	혀 말기	이마선
우성	쌍꺼풀	분리형	있음	가능	V자형
열성	외까풀	부착형	없음	불가능	일자형

4 복대립 유전

- 복대립 유전(대립유전자의 종류가 세 가지 이상인 경우): 하나의 형질을 결정하는 데 [③   ]가지 이상의 대립 유전자가 관여하며, 단일 대립 유전보다 표현형이 다양하게 나타난다. 개체의 형질은 한 쌍의 대립유전자에 의해 결정된다. 예 ABO식 혈액형 └─ 단일 인자 유전
- ABO식 혈액형: 상염색체에 존재하는 대립유전자 I^A, I^B, i에 의해 결정된다. ➡ I^A와 I^B 사이에는 우열이 없으며(공동 우성), i는 I^A와 I^B 모두에 대해 열성이다. ($I^A = I^B > i$)

표현형	A형		B형		AB형	O형
유전자형	$I^A I^A$	$I^A i$	$I^B I^B$	$I^B i$	$I^A I^B$	ii

📗 ❶ 상염색체 ❷ 한 ❸ 세

3-1

그림은 어떤 집안의 어떤 유전병에 대한 가계도이다.

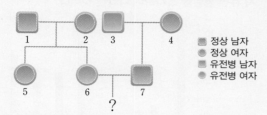

■ 정상 남자
● 정상 여자
■ 유전병 남자
● 유전병 여자

빈칸에 들어갈 알맞은 말을 고르거나 쓰시오.

(1) 이 유전병은 남녀 모두에게 나타나고 정상인 부모로부터 유전병인 딸이 태어나는 것으로 보아 유전병의 유전자는 정상에 대해 (열성 , 우성)이며, (성염색체 , 상염색체)에 있음을 알 수 있다.

(2) 정상 유전자를 A, 유전병 유전자를 a라고 하면, 6의 유전자형은 ❶[   ], 7의 유전자형은 ❷[   ]이다. 따라서 6과 7 사이에서 유전병인 자녀가 태어날 확률은 ❸[   ]이다.

3-2

다음은 영수네 집안의 귓불 유전에 대한 가계도이다. 귓불 유전자는 상염색체에 있다.

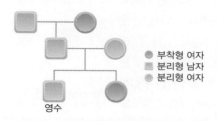

● 부착형 여자
■ 분리형 남자
● 분리형 여자

이에 대한 설명으로 옳은 것은 ○, 옳지 않은 것은 ×로 표시하시오.

(1) 귓불 모양은 부착형이 우성 형질이다. (   )

(2) 영수의 부모님은 부착형 대립유전자를 가진다.
(   )

(3) 부착형은 남자보다 여자에게 더 많이 나타난다.
(   )

4-1

그림은 영희네 집안의 ABO식 혈액형 유전 가계도를 나타낸 것이다. 영희의 ABO식 혈액형 유전자의 위치를 염색체 위에 옳게 나타낸 것은?

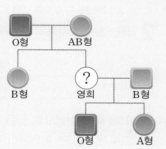

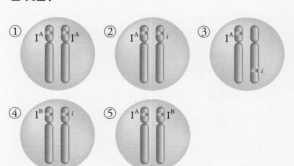

4-2

표는 세 명의 아이와 각 아이들 부모의 ABO식 혈액형을 나타낸 것이다.

아이	혈액형	부모	혈액형
I	A형	(가)	AB형, O형
II	AB형	(나)	AB형, A형
III	O형	(다)	A형, B형

아이 I~III의 부모를 각각 옳게 짝 지은 것은?

	아이 I	아이 II	아이 III
①	(가)	(나)	(다)
②	(가)	(다)	(나)
③	(나)	(가)	(다)
④	(나)	(다)	(가)
⑤	(다)	(나)	(가)

그림은 어떤 집안의 유전병 ㉠에 대한 가계도를 나타낸 것이다. ㉠은 대립유전자 T와 T*에 의해 결정되며, T는 T*에 대해 완전 우성이다. 이에 대한 설명으로 옳은 것만을 〈보기〉에서 있는 대로 고른 것은? (단, 돌연변이는 고려하지 않는다.)

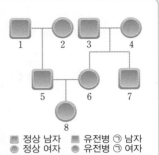

■ 정상 남자 ■ 유전병 ㉠ 남자
● 정상 여자 ● 유전병 ㉠ 여자

보기

ㄱ. ㉠은 우성 형질이다.

ㄴ. 1~8 중 T*를 가지고 있는 사람은 6명이다.

ㄷ. 8의 동생이 한 명 태어날 때, 이 아이가 ㉠일 확률은 $\frac{1}{4}$이다.

① ㄱ   ② ㄷ   ③ ㄱ, ㄴ

④ ㄴ, ㄷ   ⑤ ㄱ, ㄴ, ㄷ

개념 point

상염색체 유전 가계도 분석: 부모의 표현형이 같고 딸의 표현형이 부모와 다를 경우, 이 형질을 결정짓는 유전자는 상염색체에 존재하며 딸이 나타내는 표현형이 열성이다.

보기 풀이

ㄱ. 유전병 ㉠을 가지는 5와 6으로부터 정상인 8이 태어났으므로 ㉠은 우성 형질이다. 따라서 대립유전자 T는 유전병 ㉠ 유전자이고, T*는 정상 유전자이다. 5의 유전자형이 TT*인데 딸이 정상이므로 유전병 ㉠은 상염색체에 존재한다.

ㄴ. 1~8 중 T*를 가지고 있는 사람은 7명 또는 8명이다.

ㄷ. 8의 동생이 ㉠일 확률(대립유전자 T를 가질 확률)은 TT* × TT* → TT, TT*, TT*, T*T*이므로 $\frac{3}{4}$이다.

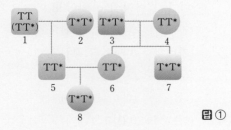

답 ①

---

1 그림은 어느 고등학교 남학생 100명을 대상으로 두 가지 유전 형질을 조사하여 나타낸 것이다.

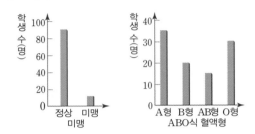

이에 대한 설명으로 옳은 것만을 〈보기〉에서 있는 대로 고른 것은?

보기

ㄱ. 미맹은 단일 인자 유전 형질이다.

ㄴ. 미맹 유전은 멘델의 분리 법칙과 독립 법칙을 따른다.

ㄷ. ABO식 혈액형의 표현형은 한 쌍의 대립유전자에 의해 결정된다.

① ㄱ   ② ㄴ   ③ ㄱ, ㄷ

④ ㄴ, ㄷ   ⑤ ㄱ, ㄴ, ㄷ

---

2 표는 철수네 가족의 보조개 유무를 나타낸 것이다.

구분	아버지	어머니	누나	철수
보조개	있음	있음	없음	있음

이에 대한 설명으로 옳은 것만을 〈보기〉에서 있는 대로 고른 것은? (단, 돌연변이는 고려하지 않는다.)

보기

ㄱ. 보조개 유전자는 상염색체에 존재한다.

ㄴ. 철수 어머니의 보조개 유전자형은 동형 접합이다.

ㄷ. 철수의 동생이 태어날 때 보조개가 없는 남자 아이일 확률은 $\frac{1}{4}$이다.

① ㄱ   ② ㄴ   ③ ㄱ, ㄷ

④ ㄴ, ㄷ   ⑤ ㄱ, ㄴ, ㄷ

3 그림은 어떤 집안의 유전병 ㉠에 대한 가계도와 이 가족에서 유전병 ㉠ 발현에 관여하는 대립유전자 A와 A*의 DNA 상대량을 나타낸 것이다.

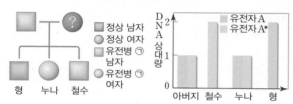

이에 대한 설명으로 옳은 것만을 〈보기〉에서 있는 대로 고른 것은? (단, 돌연변이는 고려하지 않는다.)

┌── 보기 ──────────────────────
ㄱ. A*는 A에 대해 열성이다.
ㄴ. 어머니는 유전병 ㉠을 갖고 있다.
ㄷ. A와 A*는 상염색체에 있다.
└──────────────────────────────

① ㄱ   ② ㄷ   ③ ㄱ, ㄴ
④ ㄱ, ㄷ   ⑤ ㄴ, ㄷ

5 그림은 어떤 집안의 눈꺼풀과 ABO식 혈액형을 나타낸 가계도이다.

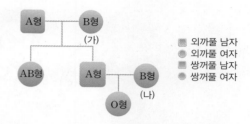

이에 대한 설명으로 옳은 것만을 〈보기〉에서 있는 대로 고른 것은? (단, 돌연변이는 고려하지 않는다.)

┌── 보기 ──────────────────────
ㄱ. 쌍꺼풀은 남자보다 여자에서 나타날 확률이 높다.
ㄴ. (가)의 ABO식 혈액형은 한 쌍의 대립유전자에 의해 결정된다.
ㄷ. (가)와 (나)의 ABO식 혈액형 유전자형은 같다.
└──────────────────────────────

① ㄱ   ② ㄴ   ③ ㄷ
④ ㄱ, ㄴ   ⑤ ㄴ, ㄷ

────────────────────
2014학년도 6월 학평 19번 변형
────────────────────

4 그림은 어떤 집안의 유전병에 대한 가계도이다. 이 유전병 유전자는 상염색체에 존재한다.

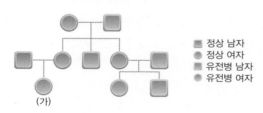

(1) 이 가계도에서 유전병 유전자를 가지고 있는 구성원은 모두 몇 명인지 쓰시오.

(2) (가)의 동생이 태어날 때, 이 유전병이 나타날 확률을 구하시오.

6 다음은 ABO식 혈액형에 대한 자료이다.

┌───
• 그림은 어떤 집안의 ABO식 혈액형 유전 가계도를 나타낸 것이다.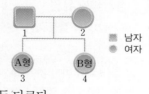
• 1~4의 혈액형은 모두 다르다.
• 2의 ABO식 혈액형 유전자형은 동형 접합이다.
└───

(1) O형인 사람의 기호를 쓰시오.

(2) 4의 동생이 태어날 때, 이 아이가 O형일 확률을 구하시오.

4일 사람의 유전(2)

이 숫자, 몇으로 보이나요?
정상이면 숫자 74, 만약 적록 색맹이라면
21이 보입니다. 왜 여자보다 남자에게
적록 색맹이 많을까요?

아버지가 정상이면 딸도 정상이야.
아버지의 X염색체는
딸에게만 전달되니깐.

어머니가 정상인데 아들이
적록 색맹이면 어머니는 보인자이지.
아들의 적록 색맹 대립유전자는
어머니에게서 물려받으니깐.

📖 핵심 개념

1 성염색체 유전

● **사람의 성 결정**: 감수 분열 시 한 쌍의 성염색체는 분리되어 서로 다른 **❶**로 들어간다. 그 결과 난자는 X 염색체만 가진 것만 생성되고, 정자는 X 염색체와 Y 염색체를 가진 것이 생성된다. 자녀의 성별은 정자와 난자의 **❷**에 의해 결정된다.
└─ 아버지는 딸에게 X 염색체를, 아들에게 Y 염색체를 물려준다.

● **성염색체 유전**: 형질을 결정하는 유전자가 성염색체에 있는 유전 현상으로, 남녀에 따라 성염색체가 다르므로 **❸**에 따라 형질이 나타나는 빈도가 다르다. ➡ 반성 유전

● **X 염색체 유전**: 형질을 결정하는 유전자가 X 염색체에 있는 유전 현상 예 적록 색맹, 혈우병 등

2 적록 색맹 유전

● 시각 세포의 이상으로 빨간색과 초록색을 구별하지 못하는 유전병이며, 정상 대립유전자(X)가 우성, 적록 색맹 대립유전자(X')가 열성이다.

성별	남자		여자		
유전자형	XY	X'Y	XX	XX'	X'X'
표현형	정상	적록 색맹	정상	정상 (보인자)	적록 색맹

└─ 어머니가 적록 색맹이면 아들은 어머니로부터 X 염색체를 물려받으므로 모두 적록 색맹이다.

● 남자는 적록 색맹 대립유전자가 1개(X'Y)만 있어도 적록 색맹이 되지만, 여자는 적록 색맹 대립유전자가 2개(X'X')인 경우에만 적록 색맹이 된다. ➡ 적록 색맹은 여자보다 남자에서 더 **❹** 나타난다.
└─ 아버지가 적록 색맹이면 딸은 모두 적록 색맹 대립유전자를 갖는다.

답 ❶ 생식세포 ❷ 수정 ❸ 남녀(성별) ❹ 많이

1-1

빈칸에 들어갈 알맞은 말을 쓰시오.

(1) 난자는 모두 ❶[　　] 염색체만 가지지만 정자는 ❷[　　] 염색체와 ❸[　　] 염색체를 모두 가지므로, 자녀의 성 결정은 어떤 ❹[　　]와 수정되는가에 달려 있다.

(2) 적록 색맹, 혈우병 등은 형질을 결정하는 유전자가 ❶[　　] 염색체 위에 있으며, 정상 유전자에 대해 ❷[　　]이다. 남자는 ❸[　　] 염색체를 1개만 가지므로, 여자보다 남자에게 적록 색맹이 나타날 확률이 더 ❹[　　]다. 이와 같이 유전자가 성염색체 위에 있어 남녀에 따라 발현 빈도가 다른 유전을 ❺[　　]이라고 한다.

(3) 반성 유전의 경우, 질병 유전자를 하나만 가지고 있어 겉으로는 정상이나 자손에게 질병 유전자를 물려줄 수 있는 여자를 [　　]라고 한다.

1-2

다음 물음에 답하시오.

(1) 그림은 사람의 성 결정 방식을 나타낸 것이다. (가)와 (나)에 해당하는 염색체 구성과 성별을 쓰시오.

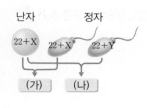

(2) 다음은 어떤 유전병 ㉠에 대한 설명이다.

> • 아버지가 유전병 ㉠을 나타내면 이들 사이에서 태어난 여자는 모두 유전병 ㉠ 대립유전자를 가진다.
> • 유전병 ㉠을 나타내는 여자와 정상인 남자 사이에서 태어난 남자는 모두 유전병 ㉠을 나타낸다.

유전병 ㉠ 유전자는 상염색체와 성염색체 중 어디에 위치하는지 쓰시오.

2-1

그림은 어떤 집안의 적록 색맹 유전 가계도를 나타낸 것이다.

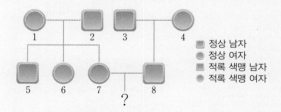

정상 남자
정상 여자
적록 색맹 남자
적록 색맹 여자

빈칸에 들어갈 알맞은 말을 쓰시오.

(1) 정상인 ❶[　　]과 ❷[　　]로부터 적록 색맹인 ❸[　　]이 태어났으므로 정상이 ❹[　　] 형질, 적록 색맹이 ❺[　　] 형질이다.

(2) 정상이지만 적록 색맹 대립유전자를 가진 보인자는 1, ❶[　　], ❷[　　]이다.

2-2

그림은 어떤 집안의 적록 색맹 유전 가계도를 나타낸 것이다.

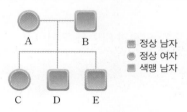

정상 남자
정상 여자
색맹 남자

(1) A와 B의 적록 색맹 유전자형을 각각 쓰시오. (단, 정상 대립유전자는 X, 적록 색맹 대립유전자는 X′로 표시한다.)

(2) E에게 남동생이 생길 때 남동생이 적록 색맹일 확률은 얼마인지 쓰시오.

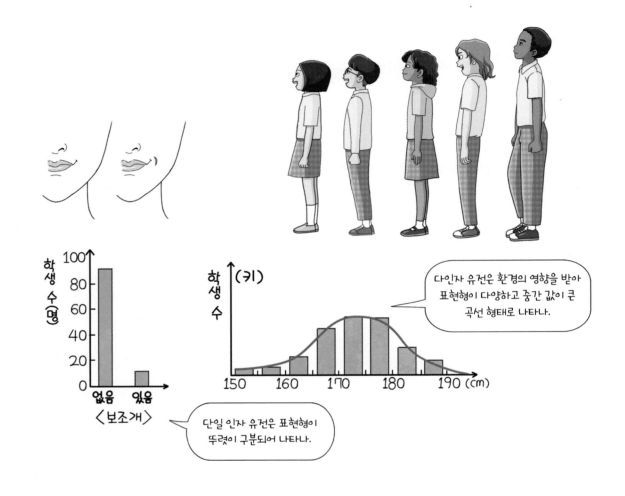

다인자 유전은 환경의 영향을 받아 표현형이 다양하고 중간 값이 큰 곡선 형태로 나타나.

단일 인자 유전은 표현형이 뚜렷이 구분되어 나타나.

📖 핵심 개념

3 단일 인자 유전과 다인자 유전의 비교

구분	단일 인자 유전	다인자 유전
특징	형질이 ❶ [　] 쌍의 대립유전자에 의해 결정된다.	형질이 ❷ [　] 쌍의 대립유전자에 의해 결정된다.
유전 형질	귓불 모양, 보조개 유무, 눈꺼풀 모양, 보조개 유무, 혀말기 가능성, ABO식 혈액형, 적록 색맹 등	└ 다양한 유전자 조합이 다양한 표현형을 만든다. 키, 몸무게, 피부색, 눈 색깔, 지문의 형태 등
형질 분포	대부분 대립 형질(표현형)이 뚜렷하게 구분된다. → 불연속적인 변이 [ABO식 혈액형] 학생 수 — O A B AB [눈꺼풀 모양] 학생 수 — 쌍꺼풀 외까풀	대립 형질이 명확하게 구분되지 않고 ❸ [　] 의 영향을 받아 다양하고 연속적이다. → 정상 분포 곡선 형태의 연속적 변이 [키] 학생 수 — 150 160 170 180 190 (cm)

답 ❶ 한 ❷ 여러 ❸ 환경

3-1

다음 물음에 답하시오.

(1) 단일 인자 유전에 대한 〈보기〉의 설명 중 옳은 것만을 있는 대로 고르시오.

> **보기**
> ㄱ. 우성과 열성을 판단할 수 없다.
> ㄴ. 멘델의 분리 법칙과 독립 법칙을 따른다.
> ㄷ. ABO식 혈액형 유전은 단일 인자 유전에 포함된다.
> ㄹ. 유전을 결정하는 대립유전자의 종류가 모두 두 가지이다.

(2) 다인자 유전에 대한 〈보기〉의 설명 중 옳은 것만을 있는 대로 고르시오.

> **보기**
> ㄱ. 우성과 열성이 뚜렷이 구분된다.
> ㄴ. 여러 쌍의 대립유전자가 관여한다.
> ㄷ. 환경의 영향에 의해 표현형은 더욱 다양해진다.

(3) 그림은 창수네 반 학생들의 키를 조사한 것이다.

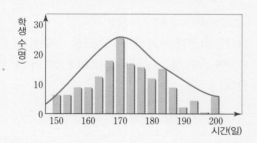

이에 대한 설명으로 옳은 것만을 〈보기〉에서 있는 대로 고르시오.

> **보기**
> ㄱ. 키는 다인자 유전이다.
> ㄴ. 표현형이 연속적인 변이를 보인다.
> ㄷ. 키의 유전에는 '큰 키'와 '작은 키'의 두 가지 대립유전자가 관여한다.

3-2

다음은 사람의 피부색 결정에 대한 자료이다.

> • 피부색은 서로 다른 상염색체에 존재하는 세 쌍의 대립유전자 A와 a, B와 b, D와 d에 의해 결정된다.
> • 피부색은 유전자형에서 대문자로 표시되는 대립유전자 수에 의해서만 결정된다.
> • 그림은 유전자형이 AaBbDd인 ㉠ 남자가 유전자형이 같은 여자와 결혼하여 ㉡ 자녀를 낳을 경우, 자녀에게서 나타날 수 있는 피부색의 종류와 빈도를 나타낸 것이다.

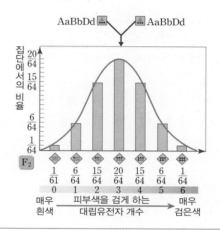

이에 대한 설명으로 옳은 것은 ○, 옳지 않은 것은 ×로 표시하시오.

(1) 피부색은 다인자 유전 형질이다. (   )

(2) 유전자형이 AAbbdd인 개체와 aaBbDd인 개체는 피부색이 서로 다르다. (   )

(3) 피부색과 관련하여 ㉠에서 만들어질 수 있는 생식세포의 종류는 4가지이다. (   )

(4) ㉡의 피부색의 표현형은 총 7가지이다. (   )

4일 기초 유형 연습 | 사람의 유전(2)

대표 기출 유형 | 2009학년도 9월 모평 18번

다음은 어떤 유전병을 가진 2000개의 가계를 조사하여 얻은 결과이다.

- 부모 모두 유전병을 가지고 있으면 이들 사이에서 태어난 여자는 모두 유전병을 가진다.
- 유전병을 가진 남자와 정상인 여자 사이에서 태어난 여자는 모두 유전병을 가진다.

이 유전병에 대한 설명으로 옳은 것만을 〈보기〉에서 있는 대로 고른 것은? (단, 이 유전병은 한 쌍의 대립유전자에 의해 결정된다.)

―― 보기 ――
ㄱ. 이 유전병을 일으키는 유전자는 우성이다.
ㄴ. 정상인 부모 사이에서 태어난 아이는 모두 정상이다.
ㄷ. 이 유전병을 가진 여자와 정상인 남자 사이에서 태어난 남자가 이 유전병을 가질 확률은 $\frac{1}{4}$이다.

① ㄱ   ② ㄴ   ③ ㄷ
④ ㄱ, ㄴ   ⑤ ㄴ, ㄷ

개념 point
반성 유전: 형질을 결정하는 유전자가 성염색체에 있어 성별에 따라 형질의 발현 빈도가 다른 유전 현상

보기 풀이
ㄱ. 정상 대립유전자를 X, 유전병 대립유전자를 X′로 표시했을 때, 아버지의 유전자형이 X′Y이면 딸은 반드시 X′를 물려받는다. 딸은 X′가 하나만 있어도 유전병을 가지므로 X′는 우성 대립유전자이다.
ㄴ. 정상인 부모라면 유전자형이 XY와 XX이므로, 이 부모 사이에서는 유전병 자녀가 태어날 수 없다.
ㄷ. 유전병을 가진 여자의 유전자형이 X′X′이면 모든 아들이 유전병을 가지며, 여자의 유전자형이 XX′이면 아들의 50 %가 유전병을 가진다. 따라서 이 유전병을 가질 확률은 $\frac{1}{2} \times \frac{1}{2} + \frac{1}{2} \times 1 = \frac{3}{4}$이다.

답 ④

2018학년도 9월 모평 5번

1 그림은 철수네 집안의 적록 색맹에 대한 가계도이다.

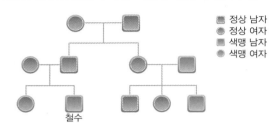

정상 남자
정상 여자
색맹 남자
색맹 여자

철수

이에 대한 설명으로 옳은 것만을 〈보기〉에서 있는 대로 고른 것은?

―― 보기 ――
ㄱ. 철수는 적록 색맹 유전자를 어머니로부터 물려받았다.
ㄴ. 가계도에서 보인자임이 확실한 여자는 4명이다.
ㄷ. 철수의 동생이 새로 태어난다고 했을 때, 동생이 적록 색맹일 확률은 $\frac{1}{2}$이다.

① ㄱ   ② ㄱ, ㄴ   ③ ㄱ, ㄷ
④ ㄴ, ㄷ   ⑤ ㄱ, ㄴ, ㄷ

2007학년도 10월 학평 17번 변형

2 그림은 유전병 ㉠에 대한 가계도를 나타낸 것이다. (단, 유전병 ㉠의 유전자는 X 염색체에 있으며, X′로 표시한다.)

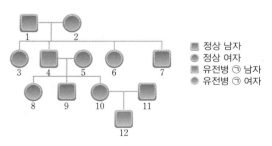

정상 남자
정상 여자
유전병 ㉠ 남자
유전병 ㉠ 여자

(1) 10과 11의 유전자형을 각각 쓰시오.

(2) 12의 유전병 ㉠ 유전자는 몇 번으로부터 몇 번을 통해 전해진 것인지 쓰시오.

3 그림은 어떤 유전병에 대한 가계도를 나타낸 것이다. 유전병 유전자는 성염색체에 있다.

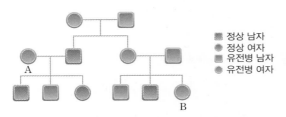

- ■ 정상 남자
- ● 정상 여자
- ▣ 유전병 남자
- ◉ 유전병 여자

이에 대한 설명으로 옳은 것만을 〈보기〉에서 있는 대로 고르시오.

보기
ㄱ. A는 보인자이다.
ㄴ. 정상인 남자와 정상인 여자 사이에서는 유전병인 아이가 태어나지 않는다.
ㄷ. 유전병으로 표현된 B가 정상 유전자를 가질 확률은 $\frac{1}{2}$이다.

2012학년도 11월 학평 16번

4 표는 유전 형질 (가)와 (나)의 특징을 나타낸 것이다.

유전 형질	특징
(가)	• 한 쌍의 대립유전자에 의해 결정된다. • 대립유전자는 X, Y, Z이며, 우열 관계는 X=Y>Z이다.
(나)	• 세 쌍의 대립유전자(A와 a, B와 b, C와 c)에 의해 결정된다. • 표현형은 유전자 A, B, C의 개수 합에 의해서만 결정된다.

이에 대한 설명으로 옳은 것만을 〈보기〉에서 있는 대로 고르시오. (단, 돌연변이와 환경의 영향은 고려하지 않는다.)

보기
ㄱ. (가)의 유전 방식은 다인자 유전이다.
ㄴ. (가)의 유전자형 종류는 6가지이다.
ㄷ. (나)의 유전자형이 AaBbCc인 개체와 AaBbcc인 개체의 표현형은 같다.

5 다음은 사람의 피부색 유전을 설명하기 위한 자료이다.

- 피부색은 서로 다른 염색체에 존재하는 3쌍의 대립유전자 A와 a, B와 b, D와 d에 의해 결정된다.
- 유전자 A, B, D는 피부색을 어둡게 하며, 종류에 상관없이 개수가 같으면 피부색은 동일하다.
- 유전자 a, b, d는 피부색을 밝게 하며, 종류에 상관없이 개수가 같으면 피부색은 동일하다.
- 유전자형이 AaBbDd인 두 사람이 결혼하여 ㉠ 자손을 낳을 경우 자손에서 다양한 피부색이 나타날 수 있다.

이 자료에 대한 설명으로 옳은 것만을 〈보기〉에서 있는 대로 고른 것은? (단, 환경의 영향은 고려하지 않는다.)

보기
ㄱ. 피부색 유전은 다인자 유전이다.
ㄴ. 유전자형이 AaBbDd인 사람이 생성할 수 있는 생식세포의 유전자형은 6가지이다.
ㄷ. ㉠에서 나타날 수 있는 피부색의 종류는 16가지이다.

① ㄱ　　　　② ㄴ　　　　③ ㄷ
④ ㄱ, ㄴ　　　⑤ ㄱ, ㄷ

6 그림은 어느 고등학교 남학생 100명을 대상으로 세 가지 유전 형질을 조사하여 나타낸 것이다.

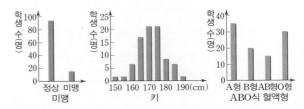

키의 유전 방식은 ABO식 혈액형이나 미맹의 유전 방식과 어떤 차이가 있는지 비교하고, 키와 같은 유전 방식의 특징을 서술하시오.

5일 사람의 유전병

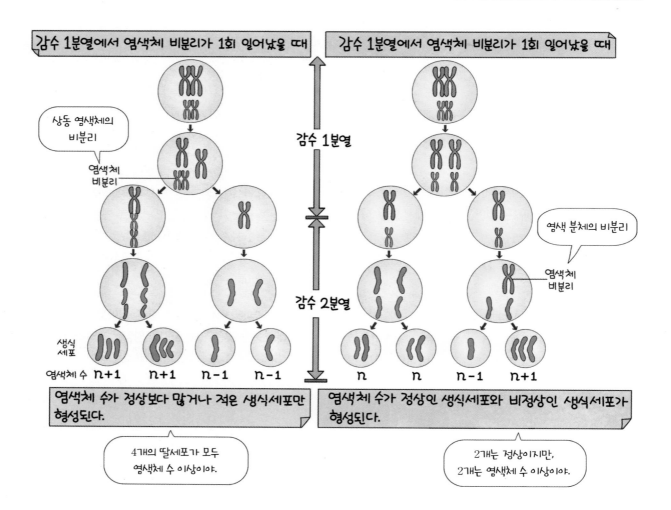

감수 1분열에서 염색체 비분리가 1회 일어났을 때

상동 염색체의 비분리

염색체 비분리

감수 1분열

감수 2분열

생식 세포

염색체 수 $n+1$ $n+1$ $n-1$ $n-1$

염색체 수가 정상보다 많거나 적은 생식세포만 형성된다.

4개의 딸세포가 모두 염색체 수 이상이야.

감수 1분열에서 염색체 비분리가 1회 일어났을 때

영색 분체의 비분리

염색체 비분리

염색체 수 n n $n-1$ $n+1$

염색체 수가 정상인 생식세포와 비정상인 생식세포가 형성된다.

2개는 정상이지만, 2개는 염색체 수 이상이야.

📖 핵심 개념

1 염색체 수 이상에 의한 유전병

- **돌연변이**: 생물의 형질을 결정하는 유전 정보가 있는 염색체나 유전자에 변화가 일어나는 것 ➡ **❶** 에 생긴 돌연변이는 자손에게 유전된다.
- **염색체 이상에 의한 유전병**: 염색체의 수나 구조에 이상이 생겨 나타난다. ➡ 핵형 분석으로 확인할 수 있다.
- **염색체 수 이상**: 생식세포 분열 과정에서 **❷** 가 일어나 염색체 수가 정상보다 많거나 적은 경우
- **염색체 수 이상에 따른 유전병**

에드워드 증후군	다운 증후군	터너 증후군	클라인펠터 증후군
18번 염색체 3개	21번 염색체 3개	성염색체 X	성염색체 XXY

2 염색체 비분리 현상

- <u>감수 1분열 시 염색체 비분리가 1회 일어난 경우</u> ┌─ 모든 생식세포에 이상이 나타난다.

① **❸** 가 비분리된다. ② 염색체 수가 정상보다 1개 많은 생식세포($n+1$) 2개와 정상보다 1개 적은 생식세포($n-1$) 2개가 만들어진다. ③ 염색체 수가 정상보다 1개 많은($n+1$) 생식세포에는 유전자 구성이 다른 한 쌍의 상동 염색체가 존재한다. ┌─ 정상과 비정상 생식세포가 1 : 1이다.

- <u>감수 2분열 시 염색체 비분리가 1회 일어난 경우</u>

① **❹** 가 비분리된다. ② 염색체 수가 정상인 생식세포(n) 2개, 정상보다 1개 많은 생식세포($n+1$) 1개, 정상보다 1개 적은 생식세포($n-1$) 1개가 만들어진다. ③ 염색체 수가 정상보다 1개 많은($n+1$) 생식세포에는 유전자 구성이 동일한 한 쌍의 염색체가 존재한다.

답 ❶ 생식세포 ❷ 염색체 비분리 ❸ 상동 염색체 ❹ 염색 분체

1-1

염색체 이상에 의한 유전병에 대한 설명으로 옳은 것은
○, 옳지 <u>않은</u> 것은 ×로 표시하시오.

(1) 염색체 수나 구조에 이상이 생겼을 때 발생한다.

( )

(2) 염색체 수의 이상은 감수 1분열에서만 일어난다.

( )

(3) 핵형 분석으로 알아낼 수 있다. ( )

(4) 체세포의 돌연변이로 생긴 유전병은 자손에게 유전
될 수 있다. ( )

1-2

그림은 염색체 수에 이상이 있는 사람의 핵형을 나타낸 것
이다. 핵형이 (가), (나)와 같을 때 나타나는 유전병을 각각
쓰시오.

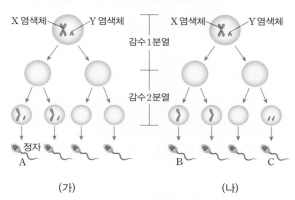

(가)   (나)

2-1

그림은 사람의 정자가 생성되는 과정에서 염색체 비분리
가 일어나는 두 가지 경우를 나타낸 것이다. (단, 두 종류
의 염색체만 나타내었고, 나머지 염색체는 모두 정상적으
로 분리되었다.)

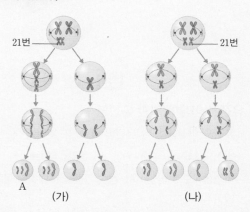

(1) (가), (나) 중 염색체 수가 정상인 생식세포와 비정상
인 생식세포가 1 : 1로 나타나는 경우는 어느 쪽인
지 쓰시오.

(2) A와 염색체 수가 정상인 난자가 수정하여 태어난
자녀에서 나타나는 유전병은 무엇인지 쓰시오.

2-2

그림은 사람의 정자 형성 과정에서 일어날 수 있는 성염색
체의 비분리 현상을 나타낸 것이다. 상염색체는 정상적으
로 분리되었고, 다른 돌연변이는 없다.

X 염색체 ─ Y 염색체   X 염색체 ─ Y 염색체
                  ├ 감수 1분열 ┤

                  ├ 감수 2분열 ┤

정자
A   B   C

(가)   (나)

이에 대한 설명으로 옳은 것은 ○, 옳지 <u>않은</u> 것은 ×로 표
시하시오.

(1) A는 감수 1분열 시 비분리가 일어나 생성된 것이
다. ( )

(2) B는 염색 분체의 비분리가 일어나 생성된 것이다.

( )

(3) C의 DNA양은 B의 2배이다. ( )

5일 사람의 유전병

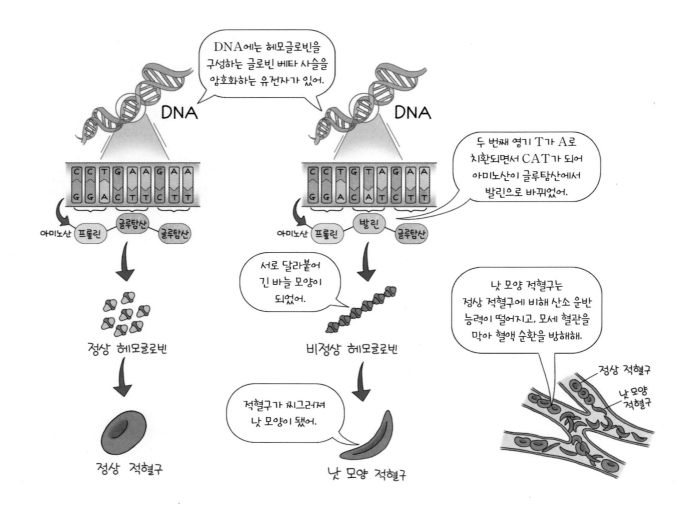

📖 핵심 개념

3 염색체 구조 이상에 의한 유전병

- 염색체 구조 이상: 결실, 중복, 역위, 전좌로 구분된다.

❶	염색체의 일부가 없어진 경우 예 고양이 울음 증후군(5번 염색체의 특정 부분이 결실)
중복	염색체의 어떤 부분과 동일한 부분이 삽입되어 반복되는 경우
역위	염색체의 일부가 떨어진 후 ❷ □□□ 붙은 경우
전좌	한 염색체의 일부가 상동 염색체가 아닌 다른 염색체에 붙은 경우 예 만성 골수성 백혈병(9번과 22번 염색체 끝부분이 전좌)

4 유전자 이상에 의한 유전병

- 유전자 이상에 의한 유전병: DNA 분자에 돌연변이가 일어나 DNA의 ❸ □□□ 이 달라진다. ➡ ❹ □□□ 이 비정상적으로 만들어져, 정상 기능을 수행하지 못해 유전병이 나타난다.

낫 모양 적혈구 빈혈증	헤모글로빈 유전자의 이상으로 나타나는 유전병
페닐케톤뇨증	페닐알라닌 분해 효소 유전자의 이상으로 아미노산의 일종인 페닐알라닌이 과도하게 축적되어 나타나는 질병
알비노증	멜라닌 색소 합성 효소 유전자의 이상으로 멜라닌 색소가 결핍되어 나타난다.
헌팅턴 무도병	유전자 돌연변이로 나타나는 뇌신경계 퇴행성 질환

📋 답 ❶ 결실 ❷ 거꾸로 ❸ 염기 서열 ❹ 단백질

3-1

그림은 염색체 구조 이상을 나타낸 것이다.

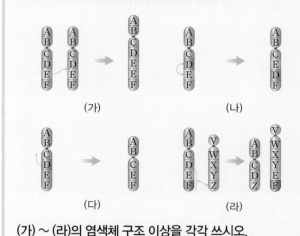

(가) ~ (라)의 염색체 구조 이상을 각각 쓰시오.

3-2

그림 (가)는 어떤 동물($2n = 4$) 암컷의 정상 체세포를, (나)와 (다)는 이 동물 난자의 염색체를 나타낸 것이다.

이에 대한 설명으로 옳은 것은 ○, 옳지 않은 것은 ×로 표시하시오.

(1) ㉠과 ㉡은 서로 복제된 염색체이다. (　　　)

(2) (나)는 역위와 전좌가 일어난 세포이다. (　　　)

(3) (다)는 결실이 일어난 세포이다. (　　　)

4-1

유전자 이상에 의한 사람의 유전병에 대한 설명으로 옳은 것은 ○, 옳지 않은 것은 ×로 표시하시오.

(1) 핵형 분석을 통해 확인할 수 있다. (　　　)

(2) DNA의 염기 서열 이상으로 발생한다. (　　　)

(3) 유전자 돌연변이에 의한 유전병은 모두 열성 형질이다. (　　　)

(4) 헌팅턴 무도병, 알비노증, 터너 증후군은 유전자 이상에 의해 나타난다. (　　　)

(5) 낫 모양 적혈구 빈혈증 환자의 핵형은 정상인과 같다. (　　　)

4-2

그림은 정상인의 헤모글로빈과 낫 모양 적혈구 빈혈증 환자의 헤모글로빈을 구성하는 아미노산의 염기 서열 일부를 나타낸 것이다.

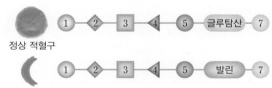

빈칸에 들어갈 알맞은 말을 쓰거나 고르시오.

(1) 낫 모양 적혈구 빈혈증은 [　　　] 유전자 이상에 의한 유전병이다.

(2) 낫 모양 적혈구 빈혈증이 나타나는 과정은 ❶[　　　] 염기 서열 변화 → 헤모글로빈 단백질의 ❷[　　　] 서열 변화 → 비정상 헤모글로빈 생성 → 적혈구의 모양 변화 → 적혈구의 기능 저하 순이다.

(3) 낫 모양 적혈구 빈혈증은 정상 적혈구에 비해 [　　　] 운반 능력이 떨어진다.

5일 기초 유형 연습 | 사람의 유전병

대표 기출 유형 2014학년도 9월 모평 15번 변형

그림은 어떤 사람에게서 감수 분열을 통해 정자가 형성되는 과정을, 표는 정자 ㉠과 ㉡의 X 염색체 수를 나타낸 것이다.

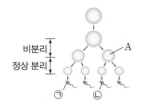

정자	X 염색체 수
㉠	1
㉡	0

이에 대한 설명으로 옳은 것만을 〈보기〉에서 있는 대로 고른 것은? (단, 성염색체에서만 비분리가 1회 일어났으며, 이외의 다른 돌연변이는 고려하지 않는다.)

— 보기 —
ㄱ. ㉠의 염색체 구성은 22＋XY이다.
ㄴ. DNA 양은 ㉠이 ㉡의 2배이다.
ㄷ. ㉡과 정상 난자가 수정되어 아이가 태어날 때, 이 아이가 터너 증후군일 확률은 $\frac{1}{2}$이다.

① ㄱ   ② ㄴ   ③ ㄱ, ㄴ
④ ㄱ, ㄷ   ⑤ ㄴ, ㄷ

개념 point

염색체 비분리: 감수 1분열에서 염색체가 비분리되면 상동 염색체 쌍을 갖는 딸세포가 형성된다.

보기 풀이

ㄱ. 비분리가 일어나는 시기는 감수 1분열로, 상동 염색체가 제대로 분리되지 못하였다. 따라서 감수 1분열 결과 $n＝22＋XY$와 $n＝22$의 염색체를 가지는 2가지의 생식세포가 만들어진다. ㉡에 X 염색체가 없고 ㉠에는 X 염색체가 있으므로 ㉠은 $n＝22＋XY$, ㉡은 $n＝22$의 염색체 구성을 갖는다.
ㄴ. ㉠과 ㉡은 성염색체의 수만 차이가 나므로 DNA양이 2배가 되는 것은 아니다.
ㄷ. ㉡은 $n＝22$이므로, 정상 난자인 $n＝22＋X$와 수정이 되면 $2n＝44＋X$이므로 터너 증후군 아이가 태어날 확률은 1이다.

답 ①

---

1 그림은 정자가 형성되는 과정에서 성염색체의 비분리가 일어나는 두 가지 경우를 나타낸 것이다.

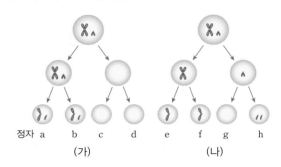

정자 a b c d   e f g h
(가)   (나)

이에 대한 설명으로 옳은 것만을 〈보기〉에서 있는 대로 고른 것은?

— 보기 —
ㄱ. (가)는 감수 1분열 시 비분리가 일어났고, (나)는 감수 2분열 시 비분리가 일어났다.
ㄴ. 정자 a와 정상 난자가 수정되면 터너 증후군인 아이가 태어난다.
ㄷ. 정자 c의 염색체 수는 45개이다.

① ㄱ   ② ㄴ   ③ ㄷ
④ ㄱ, ㄴ   ⑤ ㄱ, ㄴ, ㄷ

2 그림 (가)는 어떤 생물의 정상 체세포를, (나)는 이 생물에서 염색체 구조 이상이 일어난 체세포를 나타낸 것이다. (단, A～G, a, d, g는 유전자이다.)

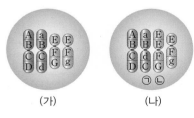

(가)   (나)

(1) (가)와 비교할 때 (나)에서 ㉠의 염색체 구조 이상에 대해 구체적으로 서술하시오.

(2) (가)와 비교할 때 (나)에서 ㉡의 염색체 구조 이상에 대해 구체적으로 서술하시오.

3 그림은 정상인 사람에서 성염색체만 비분리가 일어나 생성된 정자 (가)~(라)의 성염색체 구성을 나타낸 것이다. 염색체 비분리는 각각의 정자 형성 과정에서 1회만 일어났으며, 다른 돌연변이는 없다.

(가)　　(나)　　(다)　　(라)

이에 대한 설명으로 옳은 것만을 〈보기〉에서 있는 대로 고른 것은?

┌─ 보기 ─────────────────────────┐
ㄱ. DNA양은 (다)가 (라)의 2배이다.
ㄴ. (가)는 감수 2분열에서 비분리가 일어나 생성된 정자이다.
ㄷ. (나)는 감수 1분열에서 비분리가 일어나 생성된 정자이다.
└────────────────────────────────┘

① ㄱ　　　　② ㄴ　　　　③ ㄷ
④ ㄴ, ㄷ　　⑤ ㄱ, ㄴ, ㄷ

4 그림은 색맹인 어머니와 색맹이 아닌 아버지 사이에서 태어난 자녀 (가)의 핵형 분석 결과를 나타낸 것이다. 자녀 (가)는 색맹이 아니고, 부모의 생식세포 형성 시 염색체 비분리는 한 사람에게서만 1회 일어났다.

|1 2 3　　　4 5|
|6 7 8 9 10 11 12|
|13 14 15 16 17 18|
|19 20 21 22|

(1) 핵형을 통해 알 수 있는 이 여자의 유전병은 무엇인지 쓰시오.

(2) 염색체 비분리는 어머니의 난자 형성 과정과 아버지의 정자 형성 과정 중 어느 과정에서 일어난 것인지 그 근거와 함께 서술하시오.

5 다음과 같은 유전병의 공통점으로 옳은 것은?

┌──────────────────────────────┐
낫 모양 적혈구 빈혈증, 낭성 섬유증, 알비노증
└──────────────────────────────┘

① 염색체 비분리에 의해 나타난다.
② 염색체 구조에 이상이 생겨서 나타난다.
③ 성염색체 수가 정상보다 적어서 나타난다.
④ 상염색체 수가 정상보다 많아서 나타난다.
⑤ DNA의 염기 서열에 이상이 생겨서 나타난다.

┌─ 2018학년도 4월 학평 14번 ─┐
└─────────────────────────┘
6 표는 유전 질환을 가진 사람 A~C의 핵형 분석 결과를 나타낸 것이다.

사람	유전 질환	핵형 분석 결과
A	낫 모양 적혈구 빈혈증	정상인과 핵형이 같다.
B	고양이 울음 증후군	정상인과 비교하여 5번 염색체의 일부가 결실되었다.
C	터너 증후군	정상인보다 ㉠ 염색체 1개가 적다.

이에 대한 설명으로 옳은 것만을 〈보기〉에서 있는 대로 고른 것은? (단, A~C는 각각 제시된 유전 질환 이외에 다른 유전 질환은 없다.)

┌─ 보기 ─────────────────────────┐
ㄱ. 낫 모양 적혈구 빈혈증은 유전자 돌연변이이다.
ㄴ. B의 체세포 1개당 염색체 수는 45개이다.
ㄷ. ㉠은 성염색체이다.
└────────────────────────────────┘

① ㄱ　　　　② ㄴ　　　　③ ㄱ, ㄷ
④ ㄴ, ㄷ　　⑤ ㄱ, ㄴ, ㄷ

3
주
5일

2020학년도 3월 학평 11번

1 그림은 염색체의 구조를 나타낸 것이다.

이에 대한 설명으로 옳은 것만을 〈보기〉에서 있는 대로 고른 것은? (단, 돌연변이와 교차는 고려하지 않는다.)

보기
ㄱ. Ⅰ과 Ⅱ에 저장된 유전 정보는 같다.
ㄴ. ㉠에 단백질이 있다.
ㄷ. ㉡은 뉴클레오타이드로 구성된다.

2 사람의 염색체에 대한 설명으로 옳은 것만을 〈보기〉에서 있는 대로 고른 것은? (단, 돌연변이는 고려하지 않는다.)

보기
ㄱ. 세포 분열 간기에 관찰할 수 있다.
ㄴ. 체세포에는 상동 염색체가 존재한다.
ㄷ. 남녀에게서 공통으로 나타나는 22쌍의 염색체를 상염색체라고 한다.

3 그림은 체세포 분열 중 한 시기를 나타낸 것이다.
이에 대한 설명으로 옳은 것만을 〈보기〉에서 있는 대로 고른 것은? (단, 돌연변이는 고려하지 않는다.)

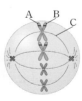

보기
ㄱ. 중기의 세포이다.
ㄴ. A와 B의 유전자 구성은 동일하다.
ㄷ. C는 방추사이다.

① ㄱ   ② ㄷ   ③ ㄱ, ㄴ
④ ㄴ, ㄷ   ⑤ ㄱ, ㄴ, ㄷ

4 그림은 한 개체에서 일어나는 두 종류의 세포 분열 과정의 일부를 나타낸 것이다.

(1) (가)와 같은 세포 분열이 (나)와 같은 세포 분열과 다른 점을 세 가지만 서술하시오.

(2) (가)와 같은 세포 분열의 의의를 염색체 수와 관련지어 서술하시오.

5 표는 사람의 유전 형질에 대해 조사한 것이다.

형질	부	모	자손
미맹	정상	정상	딸이 미맹이다.
귓불 모양	분리형	분리형	아들이 부착형이다.
적록 색맹	정상	정상	딸은 정상, 아들은 적록 색맹이다.
A	A	정상	아들과 딸이 A를 나타낸다.

각 형질의 유전 현상에 대한 설명으로 옳은 것은?

① 미맹은 정상에 대해 우성 형질이다.
② 미맹은 이론적으로 여자보다 남자에게 많이 나타난다.
③ 귓불 모양이 부착형인 아들의 유전자형은 이형 접합이다.
④ 아들의 적록 색맹 대립유전자는 어머니에게서 물려받은 것이다.
⑤ 형질 A의 유전자는 성염색체에 있다.

정답과 해설 28쪽

6 그림은 어느 집안의 ABO식 혈액형 유전 가계도를 나타낸 것이다.

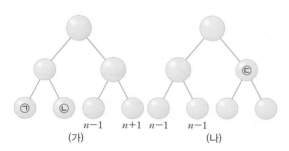

(1) 아버지와 어머니의 혈액형 유전자형을 쓰시오.

(2) 철수에게 가능한 ABO식 혈액형을 있는 대로 쓰시오.

7 그림 (가)와 (나)는 각각 서로 다른 감수 분열 과정과 각 과정에서 형성된 생식세포 중 일부의 핵상을 나타낸 것이다.

이에 대한 설명으로 옳은 것만을 〈보기〉에서 있는 대로 고른 것은? (단, 염색체 비분리는 (가)와 (나)에서 각각 1회씩 일어났다.)

┌─ 보기 ─────────────────────────┐
ㄱ. ㉠과 ㉡은 핵상이 같다.
ㄴ. ㉢의 염색체 중에는 한 쌍의 상동 염색체가 있다.
ㄷ. (가)에서는 감수 1분열에서 비분리가 일어났다.
└────────────────────────────┘

① ㄱ   ② ㄷ   ③ ㄱ, ㄴ
④ ㄱ, ㄷ   ⑤ ㄴ, ㄷ

8 그림은 어떤 고등학교에서 세 가지 유전 형질을 조사하여 얻은 결과를 그래프로 나타낸 것이다.

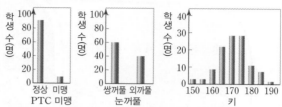

이에 대한 설명으로 옳은 것만을 〈보기〉에서 있는 대로 고르시오.

┌─ 보기 ─────────────────────────┐
ㄱ. PTC 미맹은 한 쌍의 대립유전자에 의해 형질이 결정된다.
ㄴ. 눈꺼풀은 키에 비해 환경의 영향을 많이 받는다.
ㄷ. 키 형질은 대립 형질이 뚜렷하게 구분된다.
└────────────────────────────┘

┌──────────────────────┐
│ 2020학년도 11월 학평 20번 │
└──────────────────────┘

9 표는 사람 (가)와 (나)의 유전병과 특징을 나타낸 것이다.

사람	유전병	특징
(가)	㉠ 고양이 울음 증후군	5번 염색체의 일부가 결실되었다.
(나)	클라인펠터 증후군	㉡ 성염색체의 수가 3이다.

이에 대한 설명으로 옳은 것만을 〈보기〉에서 있는 대로 고르시오.

┌─ 보기 ─────────────────────────┐
ㄱ. (나)에는 Y 염색체가 있다.
ㄴ. ㉠은 염색체 구조 이상에 의한 유전병이다.
ㄷ. 핵형 분석을 통해 ㉡을 확인할 수 있다.
└────────────────────────────┘

10 그림은 염색체 구조 이상 중 하나를 나타낸 것이다.

이 구조 이상의 이름을 쓰고, 어떻게 나타나는 것인지 그 원리를 서술하시오.

🖊 유전 공부를 대~충 한 솔로몬 왕이 어떤 실수를 하는지 볼까요?

| 2013학년도 4월 학평 5번 |

표는 가족 Ⅰ과 Ⅱ의 쌍꺼풀과 보조개 유무를 나타낸 것이다.

구분	가족 Ⅰ			가족 Ⅱ		
	부	모	자녀 A	부	모	자녀 B
쌍꺼풀	+	+	−	−	−	−
보조개	−	+	+	+	+	−

(+ : 있음, − : 없음)

이에 대한 설명으로 옳은 것만을 <보기>에서 있는 대로 고른 것은? (단, 돌연변이는 고려하지 않는다.)

보기
ㄱ. A의 부모는 쌍꺼풀 유전자형이 모두 이형 접합이다.
ㄴ. 보조개 있음이 보조개 없음에 대해 우성이다.
ㄷ. A와 B가 결혼하여 아이를 낳을 경우 이 아이가 보조개 있음일 확률은 $\frac{1}{2}$이다.

① ㄴ   ② ㄷ   ③ ㄱ, ㄴ   ④ ㄴ, ㄷ   ⑤ ㄱ, ㄴ, ㄷ

3주 특강

특강 상염색체 유전

● **상염색체 유전**: 형질을 나타내는 유전자가 상염색체에 있는 유전 현상으로, 성별에 관계없이 형질이 나타나는 빈도가 똑같다.

① 대립유전자가 두 가지인 유전(단일 대립 유전): 형질이 상염색체에 존재하는 한 쌍의 대립유전자에 의해 결정(*단일 인자 유전)되며, 대립유전자의 종류가 두 가지인 경우이다. 일반적으로 멘델의 우열의 원리와 분리의 법칙을 따라 유전된다. ㉔ 눈꺼풀, 보조개, 이마선, 귓불 모양

형질		귓불	눈꺼풀	보조개	이마선	혀 말기
대립 형질	우성	분리형	쌍꺼풀	있음	V자형 (M자형)	가능
	열성	부착형	외까풀	없음	일자형	불가능

② 대립유전자가 세 가지 이상인 유전(복대립 유전): 형질이 상염색체에 존재하는 한 쌍의 대립유전자에 의해 결정(단일 인자 유전)되며, 대립유전자의 종류가 세 가지 이상인 경우이다. 일반적으로 우성과 열성이 뚜렷하게 구분되고, 분리의 법칙에 따라 유전되지만, 대립유전자가 두 가지인 경우보다 표현형이 다양하게 나타난다. ㉔ ABO식 혈액형

용어 * **단일 인자 유전**: 형질이 한 쌍의 대립유전자에 의해 결정되는 유전 현상 ㉔ 귓불 모양, ABO식 혈액형, 적록 색맹 등

1

세포 주기와 핵형 분석

그림 (가)는 사람 A의 체세포를 배양한 후 세포당 DNA양에 따른 세포 수를, (나)는 A의 체세포 분열 과정 중 ㉠ 시기의 세포로부터 얻은 핵형 분석 결과의 일부를 나타낸 것이다.

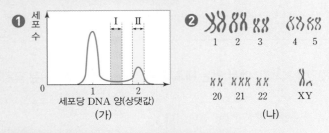

이에 대한 설명으로 옳은 것만을 〈보기〉에서 있는 대로 고른 것은?

보기
ㄱ. 구간 Ⅰ에는 핵막을 갖는 세포가 있다.
ㄴ. (나)에서 ❸ 다운 증후군의 염색체 이상이 관찰된다.
ㄷ. 구간 Ⅱ에는 ㉠ 시기의 세포가 있다.

① ㄱ   ② ㄴ   ③ ㄱ, ㄷ   ④ ㄴ, ㄷ   ⑤ ㄱ, ㄴ, ㄷ

---

❶ (가) 세포당 DNA 양에 따른 세포 수

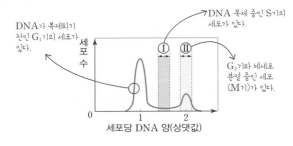

- 구간 Ⅰ에는 세포당 DNA 상대량이 1보다 크고 2보다 작으므로 DNA 복제 중인 S기의 세포가 있다. S기의 세포에서는 핵막으로 둘러싸인 핵이 관찰된다.
- 구간 Ⅱ에는 세포당 DNA 상대량이 2이므로 G_2기와 체세포 분열 중인 세포가 있다.

❷ (나) 체세포 분열 과정 중 ㉠ 시기의 세포로부터 얻은 핵형 분석 결과

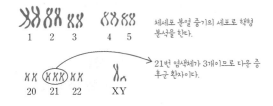

체세포 분열 중기의 세포로 핵형 분석을 한다.

21번 염색체가 3개이므로 다운 증후군 환자이다.

- 핵형 분석: 염색체가 가장 많이 응축된 체세포 분열 중기 세포의 염색체를 사진으로 찍어 분석한다.
- 염색체 수 이상에 따른 유전병은 핵형 분석을 통해 확인할 수 있다.

❸ 다운 증후군

- 염색체 수 이상에 따른 유전병으로 21번 염색체가 3개이다.
  ➡ 남자: $2n+1=45+XY$, 여자: $2n+1=45+XX$
- 생식세포 분열 시 염색체 비분리 현상이 일어나면 염색체 수에 이상이 있는 생식세포가 형성되고, 그 결과 염색체 수에 이상이 있는 자손이 태어난다.

답 ⑤

2

2019학년도 3월 학평 7번 세포 주기

그림 (가)는 어떤 동물 체세포의 세포 주기를, (나)는 이 세포를 배양한 후 세포당 DNA양에 따른 세포 수를 나타낸 것이다. ㉠~㉢은 각각 G_2기, M기(분열기), S기 중 하나이다.

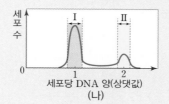

(가)   (나)

이에 대한 설명으로 옳은 것만을 〈보기〉에서 있는 대로 고른 것은?

```
┌─ 보기 ─────────────────────────────┐
│ ㄱ. 구간 Ⅰ에는 ㉡ 시기의 세포가 있다.          │
│ ㄴ. 구간 Ⅱ에는 핵막이 소실된 세포가 있다.       │
│ ㄷ. ㉢ 시기에 상동 염색체의 분리가 일어난다.      │
└────────────────────────────────────┘
```

① ㄱ   ② ㄴ   ③ ㄷ   ④ ㄱ, ㄴ   ⑤ ㄴ, ㄷ

> **자료 분석 Tip**
> 세포 주기는 간기(G_1기 → S기 → G_2기) → 분열기(M기)로 진행된다. 따라서 ㉠은 S기, ㉡은 G_2기, ㉢은 M기이다.

> **문제 해결 Tip**
> 세포 주기의 방향과 특징을 알고, 상동 염색체의 접합이 감수 분열 시 나타난다는 것을 알고 있어야 한다.
> • G_1기: 세포 구성 물질 합성, 세포 소기관의 수 증가
> • S기: DNA 복제
> • G_2기: 단백질 합성, 세포 생장, 세포 분열 준비
> • M기(분열기): 전기 → 중기 → 후기 → 말기

3
주
특강

3

2020학년도 3월 학평 8번 감수 분열 과정

표는 어떤 동물($2n=6$)의 감수 분열 과정에서 형성되는 세포 (가)와 (나)의 세포 1개당 DNA 상대량과 염색체 수를 나타낸 것이다. (가)와 (나)는 모두 중기 세포이다.

세포	세포 1개당 DNA 상대량	세포 1개당 염색체 수
(가)	2	3
(나)	4	6

이에 대한 설명으로 옳은 것만을 〈보기〉에서 있는 대로 고른 것은? (단, 돌연변이는 고려하지 않는다.)

```
┌─ 보기 ─────────────────────────────┐
│ ㄱ. (가)의 핵상은 $n$이다.                     │
│ ㄴ. (나)에 2가 염색체가 있다.                  │
│ ㄷ. 이 동물의 $G_1$기 세포 1개당 DNA 상대량은 4이다. │
└────────────────────────────────────┘
```

① ㄱ   ② ㄷ   ③ ㄱ, ㄴ   ④ ㄴ, ㄷ   ⑤ ㄱ, ㄴ, ㄷ

> **자료 분석 Tip**
> (가)는 세포 1개당 DNA 상대량과 염색체 수가 절반이므로 감수 2분열 중기 세포이고, (나)는 감수 1분열 중기 세포이다.

> **문제 해결 Tip**
> • 감수 1분열에서 상동 염색체가 분리되면서 핵상은 $2n$에서 n으로 반감하고, 핵 1개당 DNA양도 반감된다는 것을 알고 있어야 한다.
> • 2가 염색체는 감수 1분열 시 나타남을 기억하고 있어야 한다.
> • G_1기는 DNA 복제 전이므로 DNA 상대량은 감수 1분열 중기의 절반임을 알아야 한다.

4 2020학년도 3월 학평 12번

염색체 비분리, 염색체 이상 유전병

그림은 어떤 사람에서 정자가 형성되는 과정과 각 정자의 핵상을 나타낸 것이다. **①**감수 1분열에서 <u>성염색체의 비분리</u>가 1회 일어났다.
이에 대한 설명으로 옳은 것만을 〈보기〉에서 있는 대로 고른 것은? (단, 제시된 염색체 비분리 이외의 돌연변이는 고려하지 않는다.)

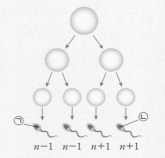

$n-1$ $n-1$ $n+1$ $n+1$

〈보기〉
ㄱ. ㉠에 X 염색체가 있다.
ㄴ. ㉡에 22개의 상염색체가 있다.
ㄷ. ㉡과 정상 난자가 수정되어 태어난 아이에게서 **②**<u>터너 증후군</u>이 나타난다.

① ㄱ   ② ㄴ   ③ ㄱ, ㄴ   ④ ㄱ, ㄷ   ⑤ ㄴ, ㄷ

❶ 성염색체 비분리

그림은 생식세포 분열 과정에서 성염색체의 비분리가 일어나는 과정을 나타낸 것이다. 그림 (가)는 감수 1분열에서, (나)는 감수 2분열에서 각각 염색체 비분리가 1회 일어났다.

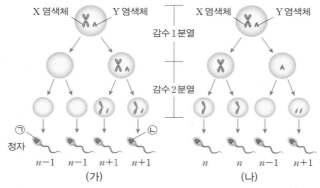

(가)

(나)

감수 1분열에서의 성염색체 비분리
· 상동 염색체가 비분리된다.
· 염색체 수가 정상보다 1개 많은($n+1$) 생식세포와 1개 적은($n-1$) 생식세포가 형성된다.
· 핵상이 $n+1$인 생식세포에는 유전자 구성이 다른 한 쌍의 성염색체가 존재하며, 핵상이 $n-1$인 생식세포에는 성염색체가 없다.

감수 2분열에서의 성염색체 비분리
· 염색 분체가 비분리된다.
· 염색체 수가 정상인(n) 생식세포, 정상보다 1개 많은($n+1$) 생식세포, 1개 적은($n-1$) 생식세포가 형성된다.
· 핵상이 $n+1$인 생식세포에는 유전자 구성이 동일한 한 쌍의 성염색체가 존재한다. 핵상이 $n-1$인 생식세포에는 성염색체가 없다.

❷ 터너 증후군 / 클라인펠터 증후군 ➡ 성염색체 비분리로 나타나는 유전병

· 터너 증후군: 성염색체가 X 염색체 1개이며, 외관상 여자지만 불임이다.
· 클라인펠터 증후군: 성염색체가 XXY로 3개이며, 외관상 남자지만 불임이며, 여자의 신체적 특징이 나타난다.

답 ②

5

2014학년도 11월 학평 10번　　　**상염색체 유전과 성염색체 유전**

그림은 사람의 세 가지 유전 형질을 구분하는 과정을 나타낸 것이다.

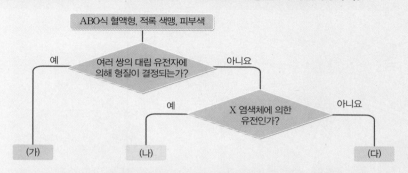

이에 대한 설명으로 옳은 것만을 〈보기〉에서 있는 대로 고른 것은?

― 보기 ―――――――――――――――――――――――
ㄱ. (가)는 피부색이다.
ㄴ. (나)는 남녀에 따라 발현되는 빈도가 서로 다르다.
ㄷ. (다)의 유전은 복대립 유전이다.
――――――――――――――――――――――――――

① ㄱ　　　② ㄴ　　　③ ㄱ, ㄷ　　　④ ㄴ, ㄷ　　　⑤ ㄱ, ㄴ, ㄷ

>> **자료 분석 Tip**

ABO식 혈액형과 적록 색맹은 한 쌍의 대립유전자에 의해 형질이 결정되는 단일 인자 유전이고, 피부색은 여러 쌍의 대립유전자에 의해 형질이 결정되는 다인자 유전이다.

>> **문제 해결 Tip**

단일 인자 유전, 다인자 유전, 복대립 유전, 반성 유전 등의 개념을 알고 있어야 한다.
• ABO식 혈핵형: 형질을 표현하는 데 세 가지 대립유전자가 관여하는 복대립 유전이지만, 한 쌍의 대립유전자에 의해 형질이 결정되는 단일 인자 유전이다.
• 적록 색맹: 대립유전자가 X 염색체에 있는 반성 유전으로, 남녀에 따라 발현 빈도가 다르다.

3
주

특강

6

2019학년도 7월 학평 12번　　　**가계도 분석**

그림은 어떤 집안의 유전병 ㉠에 대한 가계도를 나타낸 것이다. ㉠은 대립유전자 T와 T*에 의해 결정되며, T는 T*에 대해 완전 우성이다.

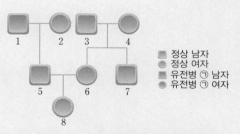

■ 정상 남자
● 정상 여자
■ 유전병 ㉠ 남자
● 유전병 ㉠ 여자

이에 대한 설명으로 옳은 것만을 〈보기〉에서 있는 대로 고른 것은? (단, 돌연변이는 고려하지 않는다.)

― 보기 ―――――――――――――――――――――――
ㄱ. ㉠은 우성 형질이다.
ㄴ. 1~8 중 T*를 가지고 있는 사람은 6명이다.
ㄷ. 8의 동생이 한 명 태어날 때, 이 아이가 ㉠일 확률은 $\frac{1}{4}$이다.
――――――――――――――――――――――――――

① ㄱ　　　② ㄷ　　　③ ㄱ, ㄴ　　　④ ㄴ, ㄷ　　　⑤ ㄱ, ㄴ, ㄷ

>> **자료 분석 Tip**

• 유전병 ㉠을 가지는 5와 6으로부터 정상인 8이 태어났으므로 유전병 ㉠은 우성 형질이다.
• 유전병 ㉠ 유전자가 성염색체(X 염색체)에 있다고 가정하면, 5의 유전자형은 $X^T Y$이고 태어나는 딸은 항상 X^T를 물려받으므로 ㉠이 나타나야 하는데, 8이 정상이므로 유전병 ㉠ 유전자는 상염색체에 있다.

>> **문제 해결 Tip**

부모의 표현형이 같고 딸의 표현형이 부모와 다를 경우, 이 형질을 결정하는 유전자는 상염색체에 존재하며, 딸이 나타내는 표현형이 열성이다.

Week 4

이번 주에는 무엇을 공부할까? ❶

V. 생태계와 상호 작용

조용한 듯 보이는 생태계는 알고 보면 역동적으로 움직이고 있어. 놀라운 생태계 속으로 gogo!

중학 기초 개념

1 생물 다양성

유전적 다양성

청둥오리
수련
백로
소
종 다양성

산림 강 습지 초원 바다
생태계 다양성

생물 다양성은 어떤 지역에 살고 있는 생물의 다양한 정도를 말하며, 종 다양성, 유전자 다양성, 생태계 다양성을 포함한다.

Quiz

생물 다양성은 ❶[ ]를 안정적으로 유지하고, 인간이 살아가는 데 필요한 ❷[ ]을 제공한다는 점에서 매우 중요하다.

2 종

에효~ 내가 족보 없는 자식을 낳다니……

노새는 생식 능력이 없어. 따라서 말과 당나귀는 다른 종이야~

암말 × 수탕나귀 → 노새

자연 상태에서 생식 능력이 있는 자손을 낳을 수 있는 생물의 무리로 생물 분류의 기본 단위이다.

Quiz

같은 종 사이가 아니면 ❸[ ]을 가진 자손을 낳을 수 없다. 다른 종끼리 교배해서 태어난 개체는 대부분 ❹[ ]이 없다.

3 변이-생물 다양성의 형성

자세히 보면 줄무늬가 다 달라~

얼룩말의 줄무늬
다양한 품종의 개

생물의 변이와 환경에 적응하는 과정을 통해 생물 다양성이 높아진다.

Quiz

변이는 같은 ❺[ ]의 생물 사이에서 나타나는 서로 다른 특징이다. 같은 종이라도 크기와 생김새가 다른 것은 생물의 특징을 결정하는 ❻[ ]가 다르기 때문이다.

4 환경에 대한 적응

열 손실을 줄이기 위해 귀가 작아.

열 방출을 위해 귀가 커.

북극여우
사막여우

생물은 빛, 온도 등 환경에 적응하며 서로 다른 특징을 가진다.

Quiz

추운 곳에 사는 북극여우는 체온을 유지하기 위해 귀 등 몸의 말단부가 ❼[ ]. 반면에 더운 곳에 사는 사막여우는 체내의 열을 더 잘 방출하기 위해서 귀 등 몸의 말단부가 ❽[ ].

답 ❶ 생태계 ❷ 생물 자원 ❸ 생식 능력 ❹ 생식 능력 ❺ 종 ❻ 유전자 ❼ 작다 ❽ 크다

5 먹이 그물과 생태계

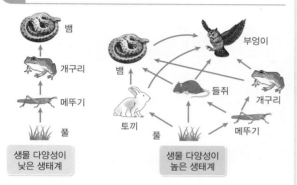

생물종이 다양하여 먹이 사슬이 복잡한 생태계는 일부 생물이 사라져도 이를 대체할 생물이 있어 안정적으로 유지된다.

Quiz

❶〔　　　　〕이 높으면 생물이 멸종될 위험이 줄어들기 때문에 생태계가 ❷〔　　　　〕으로 유지될 수 있다.

6 생물 자원

식량　　섬유　　목재　　의약품

생물은 인간의 의식주에 필요한 다양한 재료를 제공하며, 인간이 살아가는 데 필요한 사회적 가치와 심리적 안정 등을 제공한다.

Quiz

쌀과 콩 등은 식량 제공, 목화와 누에는 ❸〔　　　　〕 제공, 나무와 풀 등은 주택 재료 공급, ❹〔　　　　〕는 항생제(페니실린), 주목은 항암제 원료로 활용한다.

7 생물 다양성의 위기

서식지 파괴　　불법 포획　　외래종 유입　　환경 오염

생물의 서식지 파괴와 서식지 단편화, 외래종의 유입, 불법 포획 및 남획, 환경 오염 등으로 특정 생물이 사라지게 되면 생물 다양성은 감소한다.

Quiz

대규모의 서식지가 소규모로 나누어지는 서식지 단편화는 서식지 ❺〔　　　　〕을 줄이고, 생물의 ❻〔　　　　〕을 제한하여 고립시키기 때문에 그 지역의 생물 무리의 크기가 작아지고, 심하면 멸종으로 이어질 수도 있다.

8 생물 다양성 보존

생태 통로　　국제 협약

생물 다양성 보전을 위해 개인적, 사회적, 국가적, 국제적 노력이 필요하다.

Quiz

도로나 철도로 나누어진 서식지에 ❼〔　　　　〕를 설치하고, 생물 다양성을 보호하는 ❽〔　　　　〕을 제정하거나 강화한다. 또한, 생물 다양성 보전에 대한 협약을 맺어 국가 간 야생 동물 보호 및 생물 자원을 관리한다.

답 ❶ 생물 다양성 ❷ 안정적 ❸ 섬유 ❹ 푸른곰팡이 ❺ 면적 ❻ 이동 ❼ 생태 통로 ❽ 법률

1^일 생물과 환경의 상호 작용

생태계

군집

개체군

개체

📖 핵심 개념

1 생태계의 구성

- **생태계**: 군집을 이루는 각 개체군이 다른 개체군 및 비생물적 요인과 영향을 주고받으며 살아가는 계
- **생태계의 구성 단계**: 생태계 ⊃ 군집 ⊃ 개체군 ⊃ 개체
- **생태계의 구성 요소**: 생물적 요인(생산자, 소비자, 분해자)과 비생물적 요인(빛, 온도, 공기, 물, 토양과 같이 생물을 둘러싼 환경)으로 구성된다.
- **생산자**: ❶ [   ]을 통해 무기물로부터 유기물을 합성하는 생물 예) 녹색 식물, 조류 등 ⎯ 독립 영양 생물
- **소비자**: 다른 생물을 먹어서 양분을 얻는 동물 ⎯ 종속 영양 생물
- ❷ [   ]: 생물의 사체나 배설물 속의 유기물을 무기물로 분해하여 에너지를 얻는 생물 예) 세균, 곰팡이, 버섯 등

2 생태계 구성 요소 사이의 상호 관계

- **작용**: 비생물적 요인이 ❸ [   ]에 영향을 주는 것 예) 빛의 세기에 따라 식물 잎의 두께가 다르다. 비옥한 토양에서 식물이 잘 자란다.
- **반작용**: 생물적 요인이 ❹ [   ]에 영향을 주는 것 예) 지렁이나 두더지는 토양의 통기성을 높인다. 낙엽이 쌓이면 토양이 비옥해진다.
- **상호 작용**: 생물과 생물 사이에서 서로 영향을 주고받는 것 예) 눈신토끼의 수가 증가하면 스라소니의 수도 증가한다. 초식 동물은 풀을 먹고 살며, 초식 동물의 사체나 배설물은 풀이 자라는 데 필요한 양분이 된다.

📝 ❶ 광합성 ❷ 분해자 ❸ 생물적 요인 ❹ 비생물적 요인

1-1

그림은 생태계의 구성 단계를 나타낸 것이다.

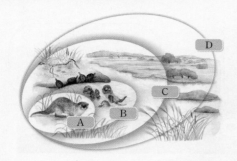

(1) 일정한 지역에 같은 종의 개체가 무리를 이룬 것의 기호와 이름을 쓰시오.

(2) 일정한 지역에 여러 개체군이 모여 생활하는 것의 기호와 이름을 쓰시오.

(3) 군집을 이루는 각각의 개체군이 다른 개체군 및 물리적 환경과 영향을 주고받으며 살아가는 체계를 무엇이라고 하는지 기호와 이름을 쓰시오.

1-2

그림은 생태계 구성 요소 사이의 관계를 나타낸 것이다.

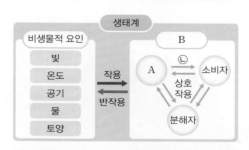

이에 대한 설명으로 옳은 것은 ○, 옳지 않은 것은 ×로 표시하시오.

(1) A는 빛에너지를 이용해 유기물을 합성한다. (　　)

(2) 소비자와 분해자는 모두 종속 영양 생물이다. (　　)

(3) 곰팡이는 분해자에 속한다. (　　)

(4) B는 생물 군집이다. (　　)

2-1

그림은 생태계를 구성하는 요인들 간의 상호 관계를 나타낸 것이다.

빈칸에 들어갈 알맞은 것을 찾아 기호를 쓰시오.

(1) 햇빛이 강하면 식물의 광합성량이 증가하는 것은 [　　]에 해당한다.

(2) 콩과식물과 뿌리혹박테리아의 관계는 [　　]에 해당한다.

(3) 낙엽이 썩으면서 토양의 성분이 바뀌는 것은 [　　]에 해당한다.

2-2

그림은 생태계를 구성하는 요소 사이의 상호 관계를 나타낸 것이다.

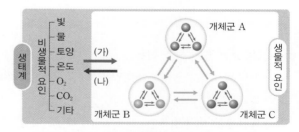

이에 대한 설명으로 옳은 것은 ○, 옳지 않은 것은 ×로 표시하시오.

(1) 개체군 A는 최소 두 종 이상으로 구성된다. (　　)

(2) 위도에 따라 식물 군집의 분포가 달라지는 현상은 (가)에 해당한다. (　　)

(3) 지의류에 의해 암석의 풍화가 촉진되어 토양이 형성되는 것은 (나)에 해당한다. (　　)

1 생물과 환경의 상호 작용

- 온대 지방의 낙엽수는 온도가 내려가면 단풍이 들고, 수분 손실을 줄이기 위해서 잎을 떨어뜨려.

- 상록수는 겨울 동안 녹말을 포도당으로 전환시켜 세포의 삼투압을 높여 세포가 어는 것을 방지해.

- 추운 지방에 사는 북극여우는 사막여우보다 몸집이 크고, 귀가 작아.

📖 핵심 개념

3 생물과 환경의 상호 작용

- **빛의 세기:** 빛을 많이 받는 양엽은 ❶ [   ]이 발달하여 잎이 두껍고, 빛을 적게 받는 음엽은 빛을 효율적으로 흡수하기 위해 잎이 넓고 얇다.

- **빛의 파장:** 바다의 ❷ [   ]에 따라 투과되는 빛의 파장과 양이 달라 바다의 깊이에 따라 분포하는 해조류의 종류가 다르다.

- **빛의 방향:** 식물은 빛이 비치는 방향으로 줄기가 굽어 자란다(굴광성).

- **일조 시간:** 일조 시간에 따라 식물의 개화 시기 또는 동물의 생식 주기가 변한다. 국화와 같은 단일 식물은 낮의 길이가 짧아지고 밤의 길이가 길어지는 가을에 꽃이 핀다.

- **온도:** ① 사철나무는 기온이 내려가면 세포에 포도당을 축적해 세포의 삼투압을 높여 세포가 어는 것을 방지한다. ② 온대 지방의 낙엽수는 온도가 내려가면 단풍이 들고, 수분 손실을 줄이기 위해 잎을 떨어뜨리고, 겨울눈을 만들어 월동을 준비한다. ③ 포유류는 서식지의 기온에 따라 몸 크기와 몸 ❸ [   ]의 크기가 다르다. 예 북극여우와 사막여우

- **물:** ① 건생 식물은 뿌리와 ❹ [   ]이, 수생 식물은 통기 조직이 발달해 있다. ② 사막에 사는 파충류의 몸은 비늘로 덮여 있고, 파충류와 조류의 알은 단단한 껍데기로 싸여 있어 물의 손실을 막는다.

답 ❶ 울타리 조직 ❷ 깊이 ❸ 말단부 ❹ 저수 조직

3-1

그림 (가)와 (나)는 각각 빛이 강한 곳의 잎(양엽)과 그늘진 곳의 잎(음엽)을 순서 없이 나타낸 것이다.

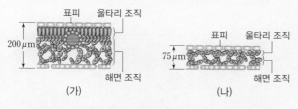

(가)　　　　　(나)

(1) 울타리 조직이 발달되어 있어 잎이 두꺼운 것의 기호를 쓰시오.

(2) (가)와 (나) 중 약한 빛을 효율적으로 흡수할 수 있는 것을 쓰시오.

(3) (가)와 (나) 중 광합성이 더 활발하게 일어나는 것을 쓰시오.

3-2

그림은 위도가 서로 다른 지역에 사는 곰의 몸 크기를 비교하여 나타낸 것이다.

이에 대한 설명으로 옳은 것은 ○, 옳지 <u>않은</u> 것은 ×로 표시하시오.

(1) 북극곰보다 불곰이 고위도 지역에 산다. (　　　)

(2) 반달곰은 북극곰보다 외부로의 열 방출량이 많다.
　　　　　　　　　　　　　　　　　　　　(　　　)

(3) 세 곰의 몸의 크기가 다른 것은 온도에 적응한 결과이다. (　　　)

3-3

다음은 사막에 사는 선인장과 물에 떠서 사는 부레옥잠의 차이점을 설명한 것이다. 빈칸에 들어갈 알맞은 말을 쓰시오.

▲ 부레옥잠　　　　　▲ 선인장

부레옥잠과 같이 물속이나 물에 떠서 사는 식물은 **❶**[　　　]가 잘 발달해 있지 않고 뿌리 또는 잎에 **❷**[　　　]이 발달되어 있다. 반면, 선인장과 같이 물이 부족한 곳에서 생활하는 식물은 물을 흡수하는 **❸**[　　　]와 물을 저장하는 **❹**[　　　]이 발달해 있다.

3-4

그림과 같이 바다의 깊이에 따라 해조류의 분포가 다르게 나타나는 것은 어떤 환경 요인 때문인가?

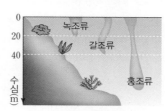

① 온도

② 빛의 파장

③ 일조 시간

④ 빛의 세기

⑤ 바닷물의 염분 농도

1일 기초 유형 연습 | 생물과 환경의 상호 작용

2020학년도 10월 학평 11번

대표 기출 유형

그림은 생태계를 구성하는 요소 사이의 상호 관계를 나타낸 것이다.

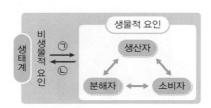

이에 대한 설명으로 옳은 것만을 〈보기〉에서 있는 대로 고른 것은?

보기
ㄱ. 소나무는 생산자에 해당한다.
ㄴ. 소비자에서 분해자로 유기물이 이동한다.
ㄷ. 질소 고정 세균에 의해 토양의 암모늄 이온이 증가하는 것은 ㉠에 해당한다.

① ㄱ   ② ㄷ   ③ ㄱ, ㄴ
④ ㄴ, ㄷ   ⑤ ㄱ, ㄴ, ㄷ

개념 point

생산자: 광합성을 하여 무기물로부터 유기물을 합성하는 생물 예 녹색 식물, 조류 등
소비자: 다른 생물을 먹어서 양분을 얻는 생물로 동물이 해당하며, 먹이 사슬에서 차지하는 위치에 따라 1차 소비자(초식 동물), 2차·3차 소비자(육식 동물) 등으로 구분된다. 예 토끼, 여우, 사슴, 호랑이 등
분해자: 다른 생물의 사체나 배설물 속의 유기물을 무기물로 분해하여 필요한 에너지를 얻는 생물 예 세균, 곰팡이, 버섯 등

보기 풀이

ㄱ. 광합성을 하는 소나무는 생산자에 해당한다.
ㄴ. 소비자의 사체나 배설물의 유기물이 분해자로 이동한다.
ㄷ. 질소 고정 세균(생물)에 의해 토양의 암모늄 이온(무기 환경)이 증가하는 것은 생물이 무기 환경에 영향을 주는 것이므로 ㉡에 해당한다.

함정 탈출

유기물은 생산자에서 소비자로, 생산자와 소비자에서 분해자로 이동한다.

답 ③

2019학년도 11월 학평 6번

1 그림은 어떤 지역에서 생태계 구성 요소의 일부를 나타낸 것이다. (가)~(다)는 개체, 군집, 개체군을 순서 없이 나타낸 것이다.

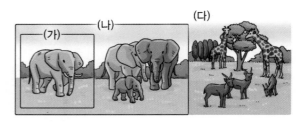

이에 대한 설명으로 옳은 것만을 〈보기〉에서 있는 대로 고른 것은?

보기
ㄱ. (가)는 개체이다.
ㄴ. (나)는 동일한 종으로 구성된다.
ㄷ. (다)는 한 지역에서 서식하는 여러 개체군의 모임이다.

① ㄱ   ② ㄴ   ③ ㄱ, ㄷ
④ ㄴ, ㄷ   ⑤ ㄱ, ㄴ, ㄷ

2 그림은 생태계에서 기능적으로 구분되는 생물적 요인 ㉠~㉢과 비생물적 요인 사이에서 일어나는 상호 관계를 나타낸 것이다.

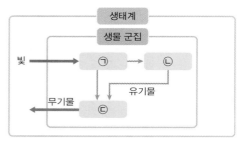

생태계의 생물적 요인 ㉠~㉢의 이름을 쓰고, 생태계에서 각각의 역할을 서술하시오.

3 다음은 사막에 사는 도마뱀에 대한 내용이다.

샌드피시라는 도마뱀은 사막과 같은 건조한 환경에 서식한다. 샌드피시는 쐐기형으로 생긴 코를 가지며, 몸 전체는 매끈한 비늘로 덮여 있어서 모래 속으로 파고들어 건조한 날씨를 견디기에 적합하다.

이와 관련된 환경 요인에 의해 나타나는 현상으로 가장 옳은 것은?

① 가을이 되면 단풍이 든다.

② 바다의 깊이에 따라 해조류의 분포가 다르다.

③ 장일 식물과 단일 식물의 꽃이 피는 시기가 다르다.

④ 플랑크톤의 일주 운동은 일조 시간에 따라 달라진다.

⑤ 선인장은 물을 흡수하는 뿌리와 물을 저장하는 조직이 발달해 있다.

4 다음은 숲에 관한 지민이의 발표 내용이다.

숲에서는 나무가 빛을 이용하여 광합성을 하기 때문에 산소가 많이 방출되어 맑은 공기를 마실 수 있어. 또, 숲의 나무뿌리, 크고 작은 풀 등은 흙을 끌어안아 흙이 흘러내리는 것을 막아 주고 강한 바람을 막아 주는 효과도 있어.

지민이의 설명 내용은 각각 작용, 반작용, 상호 작용 중 무엇에 해당하는지 쓰고, 내용에서 생물적 요인과 비생물적 요인을 각각 찾아 서술하시오.

5 다음은 초식 동물과 식물의 생태에 관한 설명이다.

- 토끼풀은 초식 동물의 먹이가 된다.
- 초식 동물의 배설물은 식물의 성장을 촉진한다.

이 자료에 공통으로 나타난 생태계 구성 요소 간의 관계에 해당하는 사례로 옳은 것만을 〈보기〉에서 있는 대로 고른 것은?

보기
ㄱ. 기온이 떨어져 숲에 단풍이 들고 낙엽이 떨어진다.
ㄴ. 지렁이는 흙 속에 구멍을 뚫어 토양의 통기성을 높여 준다.
ㄷ. 외래 어종인 큰입우럭의 개체 수 증가로 토종 어류의 종 수가 감소한다.

① ㄱ   ② ㄷ   ③ ㄱ, ㄴ
④ ㄱ, ㄷ   ⑤ ㄴ, ㄷ

6 그림은 생태계를 구성하는 생물적 요인과 비생물적 요인의 관계를 나타낸 것이다.

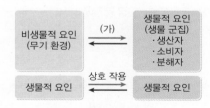

다음 현상 중 (가)에 해당하지 않는 것은?

① 가을에 낙엽이 진다.

② 양엽이 음엽보다 두께가 두껍다.

③ 사막의 선인장은 잎이 가시로 변했다.

④ 여우의 수가 늘어나자 토끼의 수가 감소하였다.

⑤ 동물성 플랑크톤은 밤이 되면 수면 가까이 올라온다.

개체군과 군집(1)

출생

사망

이입

이출

개체군의 밀도는 먹이의 양, 기후, 천적 등의 환경 요인에 의해서도 변화해.

📖 핵심 개념

1 개체군의 특성

- **개체군의 밀도**: 일정 공간에 서식하는 개체군의 **①**　　　　　
  └ 출생과 이입으로 높아지고, 사망과 이출로 낮아진다.

$$개체군의 밀도 = \frac{개체군을 구성하는 개체 수}{생활 공간의 면적}$$

- **개체군의 생장 곡선**: 시간에 따른 개체군의 개체 수를 그래프로 나타낸 것 ➡ 자연 상태에서는 환경 저항에 의해 **②**　　　　 자형이 된다.
  └ 먹이 부족, 서식 공간 부족, 노폐물 증가 등

- **이론적 생장 곡선**: 환경 저항이 없는 환경에서는 개체군이 무한정 생장할 수 있어 **③**　　　　 자형으로 나타난다.

- **개체군의 생존 곡선**: 동시에 출생한 개체들에 대해 시간(상대 수명)에 따른 **④**　　　　　를 나타낸 것

- **개체군의 연령 분포**: 개체군의 연령별 개체 수의 비율을 나타낸 것 ➡ 개체군의 크기 변화를 예측할 수 있다.

2 개체군의 주기적 변동

- **계절에 따른 변동**: 계절에 따른 환경 요소(빛의 세기, 수온, 영양 염류의 양)의 변화로 개체군의 개체 수가 계절에 따라 주기적으로 변동한다.

- 예 **돌말 개체군의 계절적 변동**: 초봄에는 영양 염류가 풍부하고 빛의 세기와 수온의 증가로 돌말의 개체 수가 증가하며, 초가을에는 빛의 세기와 수온의 감소로 돌말의 개체 수가 감소한다.

- **피식과 포식에 의한 변동**: 피식과 포식의 관계에 의해 두 개체군의 개체 수가 수년을 주기로 변동한다.

- 예 **눈신토끼와 스라소니의 개체 수 변동**: 눈신토끼의 수 증가(먹이 증가) → 스라소니의 수 증가(천적 증가) → 눈신토끼의 수가 감소(먹이 감소) → 스라소니의 수 감소(천적 감소) → 눈신토끼의 수 증가가 반복된다.
  └ 피식자　└ 포식자

답 ❶ 개체 수 ❷ S ❸ J ❹ 생존 개체 수

1-1

그림은 어떤 단세포 생물을 실험실에서 배양하면서 얻은 실제 생장 곡선과 이론상의 생장 곡선을 나타낸 것이다.

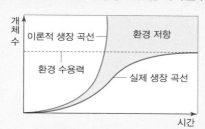

빈칸에 들어갈 알맞은 말을 쓰시오.

(1) 이론상의 생장 곡선은 ❶ [ ] 모양을, 실제의 생장 곡선은 ❷ [ ] 모양을 나타낸다.

(2) 먹이 부족, 서식지 부족, 노폐물 증가 등과 같은 개체군의 생장을 억제하는 환경 요인을 [ ]이라고 한다.

1-2

그래프는 개체군의 생존 곡선을 나타낸 것이다.

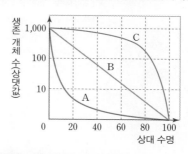

빈칸에 들어갈 알맞은 말을 쓰시오.

(1) A는 새끼를 ❶ [ ] 낳지만 초기 사망률이 ❷ [ ] 성체로 생장하는 개체 수가 적다.

(2) 다람쥐나 히드라의 생존 곡선은 [ ]이다.

(3) 부모가 어린 개체를 보호하는 경우 초기 사망률이 낮아 [ ]와 같은 형태의 생존 곡선을 나타낸다.

2-1

그림은 어떤 하천에서 계절에 따른 환경 요인의 변화와 식물 플랑크톤의 일종인 돌말의 개체 수 변화를 나타낸 것이다.

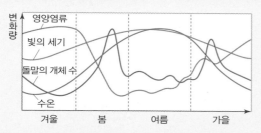

이에 대한 설명으로 옳은 것은 ○, 옳지 않은 것은 ×로 표시하시오.

(1) 이른 봄에는 빛의 세기와 수온이 증가하여 돌말의 개체 수가 크게 증가한다. ( )

(2) 늦은 봄에 돌말의 개체 수가 급격히 감소하는 것은 빛의 세기와 수온이 감소하였기 때문이다. ( )

(3) 여름에 영양염류의 양이 증가하면 돌말의 개체 수가 급격히 증가할 것이다. ( )

(4) 겨울에는 빛의 세기가 약하고 수온이 낮아 돌말의 개체 수가 적다. ( )

2-2

그림은 어떤 안정된 생태계에서 생물종 A와 B의 개체 수 변화를 나타낸 것이다. A는 1차 소비자이다.

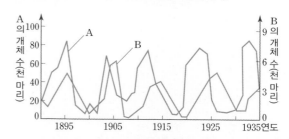

빈칸에 들어갈 알맞은 말을 고르시오.

(1) A의 개체 수가 감소하면 B의 개체 수는 (감소, 증가)한다.

(2) B는 (생산자, 2차 소비자)이다.

(3) A와 B의 주기적인 개체 수 변화의 원인은 (계절에 따른 온도의 변화, 포식과 피식)이다.

4
주

2일

2일 개체군과 군집(1)

3 개체군 내의 상호 작용

- **텃세**: 일정한 생활 공간에 다른 개체의 접근을 막는 것
  (예) 얼룩말, 물개, 은어, 까치 등
- **순위제**: 힘의 서열에 의해 **❶[　　]**가 정해지는 것
  (예) 닭의 모이 먹는 순서, 큰뿔양 수컷의 뿔 크기에 따른 순위
- **리더제**: 리더가 개체군 전체의 행동을 이끄는 것
  (예) 기러기, 양, 늑대, 코끼리, 순록 등
- **사회생활**: 개체들이 역할을 분담하고 협력 생활하는 것
  (예) 꿀벌, 개미 등
- **가족생활**: 혈연관계의 개체들이 모여 생활하는 것
  (예) 사자, 호랑이, 제비, 침팬지 등

4 군집

- **개체군의 역할**에 따라 생산자, 소비자, 분해자로 구분되고, 여러 먹이 사슬이 복잡하게 얽힌 먹이 그물이 형성된다.
  └─ 군집 내 개체군이 갖는 위치와 역할을 생태적 지위라고 한다.
  └─ 개체군 사이의 먹고 먹히는 관계
- **육상 군집**: 기온과 **❷[　　]**에 따라 삼림, 초원, 사막으로 나뉜다.
- **수생 군집**: 담수 군집과 해수 군집으로 구분된다.
- **군집의 생태 분포**: 식물 군집의 분포로 **❸[　　]**에 따른 기온과 강수량 차이로 나타나는 수평 분포와 고도가 높아질 때 **❹[　　]**이 낮아지면서 나타나는 수직 분포가 있다.
- **군집의 층상 구조**: 삼림 군집에서는 빛의 세기, 온도 등에 따라 몇 개의 층의 구성된 층상 구조가 나타난다.

답 ❶ 순위 ❷ 강수량 ❸ 위도 ❹ 기온

3-1

다음 설명과 관련이 깊은 개체군 내의 상호 작용을 〈보기〉에서 고르시오.

보기
ㄱ. 텃세   ㄴ. 순위제   ㄷ. 리더제
ㄹ. 사회생활   ㅁ. 가족생활

(1) 양 떼가 목초지를 이동할 때 한 개체가 전체 무리를 이끌며 이동한다.
(2) 큰뿔양 개체군의 숫양은 뿔 크기와 뿔 치기를 통해 암컷을 차지한다.
(3) 사자는 암사자들과 수사자가 새끼를 함께 돌보고 먹이를 공동으로 사냥하며 무리지어 생활한다.
(4) 개체군 내에서 여왕개미는 생식, 병정개미는 방어, 일개미는 먹이 획득을 담당한다.

3-2

그림은 어떤 하천에서 은어가 자신의 영역(세력권)을 형성하여 생활하는 것을 나타낸 것이다.

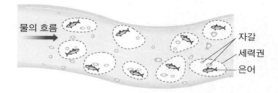

이 자료에 나타난 개체군 내의 상호 작용과 가장 관련이 깊은 것을 〈보기〉에서 모두 고르시오.

보기
ㄱ. 스라소니는 눈신토끼를 잡아먹는다.
ㄴ. 호랑이는 배설물로 자기 영역을 표시한다.
ㄷ. 우두머리 기러기는 리더가 되어 무리를 이끈다.

4-1

그림은 어떤 식물 군집의 수직 분포를 나타낸 것이다. A~C는 낙엽 활엽수림, 침엽수림, 관목대를 순서 없이 나타낸 것이다.

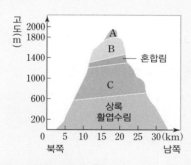

빈칸에 들어갈 알맞은 말을 쓰시오.

(1) 식물 군집의 수직 분포는 특정 지역에서 [   ]에 따라 나타나는 분포이다.
(2) 고도가 높을수록 기온이 [   ].
(3) A~C의 분포에 가장 큰 영향을 미치는 환경 요인은 [   ]이다.
(4) B는 [   ]이다.

4-2

그림은 어떤 식물 군집의 층상 구조를 높이에 따른 빛의 세기와 함께 나타낸 것이다.

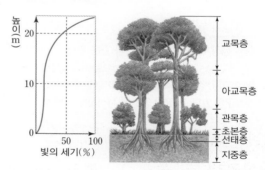

이에 대한 설명으로 옳은 것은 ○, 옳지 않은 것은 ×로 표시하시오.

(1) 층상 구조는 식물 군집의 수직적인 구성을 나타낸 것이다. (   )
(2) 층상 구조는 군집을 구성하는 식물이 빛을 최대한 활용할 수 있는 구조이다. (   )
(3) 아래층으로 갈수록 도달하는 빛의 양은 적다. (   )
(4) 관목층에서 광합성이 가장 활발하게 일어난다.
(   )

2일 기초 유형 연습 | 개체군과 군집(1)

2016학년도 수능 18번

대표 기출 유형

그림은 어떤 개체군의 이론상 생장 곡선(A)과 실제 생장 곡선(B)을 나타낸 것이다.

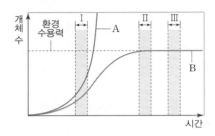

이에 대한 설명으로 옳은 것만을 〈보기〉에서 있는 대로 고른 것은? (단, 이 개체군에서 이입과 이출은 없다.)

― 보기 ―
ㄱ. B는 S자형 생장 곡선이다.
ㄴ. B에서의 환경 저항은 구간 Ⅰ보다 구간 Ⅱ에서 크다.
ㄷ. B에서 이 개체군의 밀도는 구간 Ⅰ보다 구간 Ⅲ에서 크다.

① ㄱ   ② ㄴ   ③ ㄱ, ㄷ
④ ㄴ, ㄷ   ⑤ ㄱ, ㄴ, ㄷ

개념 point

실제 생장 곡선: 자원의 제한과 같은 환경 저항이 있는 실제 환경에서 나타나는 생장 곡선으로 S자형으로 나타난다.
환경 저항: 개체군의 밀도가 증가함에 따라 커진다.
개체군의 밀도: 일정한 공간에 서식하는 개체 수

$$개체군의 밀도 = \frac{개체군을\ 구성하는\ 개체\ 수}{생활\ 공간의\ 면적}$$

|보기| 풀이

ㄱ. B는 실제 생장 곡선이므로 S자형으로 나타난다.
ㄴ. 개체 수가 증가할수록 환경 저항이 커져 개체 수가 일정하게 유지되므로 환경 저항은 구간 Ⅰ보다 구간 Ⅱ에서 더 크다.
ㄷ. 개체군의 밀도는 일정 공간에서 서식하는 개체군의 개체 수이므로 개체 수가 증가할수록 밀도가 증가한다. 따라서 개체 수가 더 많은 구간 Ⅲ가 구간 Ⅰ보다 개체군의 밀도가 크다.

답 ⑤

---

1 그림은 개체군(Ⅰ~Ⅲ)의 생존 곡선을 나타낸 것이다.

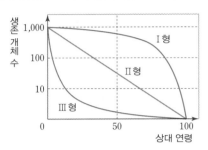

이에 대한 설명으로 옳은 것만을 〈보기〉에서 있는 대로 고른 것은?

― 보기 ―
ㄱ. Ⅰ형은 어릴 때 부모의 보호를 가장 많이 받는다.
ㄴ. Ⅱ형은 어린 개체의 사망률이 가장 높다.
ㄷ. Ⅲ형에 해당하는 생물에는 사람이 있다.

① ㄱ   ② ㄴ   ③ ㄱ, ㄷ
④ ㄴ, ㄷ   ⑤ ㄱ, ㄴ, ㄷ

2 그림은 생장 곡선을 나타낸 것이다.

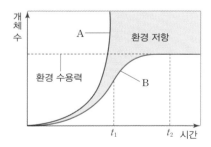

(1) A와 B 중 실제 생장 곡선은 무엇이며, 실제 생장 곡선이 이러한 모양을 나타내는 까닭을 서술하시오.

(2) B에서 t_1일 때와 t_2일 때 중 번식률이 더 높은 곳은 어디인지 쓰시오.

3 그림은 개체군의 연령 피라미드를 나타낸 것이다. (가) ~ (다)는 각각 발전형, 안정형, 쇠퇴형 연령 피라미드 중 하나이다.

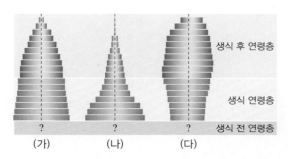

(1) (가)~(다) 중 생식 전 연령층의 개체 수 비율이 가장 높은 것을 쓰시오.

(2) (다) 피라미드의 이름을 쓰고, 시간에 따라 개체 수가 어떻게 될지 서술하시오.

4 그림은 눈신토끼와 스라소니의 개체 수 변화를 나타낸 것이다.

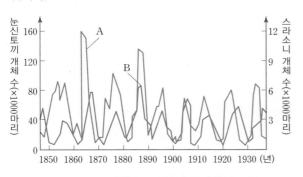

이에 대한 설명으로 옳은 것만을 〈보기〉에서 있는 대로 고른 것은?

┌─ 보기 ─
ㄱ. B는 A의 포식자이다.
ㄴ. 스라소니와 눈신토끼의 개체 수는 비슷하다.
ㄷ. 눈신토끼의 개체 수가 증가하면 스라소니의 개체 수도 증가한다.
└─

① ㄴ   ② ㄴ   ③ ㄷ
④ ㄱ, ㄷ   ⑤ ㄱ, ㄴ, ㄷ

2019학년도 11월 학평 13번

5 다음은 큰뿔양에 대한 자료이다.

큰뿔양 수컷들은 뿔의 크기 비교나 뿔 치기를 통해 순위를 정한다. 큰뿔양 수컷들 사이에 순위가 결정되면 먹이 획득과 번식 과정에서 불필요한 경쟁을 줄일 수 있다.

이 자료에 나타난 개체군 내의 상호 작용과 가장 관련이 깊은 것은?

① 우두머리 늑대는 늑대 무리를 이끈다.
② 여왕개미와 일개미는 역할을 분담하여 생활한다.
③ 사자는 혈연관계의 개체들이 모여 함께 생활한다.
④ 높은 순위의 닭이 낮은 순위의 닭보다 모이를 먼저 먹는다.
⑤ 은어는 일정한 공간을 차지하고 다른 은어의 침입을 막는다.

6 그림은 어떤 군집의 먹이 그물을 나타낸 것이다. A~H는 서로 다른 생물종이며, A와 B는 생산자, C~H는 소비자이다. 이에 대한 설명으로 옳은 것만을 〈보기〉에서 있는 대로 고른 것은?

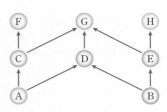

┌─ 보기 ─
ㄱ. A는 스스로 유기물을 합성할 수 있다.
ㄴ. C와 D의 생태적 지위는 같다.
ㄷ. G는 C와 E 모두의 천적이다.
└─

① ㄱ   ② ㄴ   ③ ㄱ, ㄷ
④ ㄴ, ㄷ   ⑤ ㄱ, ㄴ, ㄷ

3^일 개체군과 군집(2)

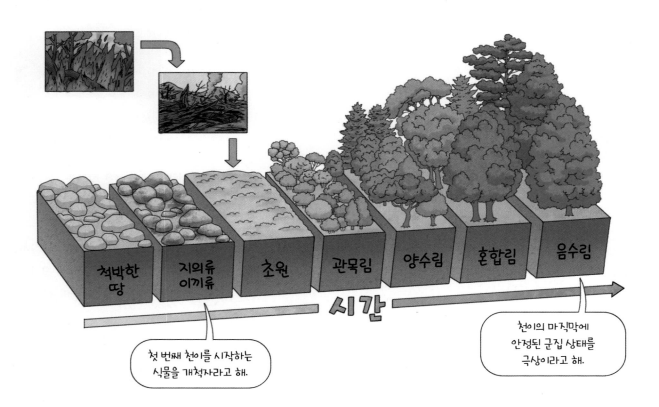

척박한 땅 → 지의류 이끼류 → 초원 → 관목림 → 양수림 → 혼합림 → 음수림

시간

첫 번째 천이를 시작하는 식물을 개척자라고 해.

천이의 마지막에 안정된 군집 상태를 극상이라고 해.

📖 핵심 개념

1 식물 군집의 조사

- **방형구법**: 조사할 곳에 방형구를 설치하고 방형구에 나타난 식물 종과 개체 수(밀도), 종이 출현한 방형구 수(빈도), 식물이 지표를 덮고 있는 정도(피도)를 조사하여 우점종을 알아낸다.
- **우점종**: 개체 수가 가장 많거나 가장 넓은 면적을 차지하여 ❶ □을 대표할 수 있는 종 ➡ 중요치가 가장 높은 종

> 중요치(%)=상대 밀도+상대 빈도+상대 피도

- **핵심종**: 우점종은 아니지만 군집의 구조에 결정적인 영향을 미치는 종
- **지표종**: 특정 환경 조건을 충족하는 군집에서만 볼 수 있는 종 예 이산화 황의 오염 정도를 예측할 수 있는 지의류, 고도와 온도 범위를 예측할 수 있는 에델바이스 등
  └ 고산 지대에 서식한다.

2 식물 군집의 천이

- **천이**: 시간이 지남에 따라 군집의 ❷ □□ 구성과 특성이 달라지는 현상
- **1차 천이**: 생명체가 없고 ❸ □□이 형성되지 않은 곳에서 시작되는 천이로, 건성 천이와 습성 천이가 있다.
  ➡ 개척자는 지의류, 이끼류이다.
  ① **건성 천이**: 용암 대지, 황무지 등 건조한 곳에서 시작되는 천이
  ② **습성 천이**: 연못이나 호수에 퇴적물이 쌓여 육지화가 된 후 일어나는 천이
- **2차 천이**: 산불, 홍수, 산사태 등으로 군집이 파괴된 후 남아 있던 토양에서 시작되는 천이 ➡ ❹ □□□에서 시작하며, 1차 천이보다 빠르게 진행된다.

답 ❶ 군집 ❷ 종 ❸ 토양 ❹ 초본류

1-1

다음은 방형구법을 이용하여 식물 군집을 조사하는 방법에 대한 자료이다.

방형구법은 조사하려는 곳에 방형구를 설치하고, 방형구에 나타난 식물의 종과 개체 수, 종이 출현한 방형구 수, 지표를 덮고 있는 정도를 조사하여 우점종을 알아내는 방법이다.

$$밀도 = \frac{특정 종의 개체 수}{전체 방형구의 면적(m^2)}$$

$$상대 밀도(\%) = \frac{특정 종의 밀도}{조사한 모든 종의 밀도의 합} \times 100$$

$$빈도 = \frac{특정 종이 출현한 방형구 수}{전체 방형구의 수}$$

$$상대 빈도(\%) = \frac{특정 종의 빈도}{조사한 모든 종의 빈도의 합} \times 100$$

$$피도 = \frac{특정 종의 점유 면적(m^2)}{전체 방형구의 면적(m^2)}$$

$$상대 피도(\%) = \frac{특정 종의 피도}{조사한 모든 종의 피도의 합} \times 100$$

이에 대한 설명으로 옳은 것은 ○, 옳지 않은 것은 ×로 표시하시오.

(1) 어떤 식물이 지표를 덮고 있는 정도는 피도로 알 수 있다. (　　)

(2) 방형구 안의 특정 종의 개체 수로 밀도를 구할 수 있다. (　　)

(3) 방형구 안의 특정 종이 출현한 방형구 수로 빈도를 구할 수 있다. (　　)

(4) 중요치는 상대 밀도, 상대 빈도, 상대 피도를 곱한 값이다. (　　)

1-2

그림은 방형구를 이용하여 어떤 지역의 식물 분포를 조사한 것이다. 단, 제시된 종 이외의 다른 종은 고려하지 않으며, 방형구의 한 칸에 출현한 종은 그 칸의 면적을 모두 차지하는 것으로 한다.

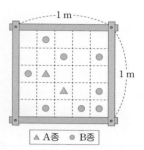

▲ A종　● B종

(1) 표는 이 식물 군집을 조사한 결과이다. 빈칸에 알맞은 값을 각각 쓰시오.

식물 종	밀도(수/m^2)	빈도(수/수)	피도(m^2/m^2)
A종	❶	0.08	0.08
B종	8	❷	0.32

(2) 표는 이 식물 군집의 상대 밀도, 상대 빈도, 상대 피도를 구한 것이다. 빈칸에 알맞은 값을 각각 쓰시오.

식물 종	상대 밀도(%)	상대 빈도(%)	상대 피도(%)
A종	❶	20	20
B종	80	❷	80

(3) 이 식물 군집의 우점종을 쓰시오.

2-1

그림은 어떤 식물 군집의 천이 과정을 나타낸 것이다.

용암 대지 → 지의류 → 초본류 → 관목림 → A → B → C

(1) 그림은 어떤 천이 과정인지 쓰시오.

(2) A → B → C로 천이되는 과정에 가장 크게 영향을 주는 환경 요인을 쓰시오.

(3) C에서 우점종은 무엇인지 쓰시오.

2-2

그림은 어떤 지역의 식물 군집에서 산불이 일어난 후의 천이 과정을 나타낸 것이다. A와 B는 각각 양수림과 초원 중 하나이다.

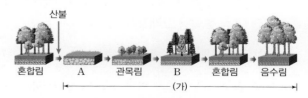

혼합림 → (산불) → A → 관목림 → B → 혼합림 → 음수림
└─────── (가) ───────┘

(1) (가) 과정은 어떤 천이 과정인지 쓰시오.

(2) A, B에 해당하는 천이 단계의 이름을 쓰시오.

(3) 이 군집에서 극상을 이루는 단계를 쓰시오.

3^일 개체군과 군집(2)

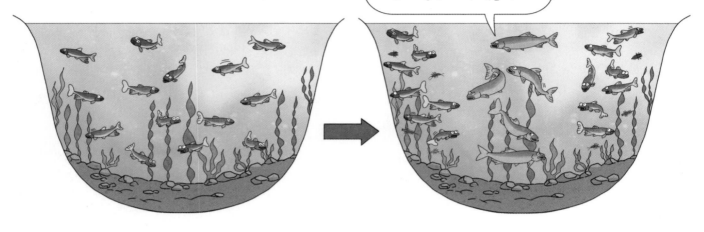

> 은어가 이주해 오면 피라미는 하천의 가장자리로 이동해 수서 곤충을 먹고, 은어가 중앙에서 녹조류를 먹어.

📖 **핵심 개념**

3 군집 내 상호 작용

- **종간 경쟁**: ❶ [　　　] 가 비슷한 두 개체군이 먹이와 생활 공간을 차지하기 위해 ❷ [　　　] 하는 경우 ⑩ 짚신벌레 두 종의 종간 경쟁
  - ➡ 경쟁·배타 원리 적용(경쟁에서 이긴 종이 살아남고, 진 종이 사라지는 것)
- **분서(생태적 지위 분화)**: 생태적 지위가 비슷한 두 개체군이 경쟁을 피하기 위해 먹이나 생활 공간 등을 달리하는 현상 ⑩ 솔새의 분서, 피라미와 은어의 분서, 피라미와 갈겨니의 분서, 나무에 사는 새들의 분서 등
- **상리 공생**: 두 개체군이 모두 ❸ [　　　] 을 얻는 경우 ⑩ 콩과식물과 뿌리혹박테리아, 해삼과 숨이고기, 흰동가리와 말미잘 등
- **편리 공생**: 한 개체군은 이익을 얻지만, 다른 개체군은 이익도 손해도 없는 경우 ⑩ 빨판상어와 거북, 따개비와 혹등고래 등
- **기생**: 두 종의 개체군이 함께 생활할 때 한 개체군은 이익을 얻지만, 다른 개체군은 손해를 보는 경우, 해를 주는 생물을 기생 생물, 해를 입는 생물을 ❹ [　　　] 라고 한다. ⑩ 사람과 기생충, 참나무와 겨우살이, 개와 벼룩
- **포식과 피식**: 두 개체군 사이의 먹고 먹히는 관계 ⑩ 스라소니와 눈신토끼, 치타와 톰슨가젤

4 군집 내 상호 작용 그래프

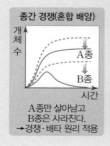

종간 경쟁(혼합 배양)
A종만 살아남고 B종은 사라진다.
➡ 경쟁·배타 원리 적용

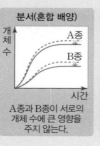

분서(혼합 배양)
A종과 B종이 서로의 개체 수에 큰 영향을 주지 않는다.

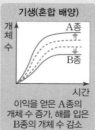

기생(혼합 배양)
이익을 얻은 A종의 개체 수 증가, 해를 입은 B종의 개체 수 감소

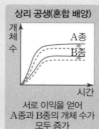

상리 공생(혼합 배양)
서로 이익을 얻어 A종과 B종의 개체 수가 모두 증가

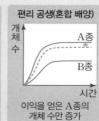

편리 공생(혼합 배양)
이익을 얻은 A종의 개체 수만 증가

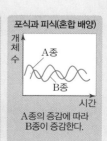

포식과 피식(혼합 배양)
A종의 증감에 따라 B종이 증감한다.

답 ❶ 생태적 지위 ❷ 경쟁 ❸ 이익 ❹ 숙주

3-1

다음 설명에 해당하는 군집 내 상호 작용을 〈보기〉에서 찾아 기호를 쓰시오.

> 보기
> ㄱ. 종간 경쟁   ㄴ. 편리 공생   ㄷ. 상리 공생
> ㄹ. 기생   ㅁ. 포식과 피식   ㅂ. 분서

(1) 스라소니는 눈신토끼를 잡아먹는다. (   )

(2) 두 종류의 짚신벌레를 한 공간에 넣고 배양하면 한 종류만 살아남는다. (   )

(3) 회충, 요충과 같은 기생충은 숙주인 동물의 몸속에 살면서 양분을 섭취한다. (   )

(4) 빨판상어는 거북의 몸에 붙어살면서 쉽게 이동하고 먹이를 얻으며 보호를 받지만, 거북은 이익도 손해도 없다. (   )

(5) 피라미는 은어가 없을 때 하천의 중앙에서 녹조류를 먹고 살지만, 은어가 이주해 오면 피라미는 하천의 가장자리로 이동하여 수서 곤충을 먹고 산다. (   )

3-2

표는 종 사이의 상호 작용을 나타낸 것이며, A~C는 각각 기생, 상리 공생, 편리 공생 중 하나이다.

상호 작용	종 1	종 2
A	손해	이익
B	이익	㉠
C	이익	이익

이에 대한 설명으로 옳은 것은 ○, 옳지 않은 것은 ×로 표시하시오.

(1) ㉠은 '손해'이다. (   )

(2) A는 편리 공생이다. (   )

(3) 콩과식물과 뿌리혹박테리아 사이의 상호 작용은 C에 해당한다. (   )

4-1

그림 (가)는 A종과 B종을 각각 단독 배양했을 때, (나)는 A종과 B종을 혼합 배양했을 때 시간에 따른 개체 수를 나타낸 것이다.

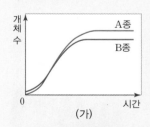 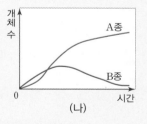

A 종과 B 종의 관계로 가장 타당한 것은?

① 경쟁   ② 기생   ③ 포식과 피식

④ 상리 공생   ⑤ 편리 공생

4-2

그림은 어떤 생태계에서 종 A와 B의 시간에 따른 개체 수를 나타낸 것이다. A와 B 사이의 상호 작용과 가장 관련이 깊은 것은?

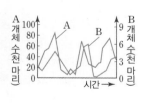

① 개구리가 메뚜기를 잡아먹는다.

② 벌은 꽃의 꿀을 먹고 꽃의 수분을 돕는다.

③ 우두머리 늑대가 늑대 무리의 사냥 시기를 결정한다.

④ 동물의 몸에 기생하는 회충은 동물의 영양분을 흡수하여 살아간다.

⑤ 동일한 공간에 있는 애기짚신벌레와 짚신벌레는 먹이와 서식지를 두고 서로 경쟁한다.

3일 기초 유형 연습 | 개체군과 군집(2)

대표 기출 유형 · 2018학년도 수능 14번

그림 (가)는 종 A와 종 B를 각각 단독 배양했을 때, (나)는 A와 B를 혼합 배양했을 때 시간에 따른 개체 수를 나타낸 것이다.

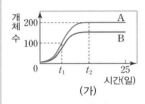
(가)

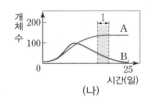
(나)

이에 대한 설명으로 옳은 것만을 〈보기〉에서 있는 대로 고른 것은? (단, (가)와 (나)에서 초기 개체 수와 배양 조건은 동일하다.)

보기

ㄱ. A의 개체 수는 t_2일 때가 t_1일 때보다 많다.
ㄴ. (나)에서 A와 B 사이에 편리 공생이 일어났다.
ㄷ. 구간 I에서 A와 B 모두에 환경 저항이 작용한다.

① ㄱ   ② ㄴ   ③ ㄱ, ㄷ
④ ㄴ, ㄷ   ⑤ ㄱ, ㄴ, ㄷ

개념 point

경쟁: A종만 살아남고 B종은 사라진다. ➡ 경쟁·배타 원리
환경 저항: 생장을 억제하는 요인 ➡ 개체 수 증가율 감소

|보기| 풀이

ㄱ. t_2일 때 A의 개체 수는 200이고, t_1일 때 A의 개체 수는 100이므로 A의 개체 수는 t_2일 때가 t_1일 때보 다 많다.
ㄴ. (나)에서 A와 B를 혼합 배양한 결과 B가 사라진 것으로 보아 두 종 사이에 나타난 상호 작용은 편리 공생이 아닌 경쟁이다.
ㄷ. 구간 I에서 시간이 경과함에 따라 개체 수가 일정하거나 감소하고 있으므로 A와 B 모두에 환경 저항이 작용함을 알 수 있다.

함정 탈출

(나)와 같은 그래프는 무조건 경쟁 관계이며, 경쟁·배타 원리가 적용된 것이다. 또한 개체 수 증가율이 감소하고 있으면 항상 환경 저항이 작용한다.

답 ③

2017학년도 9월 학평 18번 변형

1 그림은 서로 다른 지역에 동일한 크기의 방형구 A와 B를 설치하여 조사한 식물 종의 분포를 나타낸 것이며, 표는 상대 밀도에 대한 자료이다. (단, 방형구에 나타낸 각 도형은 식물 1개체를 의미하며, 제시된 종 이외의 종은 고려하지 않는다.)

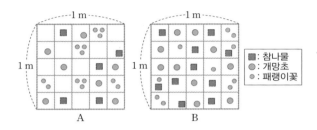

■ : 참나물
○ : 개망초
· : 패랭이꽃

$$상대 밀도(\%) = \frac{특정한 종의 개체 수}{조사한 모든 종의 개체 수} \times 100$$

(1) A에서 참나물의 상대 밀도를 구하시오.

(2) B에서 개망초의 개체군 밀도와 패랭이꽃의 개체군 밀도를 비교하시오.

2018년 6월 모평 6번 자료

2 그림은 식물 군집의 천이 과정을 나타낸 것이다.

지의류 ◆ 이끼류 ◆ 초원 ◆ 관목림 ◆ 양수림 ◆ 혼합림 ◆ 음수림

양수림에서 음수림으로 천이가 일어나는 까닭을 서술하시오.

2016학년도 4월 학평 11번

3 그림은 어떤 지역의 식물 군집에서 산불이 일어나기 전과 후의 천이 과정 일부를 나타낸 것이다. A~C는 각각 초원, 양수림, 음수림 중 하나이다.

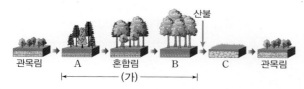

이에 대한 설명으로 옳은 것만을 〈보기〉에서 있는 대로 고른 것은?

보기
ㄱ. A는 음수림이다.
ㄴ. (가) 과정에서 지표면에 도달하는 빛의 양은 감소한다.
ㄷ. 산불이 일어난 후 개척자는 초원이다.

① ㄱ   ② ㄴ   ③ ㄷ
④ ㄱ, ㄷ   ⑤ ㄴ, ㄷ

4 다음은 생물 사이의 상호 작용에 대한 자료이다.

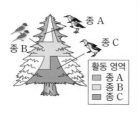

• 새 3종 A~C는 생태적 지위가 중복된다.
• 어떤 숲에 서식하는 ㉠A~C는 경쟁을 피하기 위해 활동 영역을 나누어 나무의 서로 다른 구역에서 산다.

이에 대한 설명으로 옳은 것만을 〈보기〉에서 있는 대로 고른 것은?

보기
ㄱ. ㉠에서 A와 B 사이의 상호 작용은 분서에 해당한다.
ㄴ. B는 C와 한 개체군을 이룬다.
ㄷ. 꿀벌이 일을 분담하며 협력하는 것은 ㉠의 상호 작용에 해당한다.

① ㄱ   ② ㄴ   ③ ㄷ
④ ㄱ, ㄴ   ⑤ ㄴ, ㄷ

2017학년도 4월 학평 8번

5 그림 (가)는 종 A의 생장 곡선을, (나)는 어떤 생태계에서 종 B와 종 C의 시간에 따른 개체 수를 나타낸 것이다. B와 C 사이의 상호 작용은 포식과 피식이다.

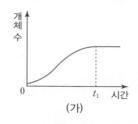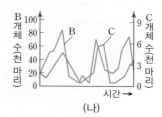

이에 대한 설명으로 옳은 것만을 〈보기〉에서 있는 대로 고른 것은?

보기
ㄱ. t_1일 때 A는 환경 저항을 받는다.
ㄴ. C는 B의 포식자이다.
ㄷ. (나)에서 B와 C 사이에는 경쟁·배타 원리가 적용된다.

① ㄱ   ② ㄴ   ③ ㄷ
④ ㄱ, ㄴ   ⑤ ㄴ, ㄷ

6 피라미와 은어는 물이 깨끗한 개울에 서식하며 먹이가 비슷하다. 한 개울에 함께 살 때 은어는 주로 가운데에, 피라미는 주로 가장자리에서 생활한다.

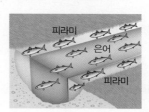

피라미와 은어 사이의 상호 작용을 무엇이라고 하는지 쓰고, 이러한 관계가 형성된 까닭을 서술하시오.

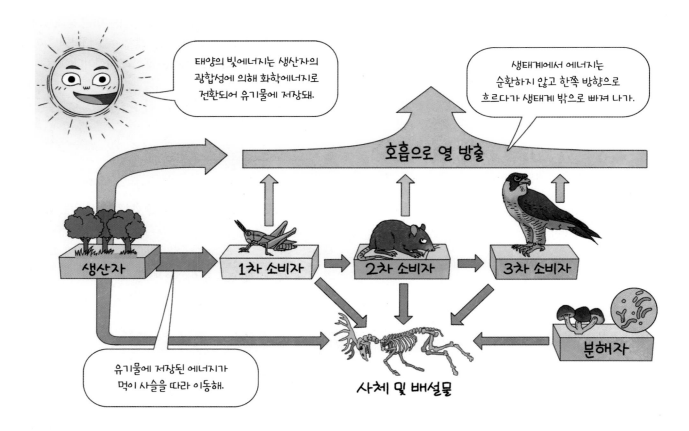

태양의 빛에너지는 생산자의 광합성에 의해 화학에너지로 전환되어 유기물에 저장돼.

생태계에서 에너지는 순환하지 않고 한쪽 방향으로 흐르다가 생태계 밖으로 빠져 나가.

호흡으로 열 방출

생산자 　1차 소비자　 2차 소비자　 3차 소비자

분해자

사체 및 배설물

유기물에 저장된 에너지가 먹이 사슬을 따라 이동해.

핵심 개념

1 에너지 흐름

- **에너지 흐름**: 생태계에서 에너지는 순환하지 않고 한쪽 방향으로 흐르다가 생태계 밖으로 빠져 나간다.
- **에너지 효율**: 한 영양 단계에서 다음 영양 단계로 이동하는 에너지의 비율 ➡ 일반적으로 에너지 효율은 상위 영양 단계로 갈수록 **❶**.

$$에너지 효율(\%) = \frac{현 영양 단계의 에너지 총량}{전 영양 단계의 에너지 총량} \times 100$$

- **생태 피라미드**: 먹이 사슬에서 각 영양 단계에 속하는 생물의 생체량, 개체 수, 에너지양을 **❷** 영양 단계에서부터 **❸** 영양 단계로 차례로 쌓아 올린 것

2 물질의 생산과 소비

- **총생산량**: 생산자가 광합성을 하여 생산한 유기물의 총량
  총생산량＝호흡량＋순생산량
- **순생산량**: 총생산량에서 **❹** 을 제외한 유기물의 양
  순생산량＝총생산량－호흡량
- **호흡량**: 생산자의 호흡으로 소비되는 유기물의 양
- **고사량, 낙엽량**: 말라 죽거나 낙엽으로 없어지는 유기물의 양
- **피식량**: 동물이 섭취하는 식물의 양
- **생장량**: 순생산량 중에서 1차 소비자에게 먹히는 피식량과 고사, 낙엽 등으로 분해자에게 전달되고 남은 유기물의 양. 생장량＝순생산량－(피식량＋고사량＋낙엽량)

답 ❶ 증가한다 ❷ 하위 ❸ 상위 ❹ 호흡량

1-1

그림 (가)는 생태계에서 일어나는 물질과 에너지의 이동을, (나)는 어느 초원에서의 영양 단계별 에너지양을 조사한 에너지 피라미드를 나타낸 것이다.

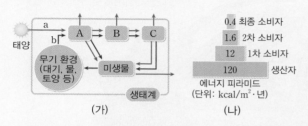

(가) (나)

(1) (가)에서 A~C에 해당하는 영양 단계를 쓰시오.

(2) (가)에서 a와 b 중 물질의 이동에 해당하는 것은 어느 것인지 쓰시오.

(3) (나)에서 1차 소비자의 에너지 효율은 몇 %인지 쓰시오.

1-2

그림은 안정된 생태계에서 각 영양 단계에 따른 에너지 이동량을 상댓값으로 나타낸 것이다.

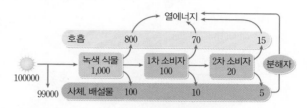

이에 대한 설명으로 옳은 것은 ○, 옳지 않은 것은 ×로 표시하시오.

(1) 생태계 에너지의 근원은 태양의 빛에너지이다.

(　　　)

(2) 생태계에서 에너지는 순환한다. (　　　)

(3) 영양 단계가 높아질수록 에너지 효율은 높아진다.

(　　　)

(4) 생태계에서 에너지는 빛에너지 → 열에너지 → 화학에너지 순으로 전환된다. (　　　)

2-1

그림은 어떤 삼림 생태계에서의 물질 생산과 소비를 나타낸 것이다.

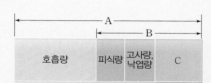

이에 대한 설명으로 옳은 것은 ○, 옳지 않은 것은 ×로 표시하시오.

(1) A는 식물의 광합성을 통해 생산된 유기물의 총량이다. (　　　)

(2) B는 순생산량이다. (　　　)

(3) C는 식물의 호흡에 소비되는 유기물의 총량이다.

(　　　)

2-2

다음은 어떤 생태계에서 1년 동안 생산자의 물질 생산량과 소비량을 조사한 것이다.

• 호흡량: 1500 kg
• 피식량: 1000 kg
• 순생산량: 5700 kg
• 고사, 낙엽에 의한 손실량: 2800 kg

(1) 1년 동안 생산자의 총생산량을 구하시오.

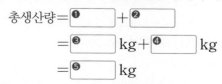

총생산량 = ❶□ + ❷□

= ❸□ kg + ❹□ kg

= ❺□ kg

(2) 1년 동안 생산자의 생장량을 구하시오.

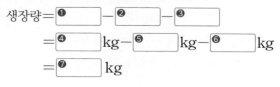

생장량 = ❶□ − ❷□ − ❸□

= ❹□ kg − ❺□ kg − ❻□ kg

= ❼□ kg

4주
4일

3 물질의 순환 —생태계 내에서 물질은 순환한다.

- **탄소 순환:** ① 대기 중 이산화 탄소(CO_2)는 생산자에 흡수되어 광합성을 통해 포도당과 같은 유기물로 합성된 후 **❶** 을 따라 소비자에게 전달된다. ② 소비자에게 전달된 탄소는 몸을 구성하거나 호흡에 사용된 후 이산화 탄소 형태로 다시 대기나 물속으로 돌아간다.

- **질소 순환:** ① 대기 중의 질소(N_2)는 질소 고정 세균에 의해 암모늄 이온(NH_4^+)으로 전환된 후 식물에 흡수되어 └─질소 고정 작용 단백질, 핵산과 같은 식물체의 구성 성분을 합성하는 데 쓰인다. ② 식물에 포함된 질소 화합물은 먹이 사슬을 따 └─질소 동화 작용 라 이동하고, **❷** 에 의해 암모늄 이온(NH_4^+)으로 분해되어 식물로 흡수되거나 질소 기체가 되어 대기 중으로 돌아간다. └─탈질산화 작용

4 생태계 평형

- **생태계 평형:** 생물 군집의 크기와 개체 수, 에너지 흐름 등이 안정된 상태를 유지하는 것

- **생태계 평형 유지 원리:** 주로 **❸** 에 의해 유지되며, **❹** 이 복잡하게 형성될수록 생태계의 평형이 잘 유지된다.

- **생태계 평형 유지 과정:** ① 1차 소비자의 개체 수가 일시적으로 증가하면, ② 생산자의 개체 수는 감소하고, 2차 소비자의 개체 수는 증가한다. ③ 이로 인해 1차 소비자의 개체 수가 감소하면 ④ 생산자의 개체 수는 증가하고, 2차 소비자의 개체 수가 감소하여 생태계 평형이 회복된다.

3-1

그림은 생태계에서 질소 순환 과정을 나타낸 것이다.

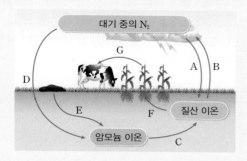

다음 각 작용에 해당하는 과정을 그림에서 있는 대로 고르시오.

(1) 질소 고정 작용

(2) 질산화 작용

(3) 탈질산화 작용

3-2

그림은 탄소의 순환 과정을 나타낸 것이다.

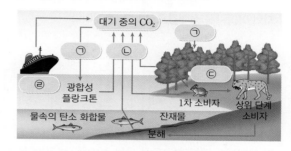

이에 대한 설명으로 옳은 것은 ○, 옳지 않은 것은 ×로 표시하시오.

(1) ㉠은 동화 작용, ㉡은 이화 작용이다. (   )

(2) ㉢ 과정을 통해 탄소가 유기물의 형태로 이동한다. (   )

(3) ㉣ 과정을 통해 방출된 이산화 탄소의 일부는 광합성에 다시 이용된다. (   )

4-1

그림은 평형 상태에 있던 어떤 생태계에서 성게의 개체 수만 일시적으로 증가하여 생태계 평형이 깨졌다가 평형 상태로 회복되기까지의 과정을 순서 없이 나타낸 것이다.

평형이 회복되기까지의 과정을 순서대로 나열하시오.

4-2

그림은 1905년 사슴을 보호하기 위해 늑대 사냥을 허가한 후 사슴과 늑대의 개체 수 및 초원의 생산량 변화를 나타낸 것이다.
이에 대한 설명으로 옳은 것은 ○, 옳지 않은 것은 ×로 표시하시오.

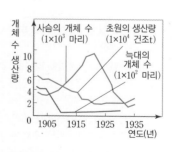

(1) 포식자인 늑대를 제거함으로써 생태계의 평형을 유지할 수 있다. (   )

(2) 1920년대 초반 이후 사슴의 개체 수가 급격히 감소한 것은 먹이 부족 때문이다. (   )

(3) 먹이 사슬은 초원의 풀 → 사슴 → 늑대이다. (   )

대표 기출 유형

[2012학년도 수능 4번]

그림은 어떤 안정된 생태계에서 영양 단계에 따른 에너지의 이동량을 상댓값으로 나타낸 것이다.

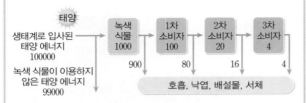

이 생태계에 대한 설명으로 옳은 것만을 〈보기〉에서 있는 대로 고른 것은?

─ 보기 ─
ㄱ. 녹색 식물은 생산자이다.
ㄴ. 녹색 식물은 생태계로 입사된 태양 에너지를 모두 이용한다.
ㄷ. 영양 단계가 높아질수록 전달되는 에너지의 양은 감소한다.

① ㄱ   ② ㄷ   ③ ㄱ, ㄴ
④ ㄱ, ㄷ   ⑤ ㄴ, ㄷ

개념 point

에너지의 이동: 생태계 내에서 에너지는 순환하지 않고 먹이 사슬을 따라 한 방향으로만 흐르며, 상위 영양 단계로 갈수록 에너지양은 감소한다.

보기 풀이

ㄱ. 녹색 식물은 광합성을 하여 스스로 유기물을 합성하는 생산자이다.
ㄴ. 자료에서 생태계로 입사된 태양 에너지 100000 중에 녹색 식물이 이용하지 않은 태양 에너지가 99000이므로 녹색 식물은 생태계로 입사된 태양 에너지의 일부(1 %)만 이용한다는 것을 알 수 있다.
ㄷ. 영양 단계가 높아질수록 먹이 사슬을 거치면서 유기물 속의 에너지가 방출되므로 전달되는 에너지양은 감소한다.

함정 탈출

영양 단계에 따른 에너지의 양은 항상 감소한다는 것을 알고 있어야 한다.

답 ④

1 그림은 어떤 생태계에서 A~D의 에너지양을 상댓값으로 나타낸 생태 피라미드이다. A~D는 각각 생산자, 1차 소비자, 2차 소비자, 3차 소비자 중 하나이다. (단, 에너지 효율은 전 영양 단계의 에너지양에 대한 현 영양 단계의 에너지양을 백분율로 나타낸 것이다.)

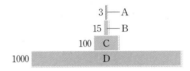

(1) A~D 중 1차 소비자는 무엇인지 쓰시오.

(2) 2차 소비자의 에너지 효율은 몇 %인지 쓰시오.

(3) 영양 단계가 높아질수록 에너지양과 에너지 효율의 변화 양상에 대해 서술하시오.

2 그림은 생산자와 1차 소비자의 물질 생산과 소비를 나타낸 것이다.

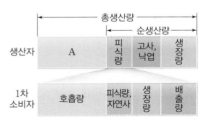

이에 대한 설명으로 옳은 것만을 〈보기〉에서 있는 대로 고른 것은?

─ 보기 ─
ㄱ. A는 호흡량이다
ㄴ. 1차 소비자는 생산자로부터 유기물의 형태로 에너지를 얻는다.
ㄷ. 생산자의 총생산량과 1차 소비자가 이용한 에너지의 총량은 같다

① ㄱ   ② ㄴ   ③ ㄷ
④ ㄱ, ㄴ   ⑤ ㄴ, ㄷ

2015학년도 7월 학평 15번 변형

3 그림은 어떤 생태계를 구성하는 생산자의 1년간 총생산량 중 각 과정으로 소비된 비율을 나타낸 것이다.

이에 대한 설명으로 옳은 것만을 〈보기〉에서 있는 대로 고른 것은?

보기
ㄱ. 생산자의 순생산량은 총생산량의 60 %이다.
ㄴ. 생산자의 총생산량 중 25 %가 소비자에게 전달된다.
ㄷ. 생산자의 총생산량은 광합성을 통해 생산한 유기물의 총량이다.

① ㄱ   ② ㄴ   ③ ㄷ
④ ㄱ, ㄴ   ⑤ ㄱ, ㄷ

4 그림은 생태계에서 일어나는 질소 순환 과정의 일부를 나타낸 것이다.

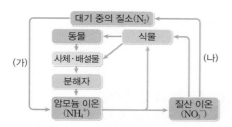

이에 대한 설명으로 옳은 것만을 〈보기〉에서 있는 대로 고른 것은?

보기
ㄱ. (가) 과정을 통해 생성된 암모늄 이온은 식물의 단백질 합성에 이용된다.
ㄴ. (나) 과정은 번개에 의해 일어난다.
ㄷ. 동물은 질소 순환에 영향을 미치지 않는다.

① ㄱ   ② ㄴ   ③ ㄷ
④ ㄱ, ㄴ   ⑤ ㄴ, ㄷ

2014학년도 3월 학평 18번

5 그림은 탄소가 순환하는 과정의 일부를 나타낸 것이다.

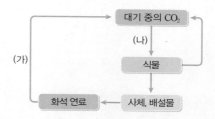

이에 대한 설명으로 옳은 것만을 〈보기〉에서 있는 대로 고른 것은?

보기
ㄱ. 석유의 연소는 (가)에 해당한다.
ㄴ. (나)는 녹색광보다 청색광에서 활발히 일어난다.
ㄷ. 대규모의 벌목은 (나)를 통해 이동하는 CO_2의 양을 감소시켜 지구 온난화를 심화시킬 수 있다.

① ㄱ   ② ㄴ   ③ ㄱ, ㄷ
④ ㄴ, ㄷ   ⑤ ㄱ, ㄴ, ㄷ

4
주
4일

6 그림 (가)와 같이 안정된 생태계가 어떤 원인에 의해 (나)와 같이 1차 소비자의 수가 증가하였다.

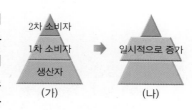

이 후 생태계의 평형이 회복되기까지의 과정을 〈보기〉에서 골라 순서대로 나열하시오.

보기
ㄱ. 1차 소비자의 수가 감소한다.
ㄴ. 생산자의 수가 감소하고, 2차 소비자의 수가 증가한다.
ㄷ. 생산자의 수가 증가하고, 2차 소비자의 수가 감소한다.

5 일 생물 다양성

유전적 다양성   종 다양성   생태계 다양성

무당벌레의 다양한 무늬와 색은 대립유전자가 다양하여 나타나는 현상이야.

생태계가 다양할수록 종 다양성이 높아.

종 다양성이 높을수록 생태계는 안정적으로 유지돼.

📖 **핵심 개념**

1 생물 다양성

- **생물 다양성**: 유전적 다양성, 종 다양성, ❶ ☐ 다양성을 모두 포괄한다.
- **유전적 다양성**: 한 개체군 내 개체들의 유전자 변이로 인해 다양한 ❷ ☐ 이 나타나는 것 ➡ 유전적 다양성이 높으면 급격한 환경 변화에 멸종될 가능성이 낮다.
- **종 다양성**: 일정한 지역에 얼마나 많은 종이 균등하게 분포하는지를 나타내는 것 ➡ 종 다양성이 ❸ ☐ 을수록 생태계가 안정적으로 유지될 수 있다.
- **생태계 다양성**: 사막, 초원, 삼림, 습지, 산, 호수, 강 등 생태계의 다양함을 의미 ➡ 다양한 생태계는 다양한 생물 자원을 제공해준다.

2 생물 다양성과 생물 자원

- 생물은 직접적으로 의식주, 의약품, 연료 등 필요한 각종 자원을 공급하고, 생태계는 간접적으로 사회적·심미적 가치를 제공한다.

식량 제공	벼, 옥수수, 보리, 콩, 밀, 감자 등
섬유 원료	목화(면섬유), 누에고치(실크) 등
목재 제공	나무, 풀 등 주택의 재료
의약품 원료	주목(항암제), 푸른곰팡이(페니실린) 등
유전자 자원	병충해 저항성 유전자 등
관광과 여가	수목원, 휴양림 등

답 ❶ 생태계 ❷ 형질 ❸ 높

1-1

그림은 생물 다양성의 세 가지 유형을 나타낸 것이다. 다음 설명에 해당하는 생물 다양성의 유형을 쓰시오.

생태계 다양성
생물 다양성 유지
종 다양성 — 유전적 다양성

(1) 지구 상에 존재하고 있는 생태계의 다양함을 의미한다.

(2) 생태계에 서식하고 있는 생물 종의 다양함을 의미한다.

(3) 집단 내 개체들 사이의 유전적 변이의 다양함을 의미한다.

(4) 생물이 서식하는 장소나 환경 요인에 따라 서로 다른 모습의 군집이 형성된다.

(5) 같은 종의 달팽이라도 껍데기의 무늬와 색깔이 서로 다르다.

1-2

그림은 두 식물 군집을 나타낸 것이다.

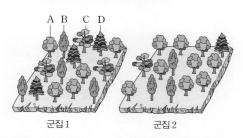

군집 1   군집 2

이에 대한 설명으로 옳은 것은 ○, 옳지 <u>않은</u> 것은 ×로 표시하시오.

(1) 군집 1과 군집 2의 식물 종 수는 같다. (   )

(2) 군집 1에는 군집 2보다 각 생물 종이 균등하게 분포한다. (   )

(3) 군집 1보다 군집 2의 종 다양성이 높다. (   )

2-1

생물 자원이 지닌 가치에 대한 설명으로 옳은 것만을 〈보기〉에서 있는 대로 고르시오.

── 보기 ──
ㄱ. 삶을 지속할 수 있도록 식량을 공급한다.
ㄴ. 고갈되지 않아 계속 사용 가능한 자원이다.
ㄷ. 유전자 자원으로서의 잠재적 가치를 갖는다.
ㄹ. 휴식 공간 제공 등 사회적·심미적 가치를 제공한다.

2-2

다음은 여러 생물 자원의 예를 나타낸 것이다.

(가) 벼, 옥수수 등

(나) 목화, 누에고치

(다) 숲, 강, 호수

(라) 주목, 푸른곰팡이

각 이용 분야에 해당하는 생물 자원의 예를 찾아 쓰시오.

(1) 섬유 (   )   (2) 식량 (   )

(3) 관광, 여가 (   )   (4) 의약품 원료 (   )

3 생물 다양성의 감소 원인

● 기후 변화나 자연재해로 인해 생물 다양성이 감소하기도 하지만, 생물 다양성을 감소시키는 대부분의 원인은 인간의 활동과 관련이 있다.

● 생물 다양성의 감소 원인
① **서식지 파괴**: 숲의 벌채, 습지의 매립 등
② **서식지 ❶ [   ]**: 도로 건설, 택지 개발 등으로 큰 서식지가 작은 서식지로 분할
③ **불법 포획과 남획**: 야생 동물의 밀렵과 희귀 식물의 채취 등 불법 포획과 남획
④ **외래종의 도입**: ❷ [   ] 이 없어 생태계 교란
⑤ **환경 오염 및 기후 변화**

4 생물 다양성의 보전

● **생물 다양성 보전 대책**: ① 서식지 보호 및 생태 통로 설치, ② 멸종 위기종의 보호·관리, ③ 환경 오염 방지 대책 마련, ④ 생물 종 보호를 위한 ❸ [   ] 제정 및 종자 은행 운영 등

● 생물 다양성 보전을 위한 노력
① **개인적 수준**: 분리 수거, 저탄소 제품 사용 등
② **사회적 수준**: 생물 다양성 보존에 대한 캠페인과 홍보 활동 등
③ **국가적 수준**: 야생 생물 보호법 제정, 국립공원 지정, 멸종 위기종 복원, 종자 은행 운영 등
④ **국제적 수준**: 생물 다양성 보존을 위한 국제 ❹ [   ] 의 체결과 이행 등

❶ 단편화 ❷ 천적 ❸ 법률 ❹ 협약

3-1

그림은 서식지 면적이 감소함에 따라 줄어드는 생물 종의 비율을 나타낸 것이다.

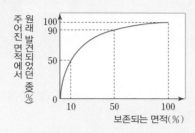

이에 대한 설명으로 옳은 것은 ○, 옳지 <u>않은</u> 것은 ×로 표시하시오.

(1) 서식지 면적이 감소하면 종 수가 감소한다. (   )

(2) 서식지 면적이 절반으로 감소하면 종 수도 절반으로 감소한다. (   )

(3) 서식지 면적의 감소는 생물 다양성 감소의 원인이 된다. (   )

3-2

어떤 동물의 서식지를 그림과 같이 분할하여 도로와 철도를 건설하였다.

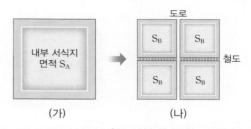

이에 대한 설명으로 옳은 것은 ○, 옳지 <u>않은</u> 것은 ×로 표시하시오.

(1) (가)의 내부 서식지 면적 S_A는 (나)의 내부 서식지 면적 S_B의 합과 같다. (   )

(2) 서식지 단편화로 이 동물 개체군의 크기는 감소한다. (   )

(3) 도로와 철도는 생물 종의 이동을 제한하여 고립화시킨다. (   )

4-1

생물 다양성을 보전하기 위한 방법으로 옳은 것은 ○, 옳지 <u>않은</u> 것은 ×로 표시하시오.

(1) 생물 다양성 협약에 가입한다. (   )

(2) 멸종된 생물을 모두 복원한다. (   )

(3) 국립공원에 안식년 제도를 도입한다. (   )

(4) 멸종 위기 식물을 천연기념물로 지정한다. (   )

(5) 생태적 가치가 있는 곳을 국립공원으로 만든다.

(   )

4-2

그림은 생물 다양성의 위협 요소를 나타낸 것이다.

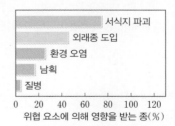

다음은 생물 다양성을 보전하기 위한 방법이다. 각각에 해당하는 생물 다양성의 위협 요소를 그림에서 찾아 쓰시오.

(1) 생태 통로를 만들어 두 서식지를 연결한다.

(2) 외래 생물이 기존 생태계에 미치는 영향에 대해 철저히 검증한 후 도입한다.

(3) 야생 생물 보호 및 관리에 관한 법률을 제정하여 야생 생물의 멸종을 예방한다.

5일 기초 유형 연습 | 생물 다양성

그림은 생물 다양성의 세 가지 의미 중 유전적 다양성과 종 다양성을 나타낸 것이다.

유전적 다양성

종 다양성

이에 대한 설명으로 옳은 것만을 〈보기〉에서 있는 대로 고른 것은?

보기
ㄱ. 유전적 다양성은 동물 종에서만 나타난다.
ㄴ. 한 생태계 내에 존재하는 생물 종의 다양한 정도를 종 다양성이라고 한다.
ㄷ. 같은 종의 달팽이에서 껍데기의 무늬와 색깔이 다양하게 나타나는 것은 종 다양성에 해당한다.

① ㄱ   ② ㄴ   ③ ㄷ
④ ㄱ, ㄴ   ⑤ ㄴ, ㄷ

개념 point

유전적 다양성: 같은 종이라도 다양한 형질을 나타내는 것을 의미하며, 생태계를 구성하는 생물은 같은 종이라도 모양, 크기, 색 등이 다르다.
종 다양성: 한 지역 내 생물종의 다양한 정도를 의미하며 종의 수가 많을수록, 종의 비율이 고를수록 종 다양성이 높다.

보기 풀이

ㄱ. 유전적 다양성은 생태계를 구성하는 모든 생물종에서 나타난다.
ㄴ. 종 다양성은 한 지역 내 생물종의 다양한 정도를 의미한다.
ㄷ. 같은 종의 달팽이에서 껍데기의 무늬와 색깔이 다양한 것은 유전적 다양성에 해당한다.

함정 탈출

종 다양성은 동물, 식물 종뿐만 아니라 세균이나 곰팡이 등 모든 생물에서 나타난다.

답 ②

1 그림은 생물 다양성의 세 가지 요소를 나타낸 것이다.

(가) 생태계 다양성   (나) 종 다양성   (다) 유전적 다양성

이에 대한 설명으로 옳은 것만을 〈보기〉에서 있는 대로 고른 것은?

보기
ㄱ. (가)를 높이기 위해 습지를 농지로 개척하기도 한다.
ㄴ. (나)가 높을수록 생태계가 안정적으로 유지된다.
ㄷ. (다)가 높은 생물종일수록 급격한 환경 변화에 적응을 잘 한다.

① ㄱ   ② ㄷ   ③ ㄱ, ㄴ
④ ㄴ, ㄷ   ⑤ ㄱ, ㄴ, ㄷ

2 다음은 생물 다양성의 세 가지 의미 중 종 다양성에 대한 자료이다.

• 어떤 지역의 종 다양성은 종의 수가 많을수록, 전체 개체 수에서 각 종이 차지하는 비율이 균등할수록 높아진다.
• 그림은 면적이 같은 서로 다른 지역 (가)와 (나)에 서식하는 식물 종 A~D를 나타낸 것이다.

(가)   (나)
A종 / B종 / C종 / D종

(가)와 (나) 중 식물의 종 다양성이 높은 곳은 어디인지 쓰고, 그렇게 생각한 까닭을 서술하시오.

3 그림은 어떤 생태계의 먹이 그물을 나타낸 것이다.

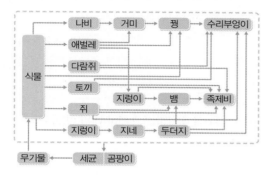

이에 대한 설명으로 옳은 것만을 〈보기〉에서 있는 대로 고른 것은?

> **보기**
> ㄱ. 세균과 곰팡이는 분해자이다.
> ㄴ. 먹이 그물이 단순할수록 안정된 생태계이다.
> ㄷ. 족제비의 수가 감소하면 뱀의 수도 감소할 것이다.

① ㄱ   ② ㄷ   ③ ㄱ, ㄴ
④ ㄴ, ㄷ   ⑤ ㄱ, ㄴ, ㄷ

4 그림은 어떤 동물의 서식지가 도로에 의해 분할되었을 때 나타나는 생물종 A~E의 분포와 서식지 면적 변화를 나타낸 것이다.

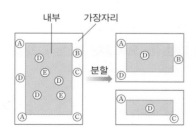

(1) 서식지 단편화가 일어날 때 서식지 내부와 가장자리의 면적 변화에 대해 서술하시오.

(2) 서식지 단편화가 생물 다양성에 미치는 영향을 서술하시오.

5 다음은 생물 다양성 협약에 대한 자료이다.

> '생물 다양성 협약'은 생물 다양성의 보전, 생물자원의 지속 가능한 이용, 생물자원을 이용하여 얻어지는 이익의 공정하고 공평한 분배를 위하여 1992년 유엔환경개발회의에서 채택된 협약이다. 생물 다양성은 생태계 내에 존재하는 생물의 다양한 정도를 의미하며 유전적 다양성, ㉠ 종 다양성, ㉡ 생태계 다양성을 포함한다.

이에 대한 설명으로 옳은 것만을 〈보기〉에서 있는 대로 고른 것은?

> **보기**
> ㄱ. 생물자원은 인간의 식량과 의약품에 이용된다.
> ㄴ. 같은 종의 무당벌레에서 반점 무늬가 다양하게 나타나는 것은 ㉠에 해당한다.
> ㄷ. 한 생태계 내에 존재하는 생물 종의 다양한 정도를 ㉡이라고 한다.

① ㄱ   ② ㄴ   ③ ㄷ
④ ㄱ, ㄴ   ⑤ ㄱ, ㄷ

6 다음 중 생물 다양성의 보전 대책이 <u>아닌</u> 것은?

① 서식지를 보존한다.
② 환경 윤리 의식을 강화한다.
③ 법적으로 보장된 보호 구역을 지정한다.
④ 서식지가 단절되었을 경우 인공적인 이동 통로를 건설할 수 있다.
⑤ 다른 조건들이 같다면 작은 지역을 보호하는 것이 바람직하다.

4
주
5일

2020학년도 4월 학평 9번

1 그림은 생태계를 구성하는 요소 사이의 상호 관계를 나타낸 것이다.

이에 대한 설명으로 옳은 것만을 〈보기〉에서 있는 대로 고른 것은?

── 보기 ──
ㄱ. 개체군 A는 동일한 종으로 구성된다.
ㄴ. 수온이 돌말의 개체 수에 영향을 미치는 것은 ㉠에 해당한다.
ㄷ. 식물의 낙엽으로 인해 토양이 비옥해지는 것은 ㉡에 해당한다.

① ㄱ
② ㄷ
③ ㄱ, ㄴ
④ ㄴ, ㄷ
⑤ ㄱ, ㄴ, ㄷ

2 그림은 개체군의 이론상의 생장 곡선과 실제의 생장 곡선을 나타낸 것이다.

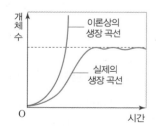

실제의 생장 곡선이 이론상의 생장 곡선과 다르게 나타나는 원인으로 옳지 <u>않은</u> 것은?

① 먹이의 감소
② 질병의 발생
③ 포식자의 증가
④ 노폐물의 증가
⑤ 서식 공간의 증가

3 다음은 개체군 내에서 일어나는 사례를 정리한 것이다.

(가) 모이를 먹을 때 순위가 높은 닭이 먼저 먹는다.
(나) 북양가마우지는 번식을 위해 개체마다 일정한 영역을 차지하고 다른 개체의 침입을 막는다.
(다) 흰개미 집단에는 생식, 방어, 먹이 수집 등을 전담하는 개체들이 있다.

(가)~(다)에 해당하는 개체군 내의 상호 작용을 각각 쓰시오.

4 표는 서로 다른 지역 (가)와 (나)에 서식하는 식물 종 A~D의 개체 수를 나타낸 것이다. (가)와 (나)의 면적은 동일하며, B의 개체군 밀도는 (가)에서와 (나)에서가 같다. (단, 제시된 종 이외의 종은 고려하지 않는다.)

구분	A	B	C	D
(가)	5	3	5	2
(나)	4	㉠	5	6

㉠의 값을 구하시오.

2020학년도 4월 학평 20번

5 표는 종 사이의 상호 작용을 나타낸 것이다. ㉠과 ㉡은 상리 공생, 포식과 피식을 순서 없이 나타낸 것이다.

상호 작용	종 1	종 2
㉠	손해	?
㉡	ⓐ	이익

이에 대한 설명으로 옳은 것만을 〈보기〉에서 있는 대로 고른 것은?

── 보기 ──
ㄱ. ⓐ는 '이익'이다.
ㄴ. ㉠은 포식과 피식이다.
ㄷ. 뿌리혹박테리아와 콩과식물 사이의 상호 작용은 ㉡에 해당한다.

① ㄱ
② ㄷ
③ ㄱ, ㄴ
④ ㄴ, ㄷ
⑤ ㄱ, ㄴ, ㄷ

정답과 해설 38쪽

2020학년도 7월 학평 7번

6 그림 (가)와 (나)는 서로 다른 두 지역에서 일어나는 천이 과정의 일부를 나타낸 것이다. A~C는 초원, 양수림, 지의류를 순서 없이 나타낸 것이다.

(가) 용암 대지 → A → B → 관목림

(나) 호수 → 습지(습원) → B → 관목림 → C

이에 대한 설명으로 옳은 것만을 〈보기〉에서 있는 대로 고른 것은?

— 보기 —
ㄱ. C는 양수림이다.
ㄴ. (가)의 개척자는 지의류이다.
ㄷ. (나)는 습성 천이 과정의 일부이다.

① ㄱ
② ㄴ
③ ㄱ, ㄷ
④ ㄴ, ㄷ
⑤ ㄱ, ㄴ, ㄷ

2020학년도 6월 모평18번

7 그림 (가)와 (나)는 각각 서로 다른 생태계에서 생산자, 1차 소비자, 2차 소비자, 3차 소비자의 에너지양을 상댓값으로 나타낸 생태 피라미드이다. (가)에서 2차 소비자의 에너지 효율은 15 %이고, (나)에서 1차 소비자의 에너지 효율은 10%이다.

(가)   (나)

이 자료에 대한 설명으로 옳은 것만을 〈보기〉에서 있는 대로 고른 것은? (단, 에너지 효율은 전 영양 단계의 에너지양에 대한 현 영양 단계의 에너지양을 백분율로 나타낸 것이다.)

— 보기 —
ㄱ. A는 3차 소비자이다.
ㄴ. ㉠은 100이다.
ㄷ. (가)에서 에너지 효율은 상위 영양 단계로 갈수록 증가한다.

① ㄱ
② ㄷ
③ ㄱ, ㄴ
④ ㄴ, ㄷ
⑤ ㄱ, ㄴ, ㄷ

8 그림은 생태계 평형 유지 과정을 나타낸 것이다.

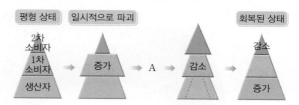

A에서 생산자와 1차 소비자의 개체 수는 어떻게 되는지 쓰시오.

2020학년도 7월 학평 12번

9 그림은 생태계에서 일어나는 질소 순환 과정의 일부를 나타낸 것이다.
이에 대한 설명으로 옳은 것만을 〈보기〉에서 있는 대로 고른 것은?

— 보기 —
ㄱ. 과정 ㉠은 탈질산화 작용이다.
ㄴ. 과정 ㉡에서 동화 작용이 일어난다.
ㄷ. 과정 ㉢은 질소 고정 작용이다.

① ㄱ
② ㄴ
③ ㄱ, ㄷ
④ ㄴ, ㄷ
⑤ ㄱ, ㄴ, ㄷ

10 생물 다양성에 대한 설명으로 옳은 것만을 〈보기〉에서 있는 대로 고른 것은?

— 보기 —
ㄱ. 생물 다양성이 낮을수록 생태계의 평형이 깨지기 쉽다.
ㄴ. 사람의 눈동자 색깔이 다양한 것은 유전적 다양성에 해당한다.
ㄷ. 한 지역에서 종의 수가 일정할 때, 각 종의 개체 수 비율이 균등할수록 종 다양성이 낮다.

① ㄱ
② ㄷ
③ ㄱ, ㄴ
④ ㄴ, ㄷ
⑤ ㄱ, ㄴ, ㄷ

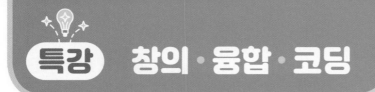
// 세균, 너무 미워하지 말란 말이야~

| 2020학년도 3월 학평 19번 |

다음은 하와이 주변의 얕은 바다에 서식하는 하와이짧은꼬리오징어에 대한 자료이다.

⊙ 하와이짧은꼬리오징어는 주로 밤에 활동하는데, 달빛이 비치면 그림자가 생겨 ⓛ 포식자의 눈에 잘 띄게 된다. 하지만 오징어의 몸에 사는 ⓒ 발광 세균이 달빛과 비슷한 빛을 내면 그림자가 사라져 *포식자에게 쉽게 발견되지 않는다. 이렇게 오징어에게 도움을 주는 발광 세균은 오징어로부터 영양분을 얻는다.

이에 대한 설명으로 옳은 것만을 <보기>에서 있는 대로 고른 것은?

─ 보기 ─
ㄱ. ⊙과 ⓛ은 같은 군집에 속한다.
ㄴ. ⊙과 ⓒ 사이의 상호 작용은 상리 공생이다.
ㄷ. ⓛ을 제거하면 ⊙의 개체군 밀도가 일시적으로 증가한다.

① ㄱ   ② ㄴ   ③ ㄱ, ㄷ   ④ ㄴ, ㄷ   ⑤ ㄱ, ㄴ, ㄷ

4주 특강

특강 군집 내 개체군 사이의 상호 작용

● **군집**: 한 지역에 서식하며 상호 작용하는 여러 개체군이 모여 이루어진 집단

● **군집 내 개체군 사이의 상호 작용**

종간 경쟁		생태적 지위가 비슷한 개체군 사이에는 먹이, 서식지 등에 대한 경쟁이 일어난다. 경쟁·배타 원리: 생태적 지위가 중복될수록 경쟁이 심해지고 경쟁 결과 한 개체군은 살아남고 다른 개체군은 사라진다.
공생	상리 공생	두 개체군이 서로 이익을 얻는 경우 예) 곤충과 꽃, 청소놀래기와 도미, 흰동가리와 말미잘 등
	편리 공생	한 개체군은 이익을 얻지만, 다른 개체군은 이익도 손해도 없는 경우 예) 혹등고래와 따개비 등
기생		두 개체군이 함께 생활할 때, 한 개체군은 이익을 얻지만 다른 개체군은 손해를 보는 경우 예) 기생벌, 촌충, 말라리아 원충, 진드기, 십이지장충 등
포식과 피식		두 개체군 사이의 먹고 먹히는 관계로, 두 개체군의 크기가 주기적으로 변동한다. 예) 눈신토끼와 스라소니, 치타와 가젤, 사마귀와 귀뚜라미, 치타와 톰슨가젤 등
분서 (생태 지위 분화)		생태적 지위가 비슷한 개체군이 같은 지역에 서식하게 될 때 경쟁을 피하기 위해 먹이, 서식지 등을 달리한다. 예) 아메리카솔새, 피라미와 은어 등

용어 * **포식자**: 생태계의 먹이 사슬에서 피식자를 먹는 쪽의 생물

1

그림은 생태계를 구성하는 요소 사이의 상호 관계와 생물 군집 내 **❷ 탄소의 이동**을, 표는 A~C의 예를 나타낸 것이다. A~C는 생산자, 소비자, 분해자를 순서 없이 나타낸 것이다.

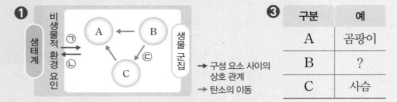

구분	예
A	곰팡이
B	?
C	사슴

이에 대한 설명으로 옳은 것만을 〈보기〉에서 있는 대로 고른 것은?

보기

ㄱ. B는 생산자이다.

ㄴ. 대기 오염의 정도에 따라 지의류의 분포가 달라지는 것은 ㉠에 해당한다.

ㄷ. ㉢ 과정에서 유기물의 형태로 탄소가 이동한다.

---

① ㄱ   ② ㄷ   ③ ㄱ, ㄴ   ④ ㄴ, ㄷ   ⑤ ㄱ, ㄴ, ㄷ

❶ 생태계를 구성하는 요소 사이의 상호 관계 ➡ 작용, 반작용, 상호 작용

- 작용(㉠): 비생물적 요인이 생물적 요인에 영향을 주는 것 ⑩ 대기 오염의 정도에 따라 지의류의 분포가 달라진다.

- 반작용(㉡): 생물적 요인이 비생물적 요인에 형향을 주는 것 ⑩ 지렁이나 두더지는 토양의 통기성을 높인다.

- 상호 작용(㉢): 생물과 생물 사이에서 서로 영향을 주고받는 것 ⑩ 눈신토끼의 수가 증가하면 스라소니의 수도 증가한다.

❷ 탄소의 이동

① 대기나 물속에 존재하는 탄소는 생산자의 광합성을 통해 유기물로 합성된다.

② 유기물의 형태로 탄소가 먹이 사슬을 따라 소비자에게 이동한다.

③ 생물의 호흡으로 유기물이 분해되어 이산화 탄소의 형태로 대기나 물속으로 돌아간다.

④ 생물의 사체 중 분해되지 않은 유기물은 오랜 기간 퇴적되어 화석 연료로 변화되고, 화석 연료는 연소되어 이산화 탄소의 형태로 대기 중으로 돌아간다.

❸ A~C는 생산자, 소비자, 분해자를 순서 없이 나타낸 것이다.

A(곰팡이)는 분해자, C(사슴)는 1차 소비자이다. B에서 C로 탄소가 이동하므로 B는 생산자이다.

답 ⑤

2

2015학년도 10월 학평 11번   생물 간의 상호 작용

그림은 생물 간의 상호 작용 네 가지를 분류하는 과정을 나타낸 것이다.

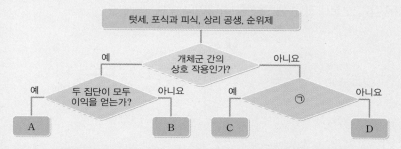

이에 대한 설명으로 옳은 것만을 〈보기〉에서 있는 대로 고른 것은?

┌─ 보기 ─────────────────────
ㄱ. A는 상리 공생이다.
ㄴ. 경쟁·배타 원리가 B에 적용된다.
ㄷ. '힘의 강약에 따라 서열이 정해지는가?'는 ㉠에 해당한다.
└────────────────────────

① ㄱ   ② ㄷ   ③ ㄱ, ㄴ   ④ ㄱ, ㄷ   ⑤ ㄴ, ㄷ

≫ 자료 분석 Tip

텃세, 포식과 피식, 상리 공생, 순위제 중 개체군 간의 상호 작용은 포식과 피식, 상리 공생이다. 포식과 피식, 상리 공생 중 두 집단이 모두 이익을 얻는 것은 상리 공생이므로 A는 상리 공생, B는 포식과 피식이다.

≫ 문제 해결 Tip

이 문제의 핵심은 ㉠에 들어가는 기준을 알아내는 것인데 텃세와 순위제의 차이를 알고 있어야 한다.
텃세: 각 개체가 일정한 서식 공간을 차지하고 다른 개체가 침입하는 것을 막는다.
순위제: 개체들 사이에서 힘의 세기에 따라 서열을 정해 먹이나 배우자를 차지한다.

3

2021학년도 수능 12번   군집 내 상호 작용

다음은 종 사이의 상호 작용에 대한 자료이다. (가)와 (나)는 기생과 상리 공생의 예를 순서 없이 나타낸 것이다.

┌──────────────────────────────
(가) 겨우살이는 다른 식물의 줄기에 뿌리를 박아 물과 양분을 빼앗는다.
(나) 뿌리혹박테리아는 콩과식물에게 질소 화합물을 제공하고, 콩과식물은 뿌리혹박테리아에게 양분을 제공한다.
└──────────────────────────────

이에 대한 설명으로 옳은 것만을 〈보기〉에서 있는 대로 고른 것은?

┌─ 보기 ─────────────────────
ㄱ. (가)는 기생의 예이다.
ㄴ. (가)와 (나) 각각에는 이익을 얻는 종이 있다.
ㄷ. 꽃이 벌새에게 꿀을 제공하고, 벌새가 꽃의 수분을 돕는 것은 상리 공생의 예에 해당한다.
└────────────────────────

① ㄱ   ② ㄷ   ③ ㄱ, ㄴ   ④ ㄴ, ㄷ   ⑤ ㄱ, ㄴ, ㄷ

≫ 자료 분석 Tip

• 두 개체군(겨우살이와 다른 식물)이 함께 생활할 때, 한 개체군(겨우살이)은 이익을 얻지만 다른 개체군(식물)은 손해를 보는 경우는 기생이다.
• 두 개체군(뿌리혹박테리아는 콩과식물)이 서로 이익을 얻는 경우는 상리 공생이다.

≫ 문제 해결 Tip

기생과 상리 공생의 개념을 잘 이해하면 쉽게 풀 수 있다.

상호 작용	종 1	종 2
기생	−	+
상리 공생	+	+

(−: 손해, +: 이익)

4 2017학년도 10월 학평 15번 변형

에너지 흐름과 물질 생산

그림 (가)는 어떤 생태계에서 일어나는 에너지 흐름의 일부를, (나)는 이 생태계의 식물 군집에서 시간에 따른 유기물량을 나타낸 것이다. ⊙과 ⓒ은 각각 호흡량과 총생산량 중 하나이다.

(가)

(나)

이에 대한 설명으로 옳은 것만을 〈보기〉에서 있는 대로 고른 것은?

보기

ㄱ. ⓒ은 호흡량이다.
ㄴ. 에너지 효율은 2차 소비자가 1차 소비자의 2배이다.
ㄷ. 순생산량은 t_1일 때가 t_2일 때보다 크다.

---

① ㄴ ② ㄷ ③ ㄱ, ㄴ ④ ㄱ, ㄷ ⑤ ㄱ, ㄴ, ㄷ

---

❶ 식물 군집에서 시간에 따른 유기물량

- 총생산량: 생산자가 일정 기간 동안 광합성으로 생산한 유기물의 총량
- 호흡량: 식물이 생활에 필요한 에너지를 얻기 위해 호흡의 재료로 소비하는 유기물량
- 순생산량: 총생산량에서 생산자의 호흡으로 사용된 호흡량을 제외한 나머지 유기물량으로, 순생산량에는 피식량, 고사량, 낙엽량, 생장량 등이 포함된다.

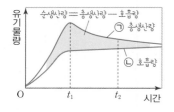

- 총생산량＝호흡량＋순생산량
- 순생산량＝총생산량－호흡량

❷ 에너지 효율

생태계의 한 영양 단계에서 다음 영양 단계로 이동하는 에너지 비율을 말하며, 일반적으로 상위 영양 단계로 갈수록 증가한다.

$$에너지 효율(\%) = \frac{현 영양 단계가 보유한 에너지양}{전 영양 단계가 보유한 에너지양} \times 100$$

답 ⑤

5

2015학년도 10월 학평 3번

물질 순환

그림 (가)와 (나)는 질소 순환 과정과 탄소 순환 과정의 일부를 순서 없이 나타낸 것이다.

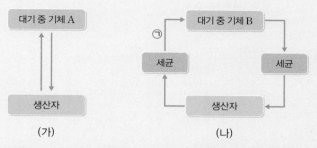

이에 대한 설명으로 옳은 것만을 〈보기〉에서 있는 대로 고른 것은?

─ 보기 ─
ㄱ. A는 이산화 탄소이다.
ㄴ. B는 세균에 의해 NH_4^+이 된다.
ㄷ. ㉠은 질소 동화 작용이다.

① ㄱ ② ㄷ ③ ㄱ, ㄴ ④ ㄴ, ㄷ ⑤ ㄱ, ㄴ, ㄷ

>> 자료 분석 Tip
(가)는 대기 중의 기체 A를 생산자가 광합성을 통해 유기물로 합성하는 과정으로 탄소 순환 과정이며, (나)는 질소 순환 과정이다.

>> 문제 해결 Tip
탄소 순환과 질소 순환을 구분하는 방법은 세균이 관여하는지 여부이다. 대기 중의 질소는 대부분의 생물이 직접 이용할 수 없기 때문에 질소 고정 세균에 의해 NH_4^+ 또는 NO_3^-이 되어 생물에 이용된다.

4
주
특강

6

2019학년도 9월 모평 6번

생물 다양성

다음은 생물 다양성에 대한 학생 A~C의 발표 내용이다.

같은 종의 달팽이에서 껍데기의 무늬와 색깔이 다양하게 나타나는 것은 종 다양성에 해당합니다.

유전적 다양성이 낮은 종은 환경이 급격히 변했을 때 멸종될 확률이 낮습니다.

삼림, 초원, 사막, 습지 등이 다양하게 나타나는 것은 생태계 다양성에 해당합니다.

학생 A 학생 B 학생 C

제시한 내용이 옳은 학생만을 있는 대로 고른 것은?

① A ② C ③ A, B ④ B, C ⑤ A, B, C

>> 자료 분석 Tip
유전적 다양성은 개체들 사이에 나타나는 유전적 변이의 정도이고, 생물 다양성은 한 지역 내 종의 다양한 정도, 생태계 다양성은 사막, 삼림, 습지, 산, 호수, 강, 바다 등 생태계의 다양함을 의미한다.

>> 문제 해결 Tip
종 다양성은 생물종의 다양성이고, 같은 종 내에서 변이는 유전적 다양성이다.

Memo

1등급의 길로 안내하는 친절한 기본서

셀파 과학 시리즈

친절한 개념 정리

교과서 내용을 이해하기 쉽게 정리해
한눈에 들어오는 짜임새 있는 구성
친절한 첨삭을 통해 자기주도학습 가능!

시험 완벽 대비

세미나 코너를 통해
시험에 잘~ 나오는 핵심 개념과
주요 문제를 집중 분석해 풀이비법 제시!

풍부한 학습량

다양한 시각 자료와 풍부한 기출,
단계별 서술형 문제 대비 코너 등
고등학교 과학은 셀파로 마스터!

과학의 셀프 파트너, 셀파! 고1~3(통합과학/물리학/화학/생명과학/지구과학)

정답과 해설
포인트 ③가지

▶ 혼자서도 이해할 수 있는 친절한 문제 풀이

▶ 정답과 오답에 대한 상세한 설명 제시

▶ 자료에 대한 분석 방법을 알고 싶을 때는 자료 해설!

정답과 해설

1일 개념 확인 11쪽

1-1 (1) ❶ 이화, ❷ 동화 (2) 진화
1-2 (1) 생식 (2) 자극에 대한 반응 (3) 적응과 진화
2-1 (1) (나) (2) (나) (3) (가), (나)
2-2 (1) × (2) ○ (3) ○

1-1 (1) 물질대사는 생명체에서 생명을 유지하기 위해 일어나는 모든 화학 반응을 뜻한다. 생명체는 물질대사를 통해 세포의 구성 물질이나 생리 작용을 조절하는 데 필요한 물질을 합성하고, 생명 유지에 필요한 에너지를 얻는다. 물질대사가 진행될 때에는 반드시 에너지가 출입하여 에너지 대사라고도 한다. 저분자 물질을 고분자 물질로 합성하는 동화 작용은 에너지가 흡수되는 흡열 반응이고, 고분자 물질을 저분자 물질로 분해하는 이화 작용은 에너지가 방출되는 발열 반응이다.
(2) 생물이 환경에 적합하게 몸의 구조와 기능, 형태, 습성 등이 변화하는 현상이 적응이고, 적응 과정이 누적되고 집단의 유전적 구성이 변화하여 새로운 종이 나타나는 과정이 진화이다. 진화의 결과 오늘날과 같이 다양한 생물종이 나타나게 되었다. 적응과 진화의 예로는 사막의 선인장(건조한 환경에 적응하여 잎이 가시로 변함), 가랑잎벌레(몸의 형태가 주변의 잎과 비슷하게 변하여 천적으로부터 몸을 보호함) 등이 있다.

1-2 (1) 짚신벌레의 분열법은 단세포 생물의 생식 방법이다. 단세포 생물은 체세포 분열을 통해 두 개의 세포로 나누어져 각각 새로운 개체가 된다.
(2) 빛의 자극에 대해 눈으로 들어오는 빛의 양을 줄이기 위해 동공 축소라는 반응이 일어난 것이다.
(3) 추운 지역에 적응하여 사는 북극여우는 귀의 크기가 작고 몸집이 커 체온을 유지하기에 유리하고, 더운 지역에 적응하여 사는 사막여우는 큰 귀를 통해 열을 발산하여 체온을 조절한다.

2-1 (1) 담배모자이크 바이러스는 세포 구조를 갖추지 않으며, 숙주 세포 밖에서는 단백질 결정체로 존재한다.
(2) 메뚜기(생물)는 세포로 구성되어 있고 독립적으로 물질대사를 한다.
(3) 메뚜기(생물)와 바이러스는 공통적으로 유전 물질인 DNA, RNA와 같은 핵산을 가지고 있다.

2-2 (1) 박테리오파지는 바이러스로 세포 구조를 갖추지 않으므로 세포 분열로 증식하지 않는다. 문제에 제시된 그림처럼 바이러스는 숙주 세포(숙주는 기생당하는 생물을 뜻하는 용어로 여기서 박테리오파지의 숙주는 대장균이다.) 내로 자신

의 유전 물질을 주입한 뒤 숙주의 물질을 이용하여 자신의 유전 물질을 복제하고 단백질 껍질을 만들어 증식한다.
(2) 대장균은 하나의 세포로 이루어진 단세포 생물이다.
(3) 박테리오파지와 대장균은 모두 유전 물질로 핵산(DNA 또는 RNA)을 가지고 있으며, 이는 바이러스의 생물적 특징에 해당한다.

자료 해설 ➕ 박테리오파지의 증식 과정

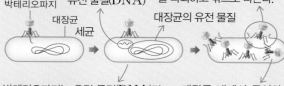

박테리오파지는 유전 물질(DNA)만 대장균 속으로 주입한 후 대장균의 효소를 이용하여 자신의 유전 물질을 복제하고 단백질 껍질을 합성하여 새로운 박테리오파지를 만들어 증식한다.

대장균 내에서 증식하여 만들어진 새로운 박테리오파지

1일 개념 확인 13쪽

3-1 B, C
3-2 (1) × (2) ○ (3) ○
4-1 (1) 연역적 (2) (가) → (다) → (나) → (마) → (라)
4-2 (1) 탄저병 백신 주사 여부 (2) B (3) 변인 통제

3-1 오답 풀이
학생 A: 생명 과학은 생물을 구성하는 물질의 분자 수준에서부터 세포, 조직, 기관, 개체, 개체군, 군집, 생태계까지 다양한 범위의 생명 현상을 연구한다.

3-2 (1) 오늘날 생명 과학은 생명체의 복잡한 시스템과 상호 작용을 전체적으로 이해하기 위해 컴퓨터 공학, 정보 기술 등과 같은 다양한 학문 분야와 통합적으로 발전하고 있다.

4-1 (1) 자연 현상에서 문제를 인식하고 가설을 세워 이를 실험적으로 검증하는 탐구 방법은 연역적 탐구 과정이다.
(2) 연역적 탐구 과정의 순서는 '관찰 및 문제 인식(가) → 가설 설정(다) → 탐구 설계 및 수행(나) → 탐구 결과 정리 및 해석(마) → 결론 도출(라)'이다.

4-2 (1) 변인은 실험에 관계된 요인으로, 독립 변인과 종속변인이 있다. 독립 변인에는 실험의 목적을 위해 변화시키는 조작 변인과 실험하는 동안 일정하게 유지시키는 통제 변인이 있다. 이 실험은 탄저병 백신이 탄저병을 예방하는 효과가 있는지 알아보기 위함이므로 조작 변인은 탄저병 백신의 주사 여부이다.
(2) 탄저병 백신을 주사한 B 집단이 실험군이고, 탄저병 백신을 주사하지 않은 A 집단은 대조군이다.

(3) 실험군과 대조군은 조작 변인 이외에 실험 결과에 영향을 줄 수 있는 다른 모든 조건(통제 변인)을 동일하게 해야 하는데, 이를 변인 통제라고 한다.

1일 기초 유형 연습　14~15쪽

1 ③　　**2** (1) 적응과 진화 (2) 해설 참조　　**3** ㄱ, ㄴ, ㄷ
4 (1) 해설 참조 (2) 해설 참조　　**5** ①　　**6** ③

1 ㄱ. 강아지는 세포로 되어 있고, 강아지 로봇은 부품으로 구성된다.
ㄴ. 강아지와 강아지 로봇은 모두 에너지를 얻어 움직일 수 있다.
　오답 풀이
ㄷ. 강아지와 로봇은 모두 자극을 감지하여 반응하며 소리를 낼 수 있다.

2 (1) 먹이나 서식지의 종류에 따라 귀와 몸집의 크기가 달라지는 것은 환경에 대한 적응과 진화의 결과이다.
(2) 모범 답안 **선인장은 잎이 가시로 변해 건조한 환경에 살기에 적합하다. 사막여우는 귀가 크고 몸집이 작으며, 북극여우는 귀가 작고 몸집이 크다. 눈신토끼는 겨울에 털색이 회색에서 흰색으로 변해 천적으로부터 몸을 보호한다. 등**

3 ㄱ. '세포의 구조를 갖는가?'는 아메바는 해당되고 바이러스는 해당되지 않으므로 (가)에 적합하다.
ㄴ, ㄷ. A는 아메바, B는 고드름이다. 아메바는 단세포 생물로 물질대사를 한다.

4 (1) 조작 변인은 실험의 목적을 위해 변화시키는 변인이고, 종속변인은 조작 변인의 영향을 받아 변하는 변인으로 실험 결과에 해당한다.
　모범 답안 **조작 변인: 병의 입구를 막았는지의 여부, 종속변인: 구더기의 발생 여부**
(2) 모범 답안 **가설을 수정하여 다시 설정한다.**

5 귀납적 탐구 방법에서는 관찰을 통해 일반적인 원리를 도출하며, 연역적 탐구 방법에서는 가설을 설정하고 이를 대조 실험으로 검증한다. 따라서 (가)는 연역적 탐구 방법, (나)는 귀납적 탐구 방법이다.
ㄱ. ㉠은 가설 설정, ㉡은 결론 도출이다.
　오답 풀이
ㄴ. (가)는 연역적 탐구 방법이다.
ㄷ. 대조 실험을 수행하는 탐구 방법은 (가)이다.

6 　오답 풀이
ㄷ. 근대 이전에는 생명 현상을 있는 그대로 관찰하여 기술하는 것을 중요시했으며, 근대 이후 분자 수준의 많은 생명 현상이 화학적, 물리학적 연구를 거쳐 밝혀졌고 이후 생화학, 생물 물리학, 분자 생물학과 같은 통합적 학문으로 발달하였다.

2일 개념 확인　17쪽

1-1 (1) (나) (2) (가) 광합성, 단백질 합성, (나) 세포 호흡, 소화
1-2 (1) (가) (2) (나)
2-1 (1) 이산화 탄소(CO_2)
　　　(2) 체온을 유지한다. 생명 활동에 필요한 ATP를 합성한다.
2-2 (1) (가) ATP, (나) ADP (2) ㉠ (3) ㉡

1-1 (1) (가)는 저분자 물질이 고분자 물질로 합성되는 동화 작용, (나)는 고분자 물질이 저분자 물질로 분해되는 이화 작용이다. 이화 작용 시 에너지가 방출된다.
(2) 광합성은 물과 이산화 탄소가 결합하여 포도당이 생성되는 동화 작용이다. 여러 종류의 아미노산이 결합하여 단백질을 합성하므로 단백질 합성도 동화 작용이다. 세포 호흡은 포도당이 이산화 탄소와 물로 분해되고 에너지가 방출되는 이화 작용이다. 소화 작용은 단백질이 소화 효소에 의해 아미노산으로 분해되거나, 녹말이 소화 효소에 의해 엿당으로 분해되는 과정으로 이화 작용에 해당한다.

1-2 (1) 저분자 물질로부터 고분자 물질을 합성하는 반응은 동화 작용으로 에너지를 흡수하므로 (가)에 해당한다.
(2) 녹말이 엿당으로 분해되는 과정은 이화 작용이다.

2-1 (1) 세포 호흡은 포도당과 산소가 반응해 이산화 탄소와 물로 분해되면서 에너지가 방출되므로 기체 X는 이산화 탄소이다.
(2) 세포 호흡 과정에서 방출된 에너지의 일부는 ATP에 저장되고, 나머지는 열로 방출되어 체온 유지에 이용된다.

2-2 (1) (가)는 아데닌과 리보스에 3개의 인산기가 결합한 화합물로 ATP이고, (나)는 ATP의 끝에 있는 인산기 사이의 고에너지 인산 결합이 끊어져 생성된 ADP이다.
(2) ㉠은 ATP가 ADP로 분해되면서 에너지가 방출되는 반응이고, ㉡은 ADP가 ATP로 합성되는 반응이다.
(3) ㉠ 반응은 온몸의 세포에서 일어나고, ㉡은 주로 미토콘드리아에서 일어난다. 미토콘드리아는 세포 호흡이 일어나는 장소이며, 세포 호흡에서 방출된 에너지의 일부는 ㉡ 과정에 사용되어 ATP가 합성된다. ㉠ 과정에서 ATP의 분해로 방출된 에너지는 물질 합성, 근육 운동, 정신 활동, 발성, 생장 등 다양한 생명 활동에 사용된다.

　자료 해설 ➕　ATP의 합성과 분해

이때 방출된 에너지는 물질 합성, 근육 운동, 정신 활동, 발성, 생장 등 다양한 생명 활동에 사용된다.

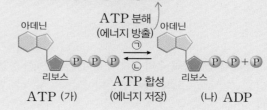

3-1 (1) A: 포도당, B: 아미노산, C: 지방산과 모노글리세리드
(2) 아밀레이스 (3) 소장
3-2 (1) A: 아미노산, B: 지방산과 모노글리세리드 (2) B
4-1 (1) ❶ 폐동맥, ❷ 대동맥 (2) ❶ 확산, ❷ 기체 교환 (3) ㉡
4-2 (1) A: 산소, B: 영양소 (2) A: 호흡계, B: 소화계
(3) 순환계

3-1 (1) 소화 효소에 의해 녹말(탄수화물)은 포도당으로, 단백질은 아미노산으로, 지방은 지방산과 모노글리세리드로 최종 분해된다.
(2) (가)는 녹말이 엿당으로 분해되는 과정으로 녹말 분해 효소인 아밀레이스에 의해 일어난다.
(3) 지방은 소장(나)에서 지방 분해 효소인 라이페이스에 의해 소화된다.

3-2 (1) 단백질은 펩신, 트립신 등의 소화 효소에 의해 아미노산으로, 지방은 라이페이스에 의해 지방산과 모노글리세리드로 최종 분해된다.
(2) 지용성 영양소는 암죽관(㉠)으로, 수용성 영양소는 모세 혈관(㉡)으로 흡수된다.

4-1 (1) ㉠은 심장에서 나가는 혈액이 폐로 이동하는 혈관이므로 폐동맥이고, ㉡은 심장에서 나가는 혈액이 온몸으로 이동하는 혈관이므로 대동맥이다.
(2) 폐에서 폐포와 모세 혈관 사이에서 기체 교환이 일어나 산소는 모세 혈관으로, 이산화 탄소는 폐포로 이동한다. 이때 산소와 이산화 탄소는 각 기체의 분압이 높은 곳에서 낮은 곳으로 분자가 스스로 움직이는 확산 현상에 의해 이동하므로 ATP 에너지를 사용하지 않는다.
(3) 폐동맥에는 정맥혈이 흐르고, 대동맥에는 산소가 풍부한 동맥혈이 흐른다.

자료 해설 ➕ 혈액 순환 경로

폐에서 기체 교환이 일어나 산소(O_2)를 받아들이고 이산화 탄소(CO_2)를 내보낸다.

폐 (가)
폐동맥 ㉠
O_2 적음
CO_2 많음
㉡ 대동맥
O_2 많음
CO_2 적음

4-2 산소는 호흡계를 통해 우리 몸으로 들어와 순환계를 통해 운반되고, 영양소는 소화계에서 흡수되어 순환계를 통해 운반된다.

---

1 ④　2 (1) 해설 참조 (2) Ⅰ　3 ⑤　4 ⑤　5 (1) A에서의 산소 농도 < B에서의 산소 농도 (2) ㄱ, ㄴ　6 (1) A: 산소, B: 영양소 (2) C: 이산화 탄소 (3) 해설 참조

1 ㄱ. 포도당과 O_2를 이용해 ATP를 합성하는 세포 호흡은 미토콘드리아에서 일어난다. ⓐ는 O_2이고, ⓑ는 세포 호흡 결과 발생하는 CO_2이다.
ㄷ. 세포 호흡은 물질 대사 과정으로 효소가 관여한다.
오답 풀이
ㄴ. 폐에서 일어나는 기체 교환은 기체의 분압에 의한 확산으로 일어나는 것으로 에너지가 소모되지 않는다.

2 (1) 고분자인 글리코젠을 분해하여 저분자인 포도당을 생성하는 물질대사 Ⅱ는 이화 작용이다.
모범 답안 Ⅰ, 아미노산은 저분자 물질이고, 단백질은 고분자 물질이므로 아미노산에서 단백질을 합성하는 물질대사 Ⅰ이 동화 작용이다.
(2) 항체의 주성분은 단백질이므로 형질 세포에서 단백질 합성 과정인 Ⅰ이 일어난다.

3 ㄱ. 과정 Ⅰ에서 무기 인산이 들어가고 과정 Ⅱ에서 무기 인산이 빠져 나오므로 ㉠은 ATP, ㉡은 ADP이다.
ㄴ. 미토콘드리아에서 세포 호흡이 일어날 때 ATP가 생성된다(과정 Ⅰ).
ㄷ. 과정 Ⅱ에서 ATP가 ADP와 무기 인산으로 분해되면서 에너지가 방출된다.

4 (가)는 이산화 탄소와 물을 재료로 빛에너지를 흡수하여 포도당을 합성하는 광합성으로 동화 작용이며, (나)는 유기물을 분해하여 생명 활동에 필요한 에너지를 얻는 과정인 세포 호흡으로 이화 작용이다. ATP는 세포 호흡 과정에서 합성된다. 광합성은 식물 세포 내의 엽록체에서 일어나며, 세포 호흡은 주로 미토콘드리아에서 일어난다.

5 (1) 혈액 속 산소 농도는 폐를 거친 B에서가 A에서보다 높다.
(2) 소장에서 흡수된 수용성 영양소(포도당, 아미노산, 수용성 비타민 등)는 혈액을 통해 간을 거쳐 심장으로 이동하며, 지용성 영양소(지방산, 모노글리세리드, 지용성 비타민 등)는 암죽관으로 흡수된 후 간으로 이동하지 않고 림프관을 통해 심장으로 운반된다.

6 (1) 폐포에서 모세 혈관으로 이동하는 A는 산소, 반대로 이동하는 C는 이산화 탄소이다. 모세 혈관에서 조직 세포로 이동하는 B는 영양소이다. 세포 호흡에 필요한 물질은 산소와 영양소이다.
(2) 세포 호흡 결과 발생하는 물질은 물과 이산화 탄소(C)이다.
(3) 모범 답안 A(산소)는 농도가 모세 혈관보다 폐포가 높아서 폐포에서 모세 혈관으로 확산되며, C(이산화 탄소)는 농도가 폐포보다 모세 혈관이 높아서 모세 혈관에서 폐포로 확산된다.

1-1 (1) ○ (2) ○ (3) × (4) ○
1-2 (1) A, 간 (2) 요소, 물
2-1 (1) ❶ B, ❷ C, ❸ A (2) ❶ D, ❷ C
2-2 (1) A: 폐, 기관, 기관지 등 B: 콩팥, 방광 등, C: 위, 소장, 대
    장, 간 등 (2) 산소, 영양소

1-1 탄수화물과 지방은 구성 원소가 탄소(C), 수소(H), 산소(O)
이므로 세포 호흡으로 분해되면 이산화 탄소(CO_2)와 물
(H_2O)이 생성되며, 단백질은 구성 원소가 탄소(C), 수소
(H), 산소(O), 질소(N)이므로, 세포 호흡으로 분해되면 이
산화 탄소(CO_2), 물(H_2O), 암모니아(NH_3)가 생성된다.
(1) ㉠은 지방, 포도당, 아미노산의 분해 과정에서 공통으로
생성되는 물이다.
(2) ㉡은 단백질의 분해 과정에서 생성되는 암모니아(NH_3)
로 독성이 강한 물질이다. 독성이 강한 암모니아는 간에서 독
성이 약한 요소로 전환된 다음, 콩팥에서 오줌으로 배설된다.
(3) ㉢은 간에서 암모니아로부터 합성된 요소이다.
(4) 세포 호흡으로 영양소가 분해되어 생성되는 노폐물(㉠,
㉡, ㉢)은 모두 혈액에 의해 운반된다.

자료 해설 ➕ 노폐물의 생성과 배설

이산화 탄소는 폐를 통해 몸 밖으로 나간다.

물의 일부는 수증기 형태로 폐를 통해 나가고, 대부분은 콩팥에서 오줌의 형태로 나간다.

독성이 강한 암모니아(NH_3)는 간에서 독성이 약한 요소로 전환된
다음, 콩팥에서 오줌으로 배설된다.

1-2 (1) A는 간이다. 간에서 암모니아가 요소로 전환된다.
(2) B는 콩팥이며, 콩팥에서는 요소와 물이 오줌의 형태로
몸 밖으로 배출된다.
2-1 (1) A는 순환계, B는 소화계, C는 호흡계, D는 배설계이다.
(2) 요소는 배설계(콩팥)를 통해, 이산화 탄소는 호흡계(폐)
를 통해 배출된다.
2-2 (1) A는 산소와 이산화 탄소의 기체 교환이 일어나므로 호
흡계, B는 오줌이 생성되므로 배설계, C는 영양소가 흡수되
므로 소화계이다.
(2) ㉠은 순환계에서 조직 세포로 이동하므로 산소와 영양소
이다.

3-1 학생 A, 학생 B, 학생 C
3-2 (1) (가) 고지혈증, (나) 당뇨병, (다) 지방간, (라) 고혈압
    (2) 인슐린
4-1 ❶ 부족, ❷ 증가, ❸ (가)
4-2 학생 B

3-1 대사성 질환은 체내의 물질대사 이상으로 인해 발생하며 대
표적인 예로는 당뇨병이 있다. 비만이나 운동 부족은 대사성
질환의 원인이 될 수 있다.
3-2 (2) 당뇨병은 인슐린이 정상적으로 만들어지지 못하거나, 정
상적으로 기능하지 않아 발생하는 대사성 질환이다.
4-1 (가)는 에너지 소비량이 에너지 섭취량보다 많으므로 (가)
상태가 지속되면 영양 부족이 된다. (나)는 에너지 섭취량이
에너지 소비량보다 많으므로 (나) 상태가 지속되면 체중이
증가한다. 비만인 사람이 적정 체중이 되기 위해서는 에너지
섭취량보다 에너지 소비량을 더 많게 해야 하므로 일정 기간
동안 (가) 상태가 유지되어야 한다.
4-2 학생 A: 움직이지 않고 가만히 있어도 호흡이나 심장 박동
등에 에너지가 소모된다.
학생 C: 다른 조건이 같을 때, 기초 대사량이 높은 사람은 기
초 대사량이 낮은 사람보다 많은 에너지를 소비하므로 비만
이 될 위험이 낮다.

3일 기초 유형 연습 26~27쪽

1 ④   2 (가) ㄱ, (나) ㄷ   3 ⑤   4 ⑤   5 (1) A: 배설계,
B: 호흡계, C: 소화계 (2) ㉡, 이산화 탄소 (3) ㉠, 암모니아
6 해설 참조

1 ㄴ. B는 폐의 날숨과 콩팥을 통해 몸 밖으로 나가므로 물
이다.
ㄷ. C는 콩팥을 통해 몸 밖으로 나가므로 요소이며, 요소는
간에서 생성된다.

오답 풀이
ㄱ. 아미노산은 구성 성분에 질소(N)가 포함되어 있어 분해되면
물, 이산화 탄소 외에 암모니아가 생성된다. 따라서 아미노산은
(나)이다.

2 (가) 이산화 탄소(CO_2)와 물은 탄수화물, 지방, 단백질이 세
포 호흡에 사용될 때 공통적으로 발생하는 물질이고, 요소는
단백질이 세포 호흡에 사용될 때 발생하는 물질이다. 따라서
(가)에 들어갈 분류 기준은 ㄱ이다.
(나) 물과 이산화 탄소는 모두 질소가 포함되어 있지 않다.
따라서 ㄴ은 분류 기준 (나)가 될 수 없다. 물의 일부는 수증
기 형태로 폐(호흡계)를 통해 몸 밖으로 배출되고 대부분은

콩팥을 통해 오줌으로 배출된다. 이산화 탄소는 폐에서 날숨으로 배출된다. 따라서 (나)에 들어갈 분류 기준은 ㄷ이다.

3 ㄱ. ㉠은 호흡계로 들어오는 O_2이고, ㉡은 콩팥을 통해 배출되고 있으므로 요소이다.
ㄴ. O_2와 요소는 모두 순환계를 통해 이동한다.
ㄷ. 미토콘드리아에서 세포 호흡에 O_2가 사용된다.

4 대사성 질환은 물질대사 이상으로 발생하는 질환이다. 고혈압은 대사성 질환에 해당하며 비만은 대사성 질환의 원인이 될 수 있다.

5 (1) A는 배설계, B는 호흡계, C는 소화계이다.
(2) 단백질과 탄수화물에서 공통으로 생성되는 최종 분해 산물은 이산화 탄소이므로 단백질과 탄수화물에 공통으로 존재하는 ㉡이 이산화 탄소이고, ㉠은 암모니아이다. 따라서 호흡계를 통해 배출되는 것은 ㉡이다.
(3) 암모니아(NH_3)는 단백질 분해 산물로 구성 원소에 질소가 포함되어 있다.

6 철수가 섭취한 평균 에너지양은 $1200+560+1500$ $=3260(kcal)$이고, 영수가 섭취한 평균 에너지양은 $1800+290+550=2640(kcal)$이다.

모범 답안 철수, 영수는 섭취한 평균 에너지양(2640 kcal)이 소비한 평균 에너지양(2700 kcal)보다 적은 반면, 철수는 섭취한 평균 에너지양(3260 kcal)이 소비한 평균 에너지양(2700 kcal)보다 많으므로 철수가 영수보다 비만이 될 가능성이 높다.

4일 개념 확인   29쪽

1-1 (1) B, 신경 세포체 (2) C, 축삭 돌기 (3) E, 말이집 (4) D, 랑비에 결절
1-2 (1) C, 운동 뉴런 (2) B (3) A → B → C
2-1 ❶ ATP, ❷ K^+, ❸ Na^+, ❹ K^+, ❺ 음(−), ❻ 양(+)
2-2 (1) Ⅰ (2) Ⅱ (3) Na^+은 세포 밖으로, K^+은 세포 안으로 이동한다.

1-1 A는 가지 돌기, B는 신경 세포체, C는 축삭 돌기, D는 랑비에 결절, E는 말이집이다.

자료 해설 ➕ 뉴런의 구조

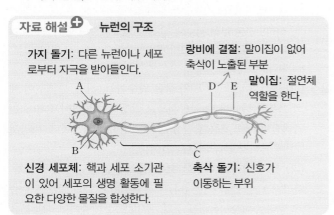

가지 돌기: 다른 뉴런이나 세포로부터 자극을 받아들인다.
랑비에 결절: 말이집이 없어 축삭이 노출된 부분
말이집: 절연체 역할을 한다.
신경 세포체: 핵과 세포 소기관이 있어 세포의 생명 활동에 필요한 다양한 물질을 합성한다.
축삭 돌기: 신호가 이동하는 부위

1-2 A는 구심성 뉴런으로 감각 뉴런이고, B는 연합 뉴런, C는 원심성 뉴런인 운동 뉴런이다.

2-1 휴지 전위일 때(뉴런이 자극을 받지 않을 때)는 세포막 안쪽보다 바깥쪽에 상대적으로 양이온이 많아 안쪽은 음(−)전하, 바깥쪽은 양(+)전하를 띤다.

2-2 (1) 세포 밖은 Na^+ 농도가 세포 안보다 높고, 세포 안은 K^+ 농도가 세포 밖보다 높으므로 Ⅰ은 세포 밖, Ⅱ는 세포 안이다.
(2) 분극 상태일 때는 세포 안(Ⅱ)이 세포 밖(Ⅰ)보다 상대적으로 음전하를 띤다.
(3) A는 Na^+-K^+ 펌프이다. Na^+-K^+ 펌프는 ATP를 소비하여 Na^+은 세포 밖으로, K^+은 세포 안으로 이동시킨다.

4일 개념 확인   31쪽

3-1 (1) −70 (2) ❶ 밖, ❷ 안, ❸ 상승 (3) ❶ 안, ❷ 밖, ❸ 하강
3-2 (1) t_1일 때 Na^+ 막 투과도 > t_2일 때 Na^+ 막 투과도
(2) ❶ 탈분극, ❷ 재분극, ❸ 분극 (3) ❶ 확산, ❷ 능동 수송
3-3 (1) A (2) B
3-4 (1) ❶ Na^+, ❷ K^+ (2) 탈분극, 재분극

3-1 (1) 분극 상태에서 막전위는 −70 mV이며, 분극 상태의 막전위를 휴지 전위라고 한다.
(2) 탈분극 상태에서는 Na^+ 통로가 열리면서 Na^+이 세포 밖에서 세포 안으로 확산되어 들어오며 막전위가 상승한다.
(3) 재분극 상태에서는 Na^+ 통로가 닫히고 K^+ 통로가 열리면서 K^+이 세포 안에서 밖으로 확산되어 나가며 막전위가 하강한다.

3-2 (1) t_1 시기는 탈분극 시기로 Na^+의 막 투과도가 증가하고, t_2 시기는 재분극 시기로 Na^+의 막 투과도가 감소한다.
(2)~(3) t_1일 때는 Na^+이 Na^+ 통로를 통해 세포 안으로 확산되어 유입되면서 탈분극이 일어나며, t_2일 때는 K^+가 K^+ 통로를 통해 세포 밖으로 확산되어 재분극되는 상태이다. t_3일 때는 분극 상태로 이때는 Na^+-K^+ 통로를 통해 Na^+이 세포 밖으로 능동 수송된다.

3-3 (2) (가)의 구간 A는 분극, B는 탈분극, C는 재분극 상태이다. (나)는 분극(A)일 때의 이온 이동 상태이다. 탈분극(구간 B)이 일어날 때 Na^+은 ㉠을 통해 세포 밖에서 세포 안으로 이동한다.

3-4 (1) 뉴런에 역치 이상의 자극을 주면 Na^+ 통로가 열려 Na^+의 막 투과도가 높아진다. 막전위가 최고점에 이르면 Na^+ 통로는 닫혀 Na^+의 막 투과도는 낮아지고, K^+ 통로가 열려 K^+의 막 투과도는 높아진다.
(2) 구간 Ⅰ에서는 Na^+ 통로가 열려 Na^+이 세포 안으로 유입되어 탈분극이 일어나고, 구간 Ⅱ에서는 Na^+ 통로는 닫히고, K^+ 통로가 열려 K^+이 유출되어 재분극이 일어난다.

1 ②   **2** ④   **3** ⑤   **4** (1) 탈분극 (2) 해설 참조 (3) 해설 참조   **5** (1) 구간 Ⅰ, Ⅱ (2) ❶ Na^+, ❷ K^+, ❸ 밖   **6** (1) 높음
(2) 해설 참조

1 ㄴ. 연합 뉴런은 뇌와 척수를 구성한다.

오답 풀이

ㄱ. A는 신경 세포체가 축삭 돌기 옆에 있으므로 구심성 뉴런(감각 뉴런), B는 연합 뉴런, C는 원심성 뉴런(운동 뉴런)이다.
ㄷ. ㉠은 축삭 돌기 말단이다.

2 ㄴ. ㉡(축삭 돌기)이 말이집으로 둘러싸여 있으므로 이 신경은 말이집 신경이다.
ㄷ. 신경 세포체는 핵과 여러 가지 세포 소기관이 있어 물질 대사가 활발히 일어난다.

오답 풀이

ㄱ. ㉠은 가지 돌기이다.

3 ㄴ. (나)는 말이집이 없는 민말이집 신경이다.
ㄷ. 흥분의 전달 방향은 (다) → (나) → (가)이다.

오답 풀이

ㄱ. (가)는 운동 뉴런(원심성 뉴런), (나)는 연합 뉴런, (다)는 감각 뉴런(구심성 뉴런)이다.

4 (1) t_1일 때는 Na^+의 막 투과도가 증가하고 있으므로 Na^+이 세포 안으로 유입되어 탈분극이 일어난다.
(2) 모범 답안 K^+ 통로가 열려 K^+이 세포 밖으로 확산된다.
(3) 모범 답안 Na^+-K^+ 펌프를 통해 Na^+은 세포 밖으로, K^+은 세포 안으로 이동한다.

5 (1) Na^+-K^+ 펌프는 세포 호흡을 통해 ATP가 공급되는 한 계속 작동한다.
(2) Na^+ 통로가 닫히고 K^+ 통로가 열려 K^+이 세포 밖으로 확산되어 막전위가 하강한다.

6 (1) K^+ 농도는 항상 세포 안이 세포 밖보다 높다.
(2) 모범 답안 구간 Ⅱ, (나)는 세포막의 이온 통로 중 Na^+ 통로는 닫혀 있고 K^+ 통로가 열려 K^+이 세포 안에서 세포 밖으로 유출되므로 재분극 상태이다. 따라서 (가)의 구간 Ⅱ에 해당한다.

1-1 (1) 랑비에 결절 (2) C (3) ❶ 분극, ❷ K^+, ❸ Na^+
1-2 (1) d_2: 과분극, d_3: 탈분극, d_4: 분극 (2) X
2-1 (1) (가) (2) 뉴런 B → 뉴런 A
2-2 (1) ❶ A, ❷ C (2) ❶ C, ❷ 축삭 돌기 ❸ 축삭 돌기 ❹ 가지 돌기

1-1 (1) A, B, C는 축삭이 말이집으로 싸여 있지 않은 랑비에 결절 부위이다.

(2) 흥분은 A → B → C로 전도된다. 따라서 B의 흥분은 C로 전도되어 C에 탈분극을 일으킨다.
(3) K^+ 농도는 세포 밖보다 안쪽이 더 높고, Na^+ 농도는 세포 안보다 밖이 더 높다.

1-2 (1) d_2는 막전위가 -80 mV이므로 과분극, d_3는 막전위가 $+35$ mV이므로 탈분극, d_1과 d_4는 막전위가 -70 mV이므로 분극 상태이다.
(2) 활동 전위는 '분극 → 탈분극 → 재분극 → 과분극 → 분극'의 순서로 일어난다. 따라서 시간적으로 과분극 상태인 d_2에서 탈분극 상태인 d_3로 흥분이 전도되었음을 알 수 있다. 즉 자극을 준 지점은 X이며, 흥분은 X에서 Y 방향으로 이루어졌다.

2-1 (1) 시냅스에서의 흥분 전달(나)은 화학 물질의 확산에 의해 일어나므로 흥분의 전기적 전도(가)보다 속도가 느리다.
(2) 시냅스에서는 신경 전달 물질에 의해 화학적 신호가 전달되어 흥분이 전달된다. 따라서 뉴런 B에서 뉴런 A로 흥분이 전달된다.

2-2 시냅스에서의 흥분 전달은 시냅스 이전 뉴런의 축삭 돌기 말단에서 시냅스 이후 뉴런의 가지 돌기나 신경 세포체 쪽으로만 일어난다.

3-1 (1) 근육 원섬유 (2) ❶ 액틴, ❷ 마이오신 (3) 줄어든다
3-2 (1) 수축하여 짧아진다. (2) 변하지 않는다. (3) H대, I대
4-1 (1) 액틴 필라멘트 (2) ❶ 액틴, ❷ 마이오신, ❸ 짧아진다, ❹ (가), ❺ (나)
4-2 (1) H대 (2) 2.4 μm (3) t_1일 때 A대의 길이 $=$ t_2일 때 A대의 길이

3-1 (1) 골격근은 여러 개의 근육 섬유로 이루어져 있고, 각각의 근육 섬유는 여러 개의 근육 원섬유로 이루어져 있다.
(3) 골격근이 수축하면 H대의 길이는 줄어든다.

3-2 (1) 근육 ㉠은 팔을 구부렸을 때 수축하여 길이가 짧아진다.
(2), (3) 근육이 수축할 때 A대(마이오신 필라멘트) 자체의 길이는 변하지 않으며, 액틴 필라멘트가 마이오신 필라멘트 사이로 미끄러져 들어가므로 H대와 I대의 길이는 짧아진다.

4-1 (가)는 근육 원섬유 마디가 짧아지므로 근육이 수축할 때이고, (나)는 근육 원섬유 마디가 길어지므로 근육이 이완할 때이다.

4-2 (1) ㉠은 마이오신 필라멘트만 있는 부분이므로 H대이다.
(2) t_1일 때보다 t_2일 때 ㉡의 길이가 짧은 것으로 보아 t_2일 때가 근수축이 일어났을 때이다. 근 수축 시 ㉡의 길이가 0.2 μm 줄었으므로 X의 길이는 2$\times$㉡=0.4 μm 감소한다. 따라서 t_1일 때 X의 길이는 2.0 μm + 0.4 μm = 2.4 μm이다.

(3) A대(마이오신 필라멘트)의 길이는 변하지 않으므로 t_1일 때와 t_2일 때 A대의 길이는 같다.

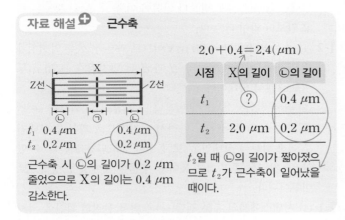

자료 해설⊕ 근수축

$$2.0 + 0.4 = 2.4(\mu m)$$

시점	X의 길이	㉢의 길이
t_1	?	$0.4\,\mu m$
t_2	$2.0\,\mu m$	$0.2\,\mu m$

t_1 $0.4\,\mu m$ $0.4\,\mu m$
t_2 $0.2\,\mu m$ $0.2\,\mu m$

근수축 시 ㉢의 길이가 $0.2\,\mu m$ 줄었으므로 X의 길이는 $0.4\,\mu m$ 감소한다.

t_2일 때 ㉢의 길이가 짧아졌으므로 t_2가 근수축이 일어났을 때이다.

5일 기초 유형 연습　　38~39쪽

1 (1) 해설 참조 (2) $-70\,mV$ **2** (가) 증가한다. (나) 증가한다. (다) 변함없다. **3** ③ **4** d_1 **5** (1) ㉠, ㉢, ㉣ (2) ㉡ **6** ④

1 (1) **모범 답안** A, t일 때 A의 Q 지점에서 측정한 막전위는 $-80\,mV$로 과분극 상태이고 B의 Q 지점에서 측정한 막전위는 $+30\,mV$로 탈분극 상태이므로 흥분 전도 속도는 A에서가 B에서보다 빠르다.
(2) 흥분 전달은 축삭 돌기 말단에서 신경 세포체나 가지 돌기로 이동하므로 C의 Q 지점으로 흥분이 전달되지 않는다. 따라서 ㉠은 분극 상태이므로 막전위는 $-70\,mV$이다.

2 자극이 강할수록 활동 전위의 발생 빈도는 증가하고, 신경 전달 물질의 분비량은 증가하나 활동 전위의 크기는 변함 없다.

3 ㄱ. (가)는 말이집 신경으로 도약 전도가 일어난다.
ㄴ. ㉠은 탈분극 과정으로 A(Na^+ 통로)를 통해 Na^+이 유입된다.
오답 풀이
ㄷ. ㉡은 재분극 과정으로 B(K^+ 통로)를 통해 K^+이 세포막 밖으로 확산되어 나가므로 ATP가 소모되지 않는다.

4 d_1에서는 흥분의 전도로 인해 그림 (나)와 같은 막전위 변화가 생긴다. 반면 흥분의 전달은 신경절 이전 뉴런의 축삭 돌기 말단에서 신경절 이후 뉴런의 가지 돌기나 신경 세포체로의 한 방향으로만 일어나므로 그림의 왼쪽 뉴런(신경절 이후 뉴런)에서 오른쪽 뉴런(신경절 이전 뉴런)으로는 흥분이 전달되지 않는다. 따라서 d_3에서는 그림 (나)와 같은 막전위 변화가 나타나지 않는다.

5 (1), (2) 근수축이 일어날 때는 액틴 필라멘트가 마이오신 사이로 미끄러져 들어가므로 근육 원섬유 마디(㉣), I대(㉠), H대(㉢)의 길이가 짧아진다. 그러나 마이오신으로 이루어진 A대(㉡)의 길이는 변화 없다.

6 ㄱ. A는 골격근이다.
ㄴ. ⓐ는 굵은 마이오신 필라멘트이다.
오답 풀이
ㄷ. ㉠은 액틴 필라멘트와 마이오신 필라멘트가 겹치는 부위, ㉡은 I대이다. 근육 B에서 ㉠+㉡의 길이는 액틴 필라멘트의 길이이므로 근육의 수축과 이완 시 변화가 없다.

1주 누구나 100점 테스트　　40~41쪽

1 ② **2** ⑤ **3** ④ **4** ㄴ **5** 해설 참조 **6** ③
7 ④ **8** ㄱ, ㄷ **9** (1) (나) (2) $1.4\,\mu m$ **10** 해설 참조

1 (가)는 발생과 생장, (나)는 적응과 진화에 대한 예이다.

2 ㄴ. (나)는 연역적 탐구 방법으로 대조 실험을 해야 한다.
ㄷ. (가)는 관찰 결과를 종합하고 분석하여 결론을 이끌어내는 귀납적 탐구 방법이다.
오답 풀이
ㄱ. ㉠은 관찰 및 문제 인식 단계이다.

3 학생 B, C: 물질대사 이상으로 발생하는 질환을 대사성 질환이라고 하며, 고지혈증은 대사성 질환에 해당한다.
오답 풀이
학생 A: 생명 활동을 유지하는 데 필요한 최소한의 에너지양은 기초 대사량이다.

4 ㄴ. ㉠은 세포 호흡에 필요한 물질인 산소(O_2)이고, ㉡은 세포 호흡 결과 발생하는 이산화 탄소(CO_2)이다.
오답 풀이
ㄱ. ⓐ는 고분자 물질(녹말)이 저분자 물질(포도당)로 분해되는 이화 작용이다.
ㄷ. 세포 호흡에 의해 방출된 에너지 중 일부만 ATP에 저장되고 나머지는 열로 방출된다.

5 **모범 답안** 호흡계로 들어온 ㉠(O_2)은 순환계를 통해 조직 세포로 이동하고 조직 세포에서 세포 호흡에 이용된다.

6 ㄱ. (가)는 감각 뉴런(구심성 뉴런), (나)는 연합 뉴런, (다)는 운동 뉴런(원심성 뉴런)이다.
ㄴ. 연합 뉴런은 뇌, 척수와 같은 중추 신경계를 구성한다.
오답 풀이
ㄷ. 축삭 돌기에서의 흥분 전도 속도가 시냅스에서의 흥분 전달 속도보다 빠르다.

7 X는 세포 안보다 밖에서의 농도가 높은 Na^+이고, Y는 세포 밖보다 안에서의 농도가 높은 K^+이다.
ㄴ, ㄷ. t_1은 탈분극 상태로 Na^+이 세포 내로 유입되며, t_2에서는 재분극이 일어나고 있다.
오답 풀이
ㄱ. Na^+-K^+ 펌프는 에너지(ATP)를 소모하여 Na^+(X)은 세포 밖으로, K^+(Y)는 세포 안으로 운반한다.

8 ㄱ. A는 시냅스 전 뉴런의 축삭 돌기 말단, B는 시냅스 후 뉴런의 세포막, C는 신경 전달 물질이다.

ㄷ. 흥분이 축삭 돌기 말단에 도달하면 시냅스 소포에서 시냅스 틈으로 신경 전달 물질이 분비되어 다음 뉴런의 세포막을 탈분극시킨다.

오답 풀이

ㄴ. 흥분은 A → B 방향으로 전달된다.

9 (1) 팔을 구부렸을 때 근육 ⊙은 수축한다. 표에서 근육 원섬유 마디 X의 I대가 (가) 시기보다 (나) 시기가 짧으므로 (나) 시기가 근육이 수축했을 때이다.

(2) A대는 수축과 이완 시 길이 변화가 없으므로 @의 길이는 (나)와 같은 $1.4 \ \mu m$이다.

10 모범 답안 A대의 길이는 변하지 않고, I대와 H대의 길이는 짧아진다.

창의 · 융합 · 코딩

43~47쪽

정답 ③

다음은 대사성 질환에 대해 조사한 자료의 일부가 지워진 것이다.

• 대사성 질환은 오랜 기간 영양 과잉이나   ⊙   부족 등으로 에너지의 불균형이 지속되는 경우 나타난다.

• 대사성 질환의 종류로는 지방간,   ⓒ   , 고지혈증 등이 있다. ❶

• 규칙적으로 운동을 하면 몸의 근육이 발달하고 ⓒ 기초 대사량이 높아져 대사성 질환을 예방할 수 있다. ❷

이에 대한 설명으로 옳은 것만을 〈보기〉에서 있는 대로 고른 것은?

보기
ㄱ. '운동'은 ⊙에 해당될 수 있다.
ㄴ. '고혈압, 당뇨병'은 ⓒ에 해당될 수 있다.
ㄷ. ⓒ은 하루 동안 활동하는 데 필요한 모든 에너지양을 의미한다.

① ㄴ   ② ㄷ   ③ ㄱ, ㄴ
④ ㄱ, ㄷ   ⑤ ㄱ, ㄴ, ㄷ

❶ 대사성 질환의 종류를 알고 암기하고 있어야 한다.
❷ 기초 대사량, 활동 대사량, 1일 대사량 등의 정의를 알고 있어야 한다.

❶ 대사성 질환의 종류에는 고혈압, 당뇨병, 고지혈증, 지방간 등이 있다.

❷ 기초 대사량은 생명을 유지하기 위해 필요한 최소한의 에너지양을 의미한다.

ㄱ. 대사성 질환은 과도한 영양 섭취, 운동 부족 등으로 에너지 불균형이 지속된 결과 발생한다. 따라서 '운동'은 ⊙에 해당된다.

1 ④   **2** ④   **3** ②   **4** ③   **5** ②   **6** ①

---

1 ㄴ. 관찰 사실로부터 문제를 인식하고 그에 대한 잠정적 결론인 가설을 세우고 대조 실험을 통해 검증하는 과정을 거쳤으므로 이 탐구에는 연역적 탐구 방법이 이용되었다.

ㄷ. 환경에 적응한 생물이 생존에 유리한 것은 생물의 특성 중 적응과 진화의 예에 해당한다.

오답 풀이

ㄱ. 서식 환경과 비슷한 털색을 갖는 생쥐가 생존에 유리하다고 결론을 내렸고, A에서 ⊙이 ⓒ보다 포식자로부터 더 많은 공격을 받았으므로 A는 흰색 모래 지역이다.

2 ④ 박테리아가 돌연변이를 통해 환경의 변화(=항생제 투여)에 적응한 것으로 생명 현상의 특성 중 적응과 진화에 해당하며, 살충제를 사용한 후 저항성이 생긴 바퀴벌레가 나타나는 것은 살충제 사용이라는 환경 변화에 저항성이 생긴 바퀴벌레가 출현한 것이므로 생명 현상의 특성 중 적응과 진화에 해당한다.

오답 풀이

①은 생식, ②는 자극에 대한 반응, ③은 물질대사(이화 작용), ⑤는 항상성에 해당한다.

3 학생 B: 생명 과학의 연구 성과는 삶과 환경을 개선하고 인류 복지 향상에 기여한다.

오답 풀이

학생 A: 생명 과학의 연구 대상에는 분자 수준도 포함된다.
학생 C: 생명 과학은 화학 분야와 물리학 분야뿐 아니라 다양한 학문과 연계된다.

4 학생 A: 세포 호흡은 물질대사 중 이화 작용에 해당한다.
학생 B: 식물은 광합성을 통해 빛에너지를 포도당의 화학 에너지로 저장한다.

오답 풀이

학생 C: 1분자당 저장된 화학 에너지는 ATP가 ADP보다 많다.

5 $Na^+ - K^+$ 펌프는 ATP를 소모하여 이온을 이동시킨다. 세포 안에는 K^+이, 세포 밖에는 Na^+ 이온이 더 많이 분포한다.

6 학생 A: 근육이 수축할 때 두 필라멘트의 길이는 변하지 않는다.

오답 풀이

학생 B: ⊙은 A대로, 근수축 시 길이의 변화가 없다.
학생 C: 근육 섬유는 여러 개의 세포가 합쳐진 것으로, 핵이 여러 개 있는 다핵 세포이다.

2주 Ⅲ. 항상성과 몸의 조절

1^일 개념 확인 53쪽

1-1 (1) A: 대뇌, B: 간뇌, C: 중간뇌, D: 소뇌, E: 연수 (2) A
(3) B (4) C
1-2 (1) 회색질, 속질, 백색질, 겉질 (2) 후근, 감각 신경, 전근, 운동 신경
2-1 (1) ㉠ 연합 뉴런, ㉡ 운동 뉴런 (2) 전근 (3) 척수
2-2 (1) × (2) ○ (3) ○

1-1 (2) 대뇌는 추리, 기억, 상상, 언어 등 고등 정신 활동과 감각 및 운동의 중추 역할을 한다.
(3) 간뇌에는 시상과 시상 하부가 있는데, 시상은 척수나 연수로부터 오는 자극을 대뇌에 전달하는 역할을 하고, 시상 하부는 자율 신경 조절 중추로 체내의 항상성 유지에 중요한 역할을 한다.
(4) 중간뇌는 자극의 전달 통로 역할을 하며 소뇌와 함께 몸의 평형을 조절하고, 안구 운동과 홍채 작용을 조절한다.

자료 해설 ➕ 대뇌

간뇌: 자율 신경의 최고 중추, 항상성 유지
B

대뇌: 고등 정신 A
활동, 감각과 수
의 운동의 중추

C 중간뇌: 안구 운동과 홍채의 크기 조절

연수: 심장 박동, 호흡 E
및 소화 운동 조절

D 소뇌: 수의 운동 조절과 몸의 평형 유지

1-2 (1) 척수는 대뇌와 반대로 겉질은 백색질, 속질은 회색질이다.
(2) 등 쪽으로 감각 신경 다발이 모인 후근이, 배 쪽으로 운동 신경 다발인 전근이 연결되어 있다.

자료 해설 ➕ 척수의 구조

연합 뉴런(중추 신경)
겉질—백색질
B
등 쪽
C 후근
감각 뉴런
(구심성 뉴런)
속질—회색질 A
배 쪽
D
전근
운동 뉴런(원심성 뉴런)

2-1 (1) ㉠은 척수를 이루는 연합 뉴런이며, ㉡은 골격근에 연결되어 있는 운동 신경(체성 신경)이다. 운동 신경과 감각 신경의 구분은 신경 세포체의 위치로 확인할 수 있다.

(3) 회피 반사의 조절 중추는 척수이다.

자료 해설 ➕ 무조건 반사

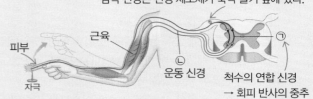

감각 신경은 신경 세포체가 축삭 돌기 옆에 있다.

근육
피부
㉠
㉡
운동 신경
척수의 연합 신경
→ 회피 반사의 중추
자극

회피 반사의 경로: 자극(압핀의 날카로움) → 감각기(피부) → 감각 신경 → 척수의 연합 신경(㉠) → 운동 신경(㉡) → 반응기(근육) → 반응(급히 손을 뗌)

2-2 (1) 무릎 반사의 경로는 감각 뉴런(C) → 척수의 연합 뉴런(B) → 운동 뉴런(A)이다.
(2) 고무망치에 의한 자극은 대뇌로도 전달되어 망치가 닿은 느낌을 느낀다.
(3) 무조건 반사의 경로는 대뇌를 거치지 않으므로 의식적인 반응의 경로보다 짧아서 위험에 즉각적으로 반응할 수 있어 몸을 보호하는 데 유리하다.

1^일 개념 확인 55쪽

3-1 (1) A: 체성 신경, B: 부교감 신경, C: 교감 신경 (2) ㉠
3-2 (1) 길항 작용 (2) ㉠ 교, ㉡ 교
4-1 (1) A (2) D (3) C (4) B
4-2 (1) (가) 부교감 신경, (나) 교감 신경 (2) A: 아세틸콜린, B: 노르에피네프린 (3) 소화 작용이 촉진된다.

3-1 (1) 신경절 이전 뉴런이 긴 B는 부교감 신경, C는 교감 신경이다. 따라서 A는 체성 신경이다.
(2) '대뇌의 지배를 받는가?'는 체성 신경계에만 적용되는 내용으로 (가)에 적합하다.
3-2 (2) 달리기와 같은 운동을 할 때 심장 박동과 호흡 운동이 촉진되는 것은 교감 신경이 활성화되기 때문이고, 스트레스를 받아 소화가 잘 되지 않는 것도 교감 신경이 활성화되어 소화액 분비가 억제되고 위 운동이 억제되기 때문이다.
4-1 (1) 구심성 신경(감각 신경)은 한 개의 뉴런으로 되어 있으며, 축삭 돌기 중간에 신경 세포체가 위치한다. 따라서 A가 구심성 신경이다. A는 척수를 거치지 않고 뇌로 바로 감각이 전달되므로 얼굴에 있는 눈, 코, 귀와 같은 감각 기관에 연결된 감각 신경이다.
(2) 체성 운동 신경은 한 개의 뉴런으로 구성되며 골격근에 분포하여 의지에 따라 몸을 움직이게 한다.

(3) 교감 신경은 신경절 이전 뉴런이 짧고, 부교감 신경(C)은 신경절 이전 뉴런이 길다. 그러므로 신경절 이전 뉴런이 긴 B는 부교감 신경, 신경절 이전 뉴런이 짧은 C는 교감 신경이다.

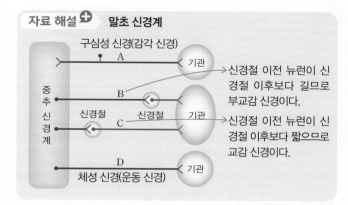

4-2 (1) 교감 신경은 신경절 이전 뉴런이 신경절 이후 뉴런보다 짧고, 부교감 신경은 신경절 이전 뉴런이 신경절 이후 뉴런보다 길다. 따라서 (가)는 부교감 신경, (나)는 교감 신경이다.
(2) 부교감 신경의 신경절 이전 뉴런 말단에서는 아세틸콜린이, 교감 신경의 신경절 이후 뉴런 말단에서는 노르에피네프린이 분비된다.
(3) 교감 신경(나)이 흥분하면 소화 작용이 억제되고, 부교감 신경(가)이 흥분하면 소화 작용이 촉진된다. 교감 신경과 부교감 신경은 같은 기관에 대해 서로 반대되는 길항 작용을 하여 기능을 조절한다.

1ᵉ 기초 유형 연습 56~57쪽

1 ③   **2** (1) A → B → C → D → E   (2) A → F → E
3 ②   **4** ④   **5** (1) 신경 X: 부교감 신경, 신경 Y: 교감 신경
(2) 모두 아세틸콜린이 분비된다.   (3) 방광이 이완한다.   **6** ③

1 A는 대뇌, B는 간뇌, C는 소뇌이다.
ㄱ. 대뇌의 겉질은 회색질, 속질은 백색질이다.
ㄷ. 소뇌와 중간뇌는 몸의 평형 유지에 관여한다.
오답 풀이
ㄴ. B는 간뇌이다.
2 (1) 피부 감각기에서 받아들인 자극이 대뇌로 전달되어 대뇌의 명령에 의해 이루어지는 반응이다.
(2) 피부 감각기에서 받아들인 자극이 척수로 전달되어 대뇌로 가기 전에 척수의 명령으로 반응이 일어난 것이다.

3 (가)는 척수, ㉠은 감각 신경, ㉡은 운동 신경이다.
ㄷ. ㉡의 신경 세포체는 척수(가)의 회색질(속질)에 있다.
오답 풀이
ㄱ. 감각 신경(㉠)은 자율 신경계에 속하지 않는다.
ㄴ. 운동 신경(㉡)은 척수(가)의 전근을 이룬다.
4 ㄴ. 배뇨 반사를 조절하는 중추 신경계 B는 척수이다. 척수의 속질은 회색질, 겉질은 백색질이다.
ㄷ. 안구 운동과 동공의 크기를 조절하는 중추 신경계 C는 중간뇌이다. 중간뇌는 소뇌와 더불어 몸의 평형을 조절하는 역할을 한다.
오답 풀이
ㄱ. 심장 박동을 조절하는 중추 신경계 A는 연수이다.
5 (1) 교감 신경은 신경절 이전 뉴런이 신경절 이후 뉴런보다 짧고, 부교감 신경은 신경절 이전 뉴런이 신경절 이후 뉴런보다 길다. 따라서 신경 X는 부교감 신경, 신경 Y는 교감 신경이다.
(2) ㉠은 부교감 신경 말단이므로 아세틸콜린이 분비되며, ㉡은 교감 신경의 신경절 이전 신경이므로 역시 아세틸콜린이 분비된다.
(3) 교감 신경이 흥분하면 방광은 이완한다.
6 ㄱ. 홍채의 크기를 조절하는 중추 신경계는 중뇌이다.
ㄷ. C는 골격근에 연결된 운동 뉴런이다. 골격근에 연결된 운동 뉴런은 체성 신경계에 속한다.
오답 풀이
ㄴ. B는 심장에 연결된 교감 신경의 신경절 이후 뉴런이므로 B의 축삭 돌기 말단에서 분비되는 신경 전달 물질은 노르에피네프린이다.

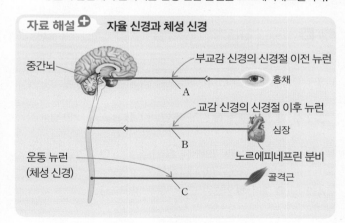

2ᵉ 개념 확인 59쪽

1-1 (1) 뇌하수체 전엽   (2) ㉡   (3) 수용체
1-2 (1) ㉠: (가), ㉡: (나)   (2) ❶ 뉴런, ❷ 좁다, ❸ 혈액, ❹ 넓다
2-1 (1) 뇌하수체   (2) ㄹ
2-2 (1) A: 인슐린, B: 항이뇨 호르몬, C: 티록신   (2) 간   (3) B

1-1 (1) 생장 호르몬이 분비되는 곳은 뇌하수체 전엽이다.

(2) 생장 호르몬이 세포 ⓒ의 수용체에 결합하므로, 세포 ⓒ이 생장 호르몬의 표적 세포이다.

(3) 특정 호르몬은 종류에 맞는 수용체를 가진 표적 세포에 결합하여 작용한다.

1-2 (1) (가)는 신경계, (나)는 내분비계의 작용이다.

(2) 신경은 뉴런을 통해 흥분이 빠르게 전달되어 신속하게 작용하는 반면, 작용 범위가 좁고 효과가 일시적이다. 호르몬은 혈액으로 분비되어 온몸을 순환하다가 특정 수용체가 있는 세포에만 작용하고, 넓은 범위에 걸쳐 효과가 비교적 오래 지속된다.

2-1 (1) 생장 호르몬, 갑상샘 자극 호르몬, 생식샘 자극 호르몬, 항이뇨 호르몬은 뇌하수체에서 분비된다.

(2) 뇌하수체 전엽에서는 갑상샘 자극 호르몬, 뇌하수체 후엽에서는 항이뇨 호르몬, 갑상샘에서는 티록신, 이자에서는 인슐린과 글루카곤이 분비된다.

2-2 (1) 당뇨병은 인슐린 분비가 잘 일어나지 않을 때, 요붕증은 항이뇨 호르몬 분비가 잘 일어나지 않을 때, 그리고 갑상샘 기능 저하증은 티록신이 결핍되었을 때 나타나는 질환이다.

(2) 인슐린은 간에 작용하여 포도당을 글리코젠으로 합성하는 반응을 촉진한다.

(3) 콩팥에서 물의 재흡수를 촉진하는 호르몬은 항이뇨 호르몬이다.

---

(2) 인슐린과 글루카곤은 간에서 길항 작용을 통해 혈당량을 조절한다.

자료 해설 ➕ 인슐린과 글루카곤

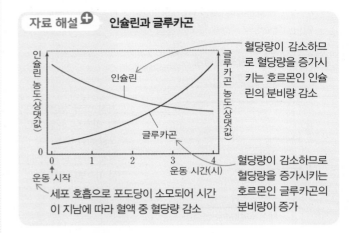

혈당량이 감소하므로 혈당량을 증가시키는 호르몬인 인슐린의 분비량 감소

혈당량이 감소하므로 혈당량을 증가시키는 호르몬인 글루카곤의 분비량이 증가

세포 호흡으로 포도당이 소모되어 시간이 지남에 따라 혈액 중 혈당량 감소

4-1 (1) 포도당을 글리코젠으로 합성하는 반응을 촉진하는 호르몬은 인슐린이다.

(2) 글리코젠을 포도당으로 분해하는 반응을 촉진하는 호르몬은 글루카곤이다.

(3) 혈당량 조절 중추는 간뇌의 시상 하부이다.

4-2 (1) 식사 직후에는 포도당이 흡수되므로 혈당량이 증가한다. 이에 따라 혈당량을 낮추기 위해 인슐린 분비가 늘어난다.

(2) 당뇨병 환자의 경우 식사 후에도 인슐린이 분비되지 않아 그래프에서 인슐린의 양이 0에 가까우므로, 인슐린을 분비하는 이자의 β 세포에 이상이 있음을 알 수 있다.

(3) 이 환자는 인슐린이 분비되지 않아 혈당량이 정상보다 높아 오줌으로 배출된다. 따라서 환자의 오줌에서는 포도당이 검출될 것이다.

2일 개념 확인   61쪽

3-1 (1) (가) 억제된다, (나) 촉진된다. (2) 티록신 농도 (3) 음성 피드백

3-2 (1) ❶ 세포 호흡, ❷ 감소, ❸ 인슐린, ❹ 글루카곤 (2) 길항 작용

4-1 (1) ❶ 포도당, ❷ 글리코젠, ❸ 인슐린 (2) ❶ 글리코젠, ❷ 포도당, ❸ 글루카곤 (3) 시상 하부

4-2 (1) ❶ 증가, ❷ 인슐린 (2) β 세포 (3) 포도당

3-1 (1) (가)에서 티록신의 농도가 높아지면 시상 하부와 뇌하수체 전엽의 기능이 억제되므로 TRH의 분비가 억제된다.

(2) 최종 분비된 티록신의 농도에 따라 조절 중추인 시상 하부와 뇌하수체의 기능이 다시 조절되고, 이에 따라 티록신의 분비량이 자동적으로 조절된다. 따라서 티록신의 농도가 최종 결과이면서 피드백의 요인이 된다.

3-2 (1) 운동을 하면 운동에 필요한 에너지를 얻기 위해 세포 호흡이 활발해진다. 세포 호흡에 포도당이 이용됨에 따라 혈액 중의 포도당 농도가 감소하므로 시간에 따라 인슐린 분비량은 감소하고 글루카곤의 분비량은 증가한다.

2일 기초 유형 연습   62~63쪽

1 ⑤   **2** (1) 해설 참조 (2) 해설 참조   **3** ⑤   **4** (1) (가), (다) (2) 글루카곤 또는 에피네프린 (3) 인슐린   **5** ㄷ   **6** (1) 인슐린 (2) 해설 참조

---

1 ㄱ. A(뇌하수체)에서는 B(갑상샘)를 자극하는 갑상샘 자극 호르몬이 분비된다.

ㄴ. C(부신)의 겉질에서는 당질 코르티코이드와 무기질 코르티코이드가, 속질에서는 에피네프린이 분비된다.

ㄷ. D(이자)는 소화액을 분비하는 외분비샘으로도 작용한다. 외분비샘은 외부와 연결된 분비관을 통해 물질을 분비하는 분비샘으로, 소화 효소를 분비하는 이자샘, 장샘 외에 눈물샘, 침샘, 땀샘 등이 있다.

2 (1) **모범 답안** 티록신의 분비가 증가하면 분비된 티록신에 의해 **시상 하부와 뇌하수체 전엽에서의 TRH와 TSH의 분비가 억제**

되어 티록신의 농도가 일정 수준 이상으로 증가하지 않고 유지된다.

(2) **모범 답안** 갑상샘을 제거하게 되면 티록신 분비량이 감소하게 되어 **TRH**와 **TSH**의 분비량이 증가한다.

3 ㄴ. 신경에 의한 신호(흥분) 전달 과정은 빠르게 일어나지만, 호르몬에 의한 신호 전달 과정은 느리게 일어난다.

ㄷ. 신경은 시냅스 이전 뉴런에서 시냅스 이후 뉴런으로 화학 물질인 신경 전달 물질이 확산될 때 신호 전달이 일어나며, 화학 전달 물질인 호르몬은 혈액을 통해 표적 세포로 전해질 때 신호 전달이 일어난다.

오답 풀이

ㄱ. 신경에서는 축삭 돌기의 말단 부위에서만 흥분이 전달되므로 작용 범위가 좁다. 반면 호르몬은 혈액을 따라 온몸으로 퍼져나가 표적 세포에 작용하므로 작용 범위가 넓다.

4 (1) (가) 근육 세포에서 포도당 흡수를 촉진하면 혈액 속의 포도당의 양이 감소하므로 혈당량이 감소한다. (다) 인슐린에 의해 간세포에서 포도당이 글리코젠으로 합성되면 혈액 속의 포도당량이 감소하므로 혈당량이 감소한다. (나)는 혈당량이 증가하는 작용이다.

(2) 글루카곤이나 에피네프린은 간세포에서 글리코젠을 포도당으로 분해하는 과정을 촉진한다.

(3) 인슐린에 의해 간세포에서 포도당이 글리코젠으로 합성되는 과정이 촉진된다.

5 ㄷ. 인슐린과 글루카곤은 같은 기관에서 서로 반대되는 작용(길항 작용)을 통해 혈당량을 유지한다.

오답 풀이

ㄱ. 포도당의 농도가 낮을 때 분비량이 많은 ㉠은 글루카곤이고, 포도당의 농도가 높을 때 분비량이 많은 ㉡은 인슐린이다. 글루카곤은 이자의 α세포에서, 인슐린은 이자의 β세포에서 분비된다.

ㄴ. 인슐린은 간에서 포도당을 글리코젠으로 합성하는 과정@을 촉진하며, 글루카곤은 간에서 글리코젠을 포도당으로 분해하는 과정ⓑ을 촉진한다.

자료 해설 ➕ 혈당량 조절

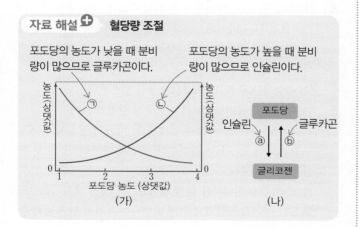

포도당의 농도가 낮을 때 분비량이 많으므로 글루카곤이다.

포도당의 농도가 높을 때 분비량이 많으므로 인슐린이다.

6 (1) 탄수화물 섭취 후 혈중 포도당 농도가 매우 느리게 감소하는 A에서는 X가 거의 분비되지 않았고 B에서는 분비량이 증가한 이후 다시 감소하였으므로 X는 인슐린이다.

(2) **모범 답안** A, 당뇨병 환자는 혈중 포도당 농도를 낮추는 호

르몬(인슐린)의 분비에 이상이 생겨 탄수화물 섭취 후 혈중 포도당 농도가 정상보다 높게 유지된다. 그러므로 A가 당뇨병 환자이다.

3일 개념 확인 65쪽

1-1 (1) ❶ 더울, ❷ 추울, ❸ (가), ❹ (나) (2) ❶ 교감, ❷ 확장, ❸ 증가, ❹ (나), ❺ (가)

1-2 (1) (나), (다) (2) ❶ 호르몬, ❷ 신경, ❸ 빠르다

2-1 (1) 콩팥 (2) ❶ 증가, ❷ 증가 (3) ❶ 콩팥, ❷ 증가, ❸ 증가, ❹ 감소

2-2 ❶ 증가, ❷ 감소, ❸ 적다

1-1 (1) (가)는 더울 때, (나)는 추울 때이다. 더울 때는 교감 신경의 작용이 완화되어 피부 모세 혈관과 털세움근(입모근)이 이완된다. 모세 혈관이 이완되면 피부 표면으로 가는 혈류량이 증가되어 열 발산이 촉진된다. 추울 때는 교감 신경이 활성화되어 피부 모세 혈관과 털세움근이 수축되어 피부 모세 혈관으로 가는 혈류량이 줄어 열 발산량이 감소한다.

(2) 더울 때(가)는 땀샘이 자극되어 땀 분비량이 증가한다.

1-2 (1) 갑상샘은 뇌하수체 전엽에서 분비되는 갑상샘 자극 호르몬(TSH)에 의해 자극을 받아 티록신을 분비한다. 부신 속질은 교감 신경에 의해 자극을 전달받아 에피네프린의 분비가 촉진된다. 피부 근처 혈관은 교감 신경의 작용 강화로 수축된다. 따라서 (가)는 호르몬에 의한 자극 전달 경로, (나)와 (다)는 신경에 의한 자극 전달 경로이다.

(2) 호르몬을 통한 자극의 전달(가)은 신경에 의한 자극 전달(다)보다 느리다.

2-1 (1) 뇌하수체 후엽에서 분비되어 체내 수분량을 조절하는 호르몬은 항이뇨 호르몬(ADH)이다. 항이뇨 호르몬은 콩팥에 작용하여 수분의 재흡수를 촉진한다. 따라서 호르몬 X의 표적 기관은 콩팥이다.

(2) 짠 음식을 많이 먹어 정상 범위보다 혈장 삼투압이 높아지면 간뇌의 시상 하부가 감지하고, 항이뇨 호르몬의 분비량을 증가시킨다.

(3) 항이뇨 호르몬은 콩팥에서 수분 재흡수를 촉진하므로 항이뇨 호르몬의 분비량이 증가하면 콩팥에서 수분 재흡수량이 증가하여 혈액량은 증가하고, 오줌양은 감소한다.

2-2 그래프를 보면 P_1에서 평상시(정상일 때)보다 ㉠일 때 항이뇨 호르몬의 농도가 낮다. 이것은 ㉠이 물을 많이 마시거나 하여 정상보다 혈액량이 증가한 상태여서 혈장 삼투압이 낮은 상태이다. 따라서 체내 수분량을 감소시키기 위해 항이뇨 호르몬의 분비량이 감소한다. 항이뇨 호르몬 분비가 감소하면 수분 재흡수량이 감소한다. 따라서 ㉠일 때 수분 재흡수량은 평상시보다 적다.

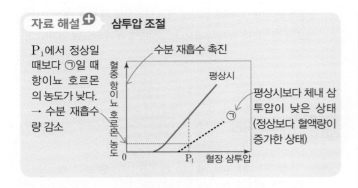

P_1에서 정상일
때보다 ㉠일 때
항이뇨 호르몬
의 농도가 낮다.
→ 수분 재흡수
량 감소

수분 재흡수 촉진

평상시

평상시보다 체내 삼
투압이 낮은 상태
(정상보다 혈액량이
증가한 상태)

혈중 항이뇨 호르몬 농도

0 P_1 혈장 삼투압

3일 개념 확인 67쪽

3-1 (1) A (2) C (3) B
3-2 (1) (가) (2) (나), (라)
4-1 (1) ㉢ (2) ㉡ (3) ㉢ (4) ㉡
4-2 학생 B, C

3-1 (1) A에 해당하는 고혈압, 혈우병 등은 병원체 없이 나타나
는 비감염성 질병이다.
(2) B의 병원체는 세균이고, C의 병원체는 바이러스이다.
(3) 바이러스는 세포 구조가 아니며 스스로 증식하지 못한
다. 바이러스는 숙주 세포 내에서만 증식이 가능하다.
3-2 세균과 바이러스는 모두 핵산(유전 물질)을 가지므로 (다)는
B에 올 수 없다.
4-1 병원체 A는 독감을 일으키므로 바이러스이고, B는 결핵을
일으키므로 세균이다. '유전 물질을 가지고 있다.(2)'와 '질병
을 유발할 수 있다.(4)'는 특징은 두 병원체의 공통점인 ㉡에
해당하며, '분열에 의해 스스로 증식한다.(3)'는 것과 '세포로
되어 있다.(1)'는 것은 세균에만 해당하는 특징으로 ㉢에 해
당한다.
4-2 오답 풀이
학생 A: 독감을 일으키는 병원체는 바이러스로 핵막이 없다.

3일 기초 유형 연습 68~69쪽

1 ⑤   **2** (1) 간뇌의 시상 하부   (2) 항이뇨 호르몬(ADH)
(3) 촉진된다. (4) 해설 참조   **3** ②   **4** (1) ㄱ (2) 곰팡이
5 ⑤   **6** (1) 결핵: 감염성 질병, 중동 호흡기 증후군: 감염성
질병   (2) (가) 항생제, (나) 항바이러스제 (3) 해설 참조

1 ㄱ. A는 갑상샘에서 분비되는 티록신이다.
ㄴ. 저온 자극이 주어졌을 때 피부 근처 혈관은 수축하여 열
발산량이 감소한다.

ㄷ. 저온 자극이 주어졌을 때 골격근 떨림에 의해 열 발생량
(열 생산량)이 증가한다.
2 (1)~(2) 호르몬 A는 항이뇨 호르몬이며, 혈장 삼투압의 조
절 중추는 간뇌의 시상 하부이다.
(3) 혈장 삼투압이 높아지면 호르몬 A(항이뇨 호르몬)의 분
비가 촉진되어 콩팥에서 물의 재흡수가 촉진되고, 이로 인해
혈장 삼투압이 감소한다.
(4) 오줌으로 배출되는 노폐물의 양은 변하지 않고, 배출되
는 수분의 양만 감소하므로 오줌의 농도는 진해진다.
모범 답안 호르몬 A(항이뇨 호르몬)의 분비가 촉진되면 콩팥에
서 물의 재흡수가 촉진되므로 오줌의 양이 줄어든다. 따라서 오줌
의 농도는 진해진다.
3 항이뇨 호르몬(ADH)은 콩팥에서 수분의 재흡수를 촉진한다.
ㄴ. t_1에서의 오줌 생성량이 t_2에서보다 적으므로 혈중 항이
뇨 호르몬(ADH)의 농도는 t_1에서가 t_2에서보다 높다.
오답 풀이
ㄱ. 물을 섭취하면 단위 시간당 오줌 생성량이 증가하고 소금물을
섭취하면 단위 시간당 오줌 생성량이 감소한다.
ㄷ. 수분 재흡수량은 오줌 생성량이 적은 t_3에서가 오줌 생성량이
많은 t_2에서보다 높다.

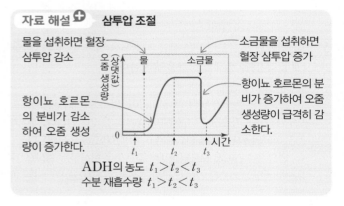

물을 섭취하면 혈장
삼투압 감소

소금물을 섭취하면
혈장 삼투압 증가

항이뇨 호르몬
의 분비가 감소
하여 오줌 생성
량이 증가한다.

항이뇨 호르몬의 분
비가 증가하여 오줌
생성량이 급격히 감
소한다.

오줌 생성량(상댓값)

0 t_1 t_2 t_3 시간

ADH의 농도 $t_1 > t_2 < t_3$
수분 재흡수량 $t_1 > t_2 < t_3$

4 (1) 세균, 곰팡이, 바이러스 중 세포 구조가 아닌 것은 바이러
스이므로 B는 바이러스이다. 세균은 핵이 없는 원핵생물이
고, 곰팡이는 다세포 진핵생물이므로 분류 기준 (가)에는 '핵
이 있는가?'가 해당된다.
(2) 곰팡이는 무좀, 만성 폐질환 등을 일으킨다.
5 ㄱ. 혈우병은 유전병이므로 비감염성 질병인 A이다.
ㄴ. 결핵은 결핵균에 의해 발병한다. 따라서 병원체가 세포
구조로 되어 있는 B는 결핵이다. 세균과 바이러스는 모두 핵
산을 가지고 있다.
ㄷ. 스스로 물질대사를 하지 못하는 병원체는 바이러스이므
로 C는 바이러스 감염에 의해 발병하는 후천성 면역 결핍 증
후군(AIDS)이다.
6 (1) 결핵과 중동 호흡기 증후군은 모두 병원체에 의한 질병
이므로 감염성 질병이다.
(2) 세균에 의한 질병의 치료는 항생제로, 바이러스에 의한
질병의 치료는 항바이러스제로 치료한다.

(3) 모범 답안 유전 물질(핵산)을 가지고 있다. 단백질을 가지고 있다. 질병을 일으킨다. 등

1-1 (1) (가) 비특이적 방어 작용, (나) 특이적 방어 작용 (2) ❶ 병원체, ❷ 선천성, ❸ 병원체, ❹ 후천성
1-2 (1) ㉠ (2) ㉠ (3) ㉢
2-1 (1) (가), (나), (라) (2) 라이소자임
2-2 (1) 염증 반응, 비특이적 (2) 비만 세포 (3) 백혈구

1-1 (1)~(2) (가)는 비특이적 방어 작용으로 병원체의 종류에 관계없이 일어나는 선천성 면역 작용이다. (나)는 특이적 방어 작용으로 특정 병원체를 인식하여 제거하는 후천성 면역 작용이다.
1-2 (1) ㉠은 비특이적 방어 작용에만 해당되는 특징으로, '피부와 점막 등의 물리적 장벽이 존재한다.'는 ㉠에 해당한다.
(2) 염증 반응은 비특이적 방어 작용 중 내부 방어에 해당한다.
(3) 특정 병원체를 제거하는 것은 특이적 방어 작용의 특징이므로 ㉢에 해당한다.
2-1 (1) (다)는 특정 병원체에 대해 일어나는 특이적 방어 작용이다.
(2) 라이소자임은 눈물, 콧물 속에 들어 있는 효소로 세균의 세포벽을 분해하여 세균을 죽인다. 특이적 방어 작용은 병원체를 감지하고 이에 맞는 항체를 생성하기까지 시간이 걸리기 때문에 감염 초기에는 비특이적 방어 작용이 질병으로부터 몸을 보호하는 데 매우 중요한 역할을 한다.
2-2 (1) 피부가 손상되거나 점막을 뚫고 체내로 병원체가 들어오면 염증 반응이 일어난다. 염증 반응은 몸 안으로 들어온 세균을 제거하기 위해 일어나는 비특이적 방어 작용이다.
(2) 히스타민(화학 신호 물질)은 비만 세포에서 분비된다.
(3) 체내로 들어온 세균을 세포 내로 끌어들여 분해하는 식세포 작용(식균 작용)을 하는 A는 백혈구이다.

자료 해설 ➕ 염증 반응

❶ 상처가 생겨 병원체 침입 → 비만 세포에서 히스타민 분비 → 모세 혈관이 확장되어 혈류량과 혈관의 투과성 증가 → ❷ 혈액에서 백혈구가 빠져나와 상처 부위로 모여 상처 부위가 부어오른다. → ❸ 백혈구가 식세포 작용(식균 작용)으로 병원체 제거

3-1 (1) ❶ 형질 세포, ❷ ㉠, ❸ ㉢ (2) 항원 항체 반응의 특이성
3-2 (1) ㉠ (2) A, B
4-1 (1) 감염성, 체액성 (2) ㉠ B 림프구, ㉢ 기억 세포 (3) 형질 세포
4-2 ❶ 기억 세포, ❷ 기억 세포, ❸ 형질 세포, ❹ 항체, ❺ 잠복기

3-1 (1) 항체는 긴 사슬과 짧은 사슬이 두 개씩 결합하여 형성되며, 사슬의 끝부분에 항원과 특이적으로 결합하는 부위가 있다.
(2) 항체가 항원과 결합하여 항원의 기능을 약화시키거나 침강을 유도하여 식균 작용을 촉진하는 작용을 항원 항체 반응이라고 한다. 항원 항체 반응 시 특정 항체는 오직 그 항체를 만들게 한 항원하고만 반응하는데, 이를 '항원 항체 반응의 특이성'이라고 한다.
3-2 (1) A에 의해 생성되는 항체는 항체와 결합하는 항원 부위가 일치하는 ㉠이다.
(2) ㉠은 항원 결합 부위의 모양이 █과 결합할 수 있는 구조이고, █은 A와 B가 모두 가지고 있으므로 A와 B 모두와 항원 항체 반응을 할 수 있다.
4-1 (1) 병원체에 의해 나타나는 질병이므로 감염성 질병이며, 항원 항체 반응이 일어나므로 체액성 면역임을 알 수 있다.
(2) B 림프구(㉠)는 보조 T 림프구의 도움을 받아 형질 세포와 기억 세포(㉢)로 분화한다.
(3) 형질 세포가 항체를 생성한다.
4-2 항원이 체내에 침입하면 활성화된 B 림프구가 항원의 종류를 인식하고 형질 세포로 분화한 후 항체를 생성하여 항원을 제거하고 일부는 기억 세포로 남는다. 항체를 생성하기까지 시간이 걸리며(잠복기), 소량의 항체가 느리게 만들어진다. 이를 1차 면역 반응이라고 한다. 같은 항원이 재침입하면 1차 면역 반응 때 생성되어 남아 있는 기억 세포가 빠르게 형질 세포로 분화하여 신속하게 다량의 항체를 생성하여 항원을 빠르게 제거하는데 이것을 2차 면역 반응이라고 한다.

1 ③ **2** ⑤ **3** ③ **4** (1) 가슴샘(흉선) (2) (나) (3) (나) → (라) → (가) → (다) **5** ② **6** ❶ 비특이적, ❷ 식세포 작용(식균 작용), ❸ 특이적, ❹ 세포성

1 오답 풀이
③ (나) 방어 작용은 특정 항원을 인식하여 일어나는 특이적 방어 작용이다.

2 ㄴ. (나)는 특이적 방어 작용으로 항원 항체 반응이 일어난다.
ㄷ. 이 사람이 세균 X에 감염되면 기억 세포에 의해 2차 면역 반응이 일어나므로 처음 감염되었을 때보다 다량의 항체 X가 빠르게 생성된다.

오답 풀이
ㄱ. (가)의 식균 작용은 비특이적 방어 작용이다.

3 ③ 항원 B를 2차 주사했을 때 항체 생성 정도가 항원 B를 1차 주사했을 때와 비슷한 것으로 보아 항원 B를 1차 주사했을 때 기억 세포가 생성되지 않았다는 것을 알 수 있다.

오답 풀이
① 특정 항원에 대해 특정 항체가 형성되므로 항원 A와 항원 B에 의해 생성되는 항체의 종류는 다르다.
② 항원 A를 2차 주사했을 때 항체 생성량이 1차 주사했을 때보다 많은 것으로 보아 기억 세포가 생성되었다.
④ 2차 면역 반응에서는 형질 세포가 기억 세포에서 분화되어 빠르게 항체가 생성될 뿐 항체는 항상 형질 세포에서 생성된다.
⑤ 항체의 생성량이 증가한 후 감소하는 것은 항원 항체 반응으로 점차 항원의 양이 감소하기 때문이다.

4 (1) ㉠은 T 림프구, ㉡은 B 림프구, ㉢은 대식세포이며, T 림프구는 골수에서 생성되어 가슴샘(흉선)에서 성숙한다. 반면 B 림프구는 골수에서 생성과 성숙이 모두 일어난다.
(2) (나)는 대식세포의 식세포 작용으로 비특이적 방어 작용이다.
(3) 항원을 대식세포가 소화(나)하고 소화된 항원을 대식세포가 T 림프구에 제시(라)하여 활성화시킨다. 활성화된 T 림프구는 다시 B 림프구에 항원을 제시(가)하여 분화시키고 분화된 형질 세포에서 항체가 생성(다)되어 체내에 들어온 항원을 제거하게 된다.

5 ㄴ. 구간 I은 1차 면역 반응으로 특이적 면역 반응이 일어난다.

오답 풀이
ㄱ. B 림프구는 골수에서 생성된다.
ㄷ. ㉠은 항체를 형성하므로 형질 세포, ㉡은 기억 세포이다. 구간 II에서 항원 X가 2차 침입하면 기억 세포(㉡)가 형질 세포(㉠)로 분화되어 항체가 짧은 시간에 다량 생성된다.

자료 해설 ⊕ 1차 면역 반응과 2차 면역 반응

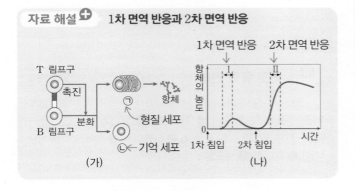

6 (가)는 대식세포가 병원체를 세포 내로 끌어들여 분해하는 것으로 비특이적 방어 작용 중 식세포 작용(식균 작용)이다.

(나)는 병원체에 감염된 세포를 인식한 후 ㉠(세포 독성 T 림프구)이 병원체에 감염된 세포를 직접 파괴하는 것으로 특이적 방어 작용 중 세포성 면역이다.

5일 개념 확인 　　　77쪽

1-1 (1) ① ㉢, ② ㉡, ③ ㉠ (2) ❶ 응집원, ❷ 응집소, ❸ 응집 반응
1-2 (1) ❶ B, ❷ B, ❸ α (2) ❶ O, ❷ β
1-3 (1) ❶ α, ❷ β, ❸ A, ❹ A (2) ❶ A, ❷ O (3) 항원 항체 반응
1-4 (1) Rh 응집소 (2) A (3) ❶ Rh$^+$, ❷ Rh$^-$

1-1 A형은 응집원 A와 응집소 β가 있다. B형은 응집원 B와 응집소 α가 있다. AB형은 응집원 A와 B가 있고 응집소는 없다. O형은 응집원은 없고 응집소 α와 β가 있다.
1-2 (1) 항 B 혈청에는 응집소 β가 들어 있다. 그러므로 항 B 혈청에서 응집 반응이 일어난 혈액은 응집원 B를 가진다. 따라서 철수는 B형이고 응집원 B와 응집소 α를 가진다.
(2) 응집원은 없고 응집소만 있는 것은 O형이다. (나)는 응집소 α이므로 (다)는 응집소 β이다.
1-3 (2) 수혈했을 때 응집 반응이 일어나지 않아야 하므로 일반적으로 같은 혈액형끼리 수혈이 가능하다. 그런데 O형은 응집원이 없어 다른 모든 혈액형에게 소량 수혈할 수 있다.
(3) 혈액형 판정은 응집원 A와 응집소 α, 응집원 B와 응집소 β의 응집 반응을 이용하여 한다. 혈액의 응집 반응은 항원 항체 반응이다.
1-4 (1) 붉은털원숭이의 Rh 응집원을 항원으로 인식하여 토끼의 혈청에 Rh 응집소가 생성된다.
(2)~(3) 토끼의 혈청과 응집 반응이 일어난 A는 적혈구에 Rh 응집원이 있는 Rh$^+$형이고 응집 반응이 일어나지 않은 B는 Rh 응집원이 없는 Rh$^-$형이다.

5일 개념 확인 　　　79쪽

2-1 ㄱ, ㄷ
2-2 (1) 항원 A (2) 항원 A와 B
3-1 ㄴ, ㄷ
3-2 (1) 골수 (2) 형질 세포

2-1 ㄱ. 비감염성 질병은 병원체에 의해 나타나는 것이 아니므로 백신으로 예방할 수 없다.
ㄷ. 백신을 맞으면 1차 면역 반응이 일어나 기억 세포가 만들어지므로, 병원체에 감염되었을 때 2차 면역 반응이 일어난다.

오답 풀이
ㄴ. 백신은 병원체의 독성을 약화시켜 만든다.

2-2 (1) 백신 X를 주사하면 항원 A에 대해서만 1차 면역 반응이 일어나므로, 백신 X에는 약화된 항원 A만 들어 있다.

(2) 백신 Y를 주사하면 항원 A에 대해서는 2차 면역 반응이, 항원 B에 대해서는 1차 면역 반응이 일어나므로 백신 Y에는 독성이 약화된 항원 A와 B가 모두 들어 있다.

자료 해설 ➕ **백신**

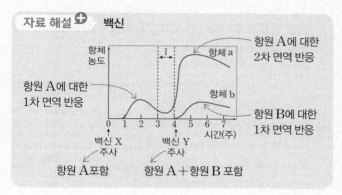

3-1 오답 풀이
ㄱ. 알레르기는 병원체 이외에도 꽃가루, 먼지, 다양한 화학 물질 등에 의해서도 발생한다.

3-2 (1) B 림프구는 골수에서 생성되어 골수에서 성숙한다.
(2) 항체는 형질 세포에서 만들어진다.

5일 기초 유형 연습 80~81쪽

1 ③ 2 ③ 3 ④ 4 (1) ㉠ (2) 해설 참조 5 ①
6 해설 참조

1 철수의 혈액은 항 A 혈청과 항 B 혈청에 모두 응집했으므로 AB형이다. AB형은 적혈구 막에 응집원 A, B가 있다.
ㄷ. 혈액을 원심 분리하면 ㉠에는 혈장이 존재하고 ㉡에는 세포 성분이 존재한다. 따라서 ㉡에 응집원 A와 B를 가진 적혈구가 존재하므로 응집소 α와 β가 들어 있는 O형의 혈액과 섞으면 응집 반응이 일어난다.
오답 풀이
ㄱ. AB형은 AB형에게만 수혈할 수 있다.
ㄴ. AB형은 응집원 A, B만 있으므로 ㉠ 혈청 속에는 응집소가 없다.

2 A형 혈액에는 응집원 A와 응집소 β가 들어 있고, O형 혈액에는 응집소 α와 β가 들어 있다. (가)는 응집원 A와 결합하므로 응집소 α이고, (나)는 응집원 A와 결합하지 않으므로 응집소 β이다. 응집소와 결합하지 않은 적혈구는 응집원이 없는 O형 혈액의 적혈구이다.
ㄱ. (가)는 응집소 α이다.
ㄷ. B형 적혈구에는 응집원 B가 있으므로 응집소 β(나)와 결합할 수 있는 항원(응집원 B)이 있다.

오답 풀이
ㄴ. 응집소 β는 A형 혈액과 O형 혈액에 모두 들어 있다.

3 ㄴ. 붉은털원숭이의 적혈구에는 Rh 응집원이 있기 때문에 ㉠에 들어 있는 Rh 응집소와 응집 반응을 한다.
ㄷ. Rh⁺형인 사람의 적혈구에는 Rh 응집원이 존재하므로 ㉠에 들어 있는 Rh 응집소와 응집 반응을 한다.
오답 풀이
ㄱ. 토끼 Y의 적혈구에는 Rh 응집원이 없으므로 응집 반응이 일어나지 않는다.

4 (1) X는 세균에 대한 항체이다. 항체는 혈청(㉠)에 들어 있다.
(2) 모범 답안 **이 세균에 대한 항체가 포함된 X를 주입하여 토끼의 체내에서 항원 항체 반응이 일어나 세균이 제거되었기 때문이다.**

5 ㄴ. 동일한 항원이 다시 들어오면 기억 세포가 증식하고 분화되어 다량의 형질 세포와 기억 세포를 만들기 때문에 다량의 항체가 빠르게 생성된다. 따라서 백신을 맞은 쥐는 I 이다.
오답 풀이
ㄱ. 쥐 I 에서 항원 B에 대해서는 2차 면역 반응이 일어나지만 항원 A에 대해서는 1차 면역 반응이 일어난다. 따라서 백신에는 항원 B가 들어 있다.
ㄷ. 항원이 처음 들어오면 B 림프구가 기억 세포와 형질 세포로 분화되므로 t_1 시점에 쥐 II의 체내에는 항원 B에 대한 기억 세포가 존재한다.

6 천연두와 소아마비는 백신을 이용해 예방하기 쉽고, 감기는 백신으로 예방하기 어렵다. 천연두나 소아마비를 일으키는 바이러스는 종류가 적고 변이가 적어 바이러스에 대응하기 위한 백신을 쉽게 제조할 수 있지만 감기를 일으키는 바이러스는 종류가 매우 많고 변이가 심해 바이러스에 대응하기 위한 백신을 제조하기 어렵기 때문이다.
모범 답안 **감기, 감기를 일으키는 바이러스는 종류가 매우 많고 변이가 심해 바이러스에 대응하기 위한 백신을 제조하기 어렵기 때문이다.**

2주 누구나 100점 테스트 82~83쪽

1 ㄱ, ㄴ, ㄷ 2 (1) A, 감각 뉴런 (2) C, 운동 뉴런 3 (1) A → (나) (2) B → (다) 4 ⑤ 5 ㄱ, ㄴ 6 해설 참조
7 ③ 8 ② 9 ④ 10 (1) ㉠ 응집소 α, ㉡ 응집소 β (2) X

1 ㉠은 간뇌, ㉡은 중간뇌, ㉢은 연수, ㉣은 대뇌이다.
ㄱ. 간뇌는 시상과 시상 하부로 구성된다.
ㄴ. 중간뇌, 연수는 뇌줄기에 속한다.
ㄷ. 대뇌의 겉질은 회색질, 속질은 백색질이다.

2 (1)~(2) 신경 세포체의 위치로 보아 A는 감각 뉴런이다. 따라서 B는 연합 뉴런, C는 운동 뉴런이다. 척추의 마디마디마다 배 쪽으로는 운동 뉴런(원심성 뉴런) 다발이 좌우로 1

개씩 전근을 이루고, 등 쪽으로 감각 뉴런(구심성 뉴런) 다발이 좌우로 1개씩 후근을 이룬다.

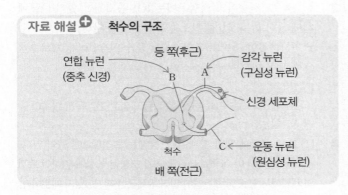

연합 뉴런 (중추 신경)
등 쪽(후근)
감각 뉴런 (구심성 뉴런)
B   A
신경 세포체
척수
C ← 운동 뉴런 (원심성 뉴런)
배 쪽(전근)

3 (1) 날아오는 공을 보고 손으로 잡는 과정은 얼굴 쪽 감각 기관인 눈으로 보고 몸 쪽 반응 기관인 손으로 잡았으므로 A → (나)이다.
(2) 뜨거운 것을 만졌을 때 자신도 모르게 손을 떼는 행동은 척수 반사이므로 B → (다)의 경로에 의해 일어난다.

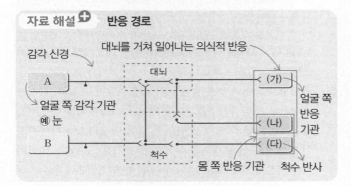

감각 신경
대뇌를 거쳐 일어나는 의식적 반응
대뇌
A
얼굴 쪽 감각 기관 ⑩ 눈
(가)
(나)
(다)
얼굴 쪽 반응 기관
B
척수
몸 쪽 반응 기관   척수 반사

4 오답 풀이
난소(E)에서는 에스트로젠과 프로게스테론이 분비된다. 여포 자극 호르몬은 뇌하수체(A) 전엽에서 분비되는 호르몬이다.

5 ㄱ. 물질대사를 촉진하는 호르몬 ㉠은 티록신이다.
ㄴ. 교감 신경의 작용으로 피부 근처 모세 혈관이 수축한다.
오답 풀이
ㄷ. 교감 신경의 작용으로 피부 모세 혈관이 수축하면 열 발산량이 감소한다.

6 호르몬 Y가 작용하면 혈당량이 증가하므로 호르몬 Y는 글루카곤이다.
모범 답안 글리코젠이 포도당으로 분해된다.

7 ㄱ. 대사성 질환은 물질대사의 이상과 이로 인한 심혈관계 질환을 포함하므로 당뇨병과 고혈압은 대사성 질환이다.
ㄴ. A는 혈압이 정상 범위보다 높은 질환인 고혈압이고, B는 당뇨병이다.
오답 풀이
ㄷ. 대사성 질환은 병원체의 감염에 의한 질병은 아니다.

8 ㄴ. 염증 반응과 식균 작용은 1차 방어 작용으로 병원체의 종류에 관계없이 일어나는 비특이적 방어 작용이다.
오답 풀이

ㄱ. (가) 과정에서 모세 혈관이 확장하고, 혈류량이 증가한다.
ㄷ. 체액성 면역은 특이적 방어 작용이다.

9 ㄱ. 대식세포는 항원 X를 식세포 작용을 통해 세포 내에서 분해시킨 후 항원 X에 대한 정보를 보조 T 림프구에 전달한다.
ㄷ. (나)는 B 림프구가 기억 세포와 형질 세포로 분화되고 분화된 형질 세포가 항체를 생성 분비하여 항원과 결합하는 체액성 면역이다.
오답 풀이
ㄴ. (가)는 대식세포가 항원 X를 식균 작용을 통해 세포 내에서 분해시키는 것으로 비특이적 면역이다.

10 (1) 혈액형이 A형인 사람의 혈액에는 응집원 A가 있으므로 이 혈액과 응집 반응을 일으킨 혈청 ㉠에는 응집소 α가 들어 있다. 혈청 ㉡은 A형 혈액에 응집되지 않았으므로 항 B혈청으로, 응집소 β가 들어 있다.
(2) 응집원은 적혈구의 세포막에 존재한다. 따라서 (나)에서 X에 응집원이 존재한다.

창의 · 융합 · 코딩

85~89쪽

정답 ④

표 (가)는 병원체 A~C의 특징을, (나)는 사람의 6가지 질병을 Ⅰ~Ⅲ으로 구분하여 나타낸 것이다. A~C는 세균, 균류(곰팡이), 바이러스를 순서 없이 나타낸 것이고, Ⅰ~Ⅲ은 세균성 질병, 바이러스성 질병, 비감염성 질병을 순서 없이 나타낸 것이다.

구분	질병	구분	질병
A	핵이 있음	Ⅰ	㉠당뇨병, 고혈압
B	항생제에 의해 제거됨❶	Ⅱ	독감, 홍역❷
C	세포 구조가 아님	Ⅲ	결핵, 파상풍
(가)		(나)	

이에 대한 설명으로 옳은 것만을 〈보기〉에서 있는 대로 고른 것은?

보기
ㄱ. ㉠은 대사성 질환이다.
ㄴ. Ⅱ의 병원체는 B이다.
ㄷ. Ⅲ의 병원체는 유전 물질을 갖는다.

① ㄱ   ② ㄴ   ③ ㄱ, ㄴ
④ ㄱ, ㄷ   ⑤ ㄴ, ㄷ

❶ 세균, 균류(곰팡이), 바이러스 중 핵이 있는 것은 균류(곰팡이)와 세균이다. 이 중 B에서 항생제에 의해 제거된다는 것을 통해 B가 세균임을 알아내야 한다.
❷ 독감과 홍역은 바이러스성 질병이고, 결핵, 파상풍은 세균성 질병임을 암기하고 있어야 한다.

❶ A는 균류(곰팡이), B는 세균, C는 바이러스이다.
❷ Ⅰ은 비감염성 질병, Ⅱ는 바이러스성 질병, Ⅲ은 세균성 질병이다.
ㄱ. 당뇨병은 대사성 질환이다.

ㄷ. 세균과 바이러스는 모두 유전 물질을 갖는다.

오답 풀이

ㄴ. 독감, 홍역은 바이러스성 질병으로 병원체는 C 바이러스이다.

1 ① **2** ③ **3** ③ **4** ② **5** ④ **6** ③

1 ㄱ. 저온 자극이 주어지면 교감 신경에서의 흥분 발생 빈도가 증가하고, 피부 근처 혈관의 수축이 일어난다.

오답 풀이

ㄴ. 혈중 ADH의 농도가 증가하면 콩팥에서 수분의 재흡수가 촉진되어 오줌의 양은 감소하고, 오줌의 삼투압이 증가한다.

ㄷ. 체온과 삼투압 조절의 중추는 간뇌의 시상 하부이다.

2 뇌줄기는 뇌교, 연수, 중간뇌로 구성된다. 연수(A)는 심장 박동의 조절 중추이며, 중간뇌(B)는 홍채 운동을 조절한다. 대뇌의 겉질은 신경 세포체가 모여 회색으로 보이는 회색질이며, 속질은 축삭 돌기가 모여 백색으로 보이는 백색질이다.

3 A. 척수에는 감각 뉴런으로부터 받아들인 정보를 통합하여 운동 뉴런에 명령을 내리는 연합 뉴런이 있다.

B. 뇌신경은 말초 신경계에 속한다.

오답 풀이

C. 척수 신경은 31쌍으로 이루어져 있다.

4 ㄷ. 무릎 반사의 중추는 척수이다.

오답 풀이

ㄱ. ㉠은 부교감 신경의 신경절 이전 뉴런이며, ㉡은 교감 신경의 신경절 이후 뉴런이므로 ㉠과 ㉡은 모두 자율 신경계에 속한다. ㉢은 중추 신경계와 다리의 근육을 연결하는 체성 운동 뉴런이므로 ㉢은 체성 신경계에 속한다.

ㄴ. ㉠의 말단에서는 아세틸콜린이 분비되고, ㉡의 말단에서는 노르에피네프린이 분비된다.

자료 해설 ✚ **말초 신경계**

부교감 신경의 신경절 이전 뉴런

(가) 중추 신경계 ─── 아세틸콜린 분비 ─── 눈
교감 신경의 신경절 이후 뉴런 ──㉡
노르에피네프린 분비

(나) 중추 신경계 ─── 감각 뉴런 ─── 다리
㉢←── 운동 신경(체성 신경계)

5 ㄱ. A형, O형, AB형 중 항 A 혈청(응집소 α 존재)과 섞여서 응집되지 않는 ㉢은 O형이다.

ㄷ. 분류 기준 (가)는 A형과 AB형을 나눌 수 있는 기준이어야 한다. 항 B 혈청(응집소 β 존재)과 섞으면 AB형은 응집되지만 A형은 응집되지 않으므로, ㉠과 ㉡을 구분하는 기준이 될 수 있다.

오답 풀이

ㄴ. ㉠과 ㉡은 A형 또는 AB형인데, AB형의 혈장에는 응집소가 존재하지 않으므로 공통된 응집소는 없다.

6 방어 작용은 병원체의 종류에 관계없이 일어나는 비특이적 방어 작용과 병원체의 종류에 따라 특이적으로 일어나는 특이적 방어 작용이 있다. 항원이 체내에 처음 침입하면 B 림프구가 형질 세포로 분화하여 항체를 생성하는 1차 면역 반응이 일어난다.

오답 풀이

ㄴ. 구간 II에서 A에 대한 기억 세포가 형질 세포로 분화되었다.

자료 해설 ✚ **1차 면역 반응과 2차 면역 반응**

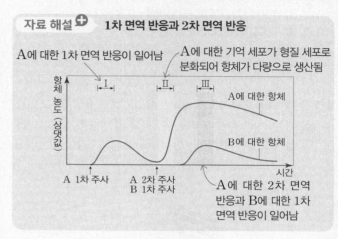

A에 대한 1차 면역 반응이 일어남

A에 대한 기억 세포가 형질 세포로 분화되어 항체가 다량으로 생산됨

A에 대한 항체

B에 대한 항체

A 1차 주사   A 2차 주사
B 1차 주사

A에 대한 2차 면역 반응과 B에 대한 1차 면역 반응이 일어남

1^일 개념 확인   95쪽

1-1 (1) 유전체 (2) DNA (3) 염색체 (4) 유전자
1-2 (1) × (2) ○ (3) ○
2-1 (1) 상동 염색체 (2) 염색 분체 (3) 대립유전자
2-2 (1) × (2) ○ (3) ×

1-1 (1) 한 개체가 가지고 있는 모든 유전 정보를 유전체라고 한다.
(2) DNA는 유전 정보를 저장하고 있는 유전 물질로 이중나선 구조를 하고 있다. 단위체인 뉴클레오타이드는 인산, 당, 염기로 구성되며, 하나의 염색체는 하나의 DNA로 되어 있다.

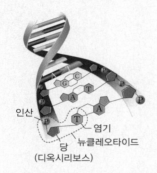

인산
염기
당
뉴클레오타이드
(디옥시리보스)

(3) DNA와 히스톤 단백질로 구성된 염색체는 세포 분열 시 응축되어 막대 모양으로 나타난다.
(4) 생물의 형질을 결정하는 유전 정보의 단위를 유전자라고 한다. 유전자는 DNA의 특정 부위에 있다.

1-2 (1) 그림은 DNA가 응축되어 염색체를 형성하는 것을 나타낸 것이다. ㉠은 DNA 복제에 의해 생성된 2개의 염색 분체로 구성된 하나의 염색체이다.
(2) ㉡은 DNA가 히스톤 단백질을 휘감아 뉴클레오솜을 형성한 것이다.
(3) ㉢은 유전자이다. 하나의 유전자는 DNA의 특정 부위에 위치한다.

2-1 (1) 체세포에 들어 있는 모양과 크기가 같은 한 쌍의 염색체를 상동 염색체라고 한다.
(2) ㉡은 한 염색체를 구성하는 염색 분체이다.
(3) 한 가지 형질에 대해 대립 형질이 나타나게 하는 유전자를 대립유전자라고 한다. 대립유전자는 상동 염색체의 같은 위치에 존재한다.

2-2 (1) (가)는 2개의 염색 분체로 구성된 염색체이다. 염색 분체는 DNA 복제로 만들어진 것이므로 ㉠은 유전자 r이다.
(2) (나)는 뉴클레오솜의 구성 성분을 나타낸 것으로, ㉡은 히스톤 단백질이고, ㉢ 아래 제시되어 있는 것은 DNA이다.

(3) 부모에게서 각각 하나씩 물려받는 것은 상동 염색체이다. ⓐ와 ⓑ는 DNA 복제로 만들어진 염색 분체이다.

1^일 개념 확인   97쪽

3-1 (가) $2n=8$, (나) $2n=8$, (다) $n=4$
3-2 (1) × (2) ○ (3) ○
4-1 (1) ○ (2) ○ (3) ×
4-2 (1) × (2) ○ (3) ○

3-1 (가)는 상동 염색체가 쌍으로 있으므로 핵상은 $2n$이고, 염색체 수는 8개이다. 따라서 $2n=8$이다. (나)는 염색체가 복제되어 1개의 염색체가 각각 2개의 염색 분체로 되어 있지만 염색체 수는 8개이므로 $2n=8$이다. (다)는 상동 염색체 중 하나씩만 있으므로 핵상은 n이고, 염색체 수는 4개이다. 따라서 $n=4$이다.

3-2 (1) 성염색체의 크기와 모양이 다른 (나)가 수컷(XY)이고, 성염색체 구성이 같은 (가)는 암컷(XX)이다.
(2) (가)와 (나)는 모두 상동 염색체가 있으므로 핵상은 $2n$으로 같다.
(3) (다)는 상동 염색체가 하나씩만 있으므로 생식세포이며, 성염색체 Y가 있으므로 수컷 A(나)에서 만들어진 생식세포이다.

자료 해설 ➕ 핵상과 핵형

성염색체 구성이 XX 이므로 암컷이다.

성염색체 구성이 XY 이므로 수컷이다.

상동 염색체
Y 염색체

(가) $2n=6$ (나) $2n=6$ (다) $n=3$

상동 염색체 중 하나씩만 있으므로 생식세포이며, 성염색체로 Y 염색체가 있으므로 수컷에서 만들어진 생식세포이다.

4-1 (1) 성염색체가 XY이므로 이 사람은 남자이다.
(2) (가)와 (나)는 염색체의 크기와 모양이 같으므로 상동 염색체이다. 핵형 분석 결과 같은 번호의 염색체는 상동 염색체이다.
(3) 대립유전자는 상동 염색체의 같은 위치에 있다. ㉠과 ㉡, ㉢과 ㉣은 각각의 염색 분체이다. 따라서 ㉡에는 ㉠과 같은 A가, ㉢에는 a가 존재한다.

4-2 (1) (가)의 핵형을 가지는 사람은 정상 남자이므로 염색체 구성은 44＋XY이다.

(2) (나)의 핵형을 가지는 사람의 염색체 구성은 44＋XX로 여자이며, 체세포 염색체 수는 46개이다.

(3) ㉠과 ㉡은 상동 염색체이다. 상동 염색체는 부모로부터 각각 하나씩 물려받는다.

1^일 기초 유형 연습　　　　98~99쪽

1 ⑤　**02** (1) 뉴클레오솜, DNA와 단백질(히스톤 단백질)
(2) 해설 참조　**3** ③　**4** ②　**5** ⑤　**6** ①

1 ㄱ. Ⅰ과 Ⅱ는 DNA가 복제되어 만들어진 염색 분체이므로 저장된 유전 정보가 같다.
ㄴ. ㉠은 DNA와 히스톤 단백질로 이루어진 뉴클레오솜이다.
ㄷ. ㉡은 DNA이다. DNA의 구성 단위는 뉴클레오타이드이다.

2 (1) A는 뉴클레오솜 구조이고, 뉴클레오솜은 DNA와 히스톤 단백질로 구성된다.
(2) B는 염색체이다. B의 염색체에서 각각의 가닥 ㉠과 ㉡은 염색 분체이다. 염색 분체는 응축되기 전 복제된 것으로 유전 정보가 같다.

　모범 답안 **같다. ㉠과 ㉡을 각각 구성하는 DNA는 하나의 DNA가 복제된 것이므로 ㉠과 ㉡을 각각 구성하는 유전 물질에 저장된 유전 정보는 서로 같다.**

3 ㄷ. 사람의 염색체는 22쌍의 상염색체와 1쌍의 성염색체로 구성되어 있다. 정자는 감수 분열을 통해 상동 염색체가 분리되므로 정자에는 체세포 염색체에 비해 절반만 들어 있어 22개의 상염색체와 1개의 성염색체가 있다.

　오답 풀이
ㄱ. 핵형은 어떤 생물의 체세포 속의 염색체 수와 모양, 크기 등의 특성을 말하므로 동일 종의 동일 성별은 핵형이 동일하지만 침팬지와 감자는 종이 다르므로 핵형도 서로 다르다.
ㄴ 염색체는 DNA와 히스톤 단백질로 이루어진 것이고, 유전자는 특정 유전 형질을 발현하는 단위로 DNA의 특정 부위에 위치한다. 1개의 염색체에는 많은 수의 유전자가 존재하며, 사람의 염색체 수는 23쌍이지만 유전자 수는 약 25,000개이다.

4 (가)는 여자($2n＝44＋XX$), (나)는 남자($2n＝44＋XY$)의 핵형이다.
ㄴ. 사람의 염색체는 23쌍의 상동 염색체로 이루어졌다.

　오답 풀이
ㄱ. 염색체 1개당 2개의 염색 분체를 가진다. 상염색체가 44개이므로 염색 분체 수는 88개이다.
ㄷ. 상동 염색체는 수정을 통해 부모로부터 각각 하나씩 물려받는다.

5 (가)는 상동 염색체가 하나씩 있고, Y 염색체가 있으므로 Ⅰ의 생식세포이다. 따라서 Ⅰ은 수컷이다. Ⅱ는 성염색체 모양이 같으므로 암컷이다. (가)와 (다)는 Ⅰ의 세포이고, (나)는 Ⅱ의 세포이다.

ㄱ. (나)와 (다)에는 상동 염색체가 존재하므로 핵상은 $2n$이다.
ㄷ. 염색체에는 히스톤 단백질이 있다.

　오답 풀이
ㄱ. Ⅱ는 암컷이다.

6 ㄱ. 그림의 세포는 상동 염색체가 쌍으로 존재하므로 핵상은 $2n$이고, 염색체 수는 6개이다. 따라서 A의 세포이다.

　오답 풀이
ㄴ. ㉠과 ㉡은 염색 분체이다.
ㄷ. B의 생식세포 1개에 들어 있는 염색체 수는 체세포의 절반인 6개이고, 그 중 상염색체 수는 5개이다.

　자료 해설 ➕ 염색체

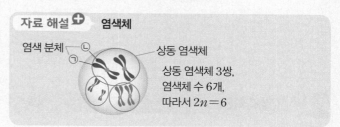

염색 분체 ㉡　　　　상동 염색체
㉠　　　　상동 염색체 3쌍,
염색체 수 6개,
따라서 $2n＝6$

2^일 개념 확인　　　　101쪽

1-1 (1) B (2) A (3) $2n$
1-2 (1) (가) → (다) → (나) → (라) → (마)　(2) (나), 중기
　　(3) (가), 간기
2-1 (1) (다) → (나) → (라) → (가)　(2) (라)　(3) (가)
2-2 (1) × (2) ○ (3) ○

1-1 (1) A는 G_1기, B는 S기, C는 G_2기이다. DNA 복제는 B(S기) 시기에 일어난다.
(2) 세포 내 소기관의 수가 증가하는 시기는 A(G_1기) 시기이다.
(3) 체세포 분열에서는 핵상의 변화가 없으므로 A 시기의 핵상은 $2n$이다.

1-2 (1) (가)는 핵이 관찰되는 간기, (나)는 염색체가 세포 중앙에 배열된 중기, (다)는 핵막이 사라지고 응축된 염색체가 나타나는 전기, (라)는 염색 분체가 분리되어 양극으로 이동하는 후기, (마)는 딸핵이 형성되는 말기이다. 따라서 세포 분열 과정은 간기(가) → 전기(다) → 중기(나) → 후기(라) → 말기(마) 순이다.
(2) 중기는 최대로 응축된 염색체가 세포 중앙에 배열되어 염색체를 관찰하기에 가장 좋은 시기이다.
(3) 간기의 S기에 DNA가 복제되어 DNA양이 2배가 된다.

2-1 (가)는 상동 염색체가 없는 상태(n)로 염색 분체가 양극으로 이동하고 있으므로 감수 2분열 후기이다. (나)는 2가 염색체가 세포 중앙에 배열되어 있는 감수 1분열 중기이다. (다)는 핵막이 소실되고 있으며 염색체가 응축되어 있으므로 감수

1분열 전기이다. (라)는 상동 염색체가 양극으로 분리되고 있으므로 감수 1분열 후기이다. 따라서 분열 순서는 (다) → (나) → (라) → (가) 순이다.

2-2 (1) A는 DNA양이 2배로 증가하는 S기로, 염색체 수는 변화가 없다.

(2) B에는 감수 1분열의 전기와 중기가 포함되어 있으며, 이때 상동 염색체 쌍인 2가 염색체가 관찰된다.

(3) C는 감수 1분열의 말기로, 상동 염색체가 분리되어 핵상이 $2n$에서 n으로 변화된다.

2일 개념 확인　　103쪽

3-1 (1) ㉠ 염색 분체, ㉡ 2가 염색체
　(2) A: $2n$, B: $2n$, C: $2n$, D: n　(3) 같다.
3-2 (1) ○　(2) ○　(3) ×
4-1 ③
4-2 Ⅰ: Ab, Ⅱ: aB, Ⅲ: AB, Ⅳ: ab

3-1 (1) ㉠은 염색 분체이고, ㉡은 상동 염색체가 접합한 2가 염색체이다.

(2) A, B, C는 상동 염색체가 쌍으로 존재하므로 $2n$이며, D는 상동 염색체가 하나만 있으므로 핵상은 n이다.

(3) 세포 B는 체세포 분열을 마친 딸세포이며, D는 감수 1분열을 마친 딸세포로 B와 D의 DNA양은 같다. D가 감수 2분열을 마치면 염색체 수와 DNA양이 반으로 줄어든 딸세포가 만들어진다.

3-2 (1) 체세포 분열 과정에서는 염색 분체가 분리된다.

(2) Ⅰ 시기는 DNA양이 증가하고 있는 것으로 보아 DNA가 복제되고 있음을 알 수 있다.

(3) Ⅱ 시기는 체세포 분열이 완료된 시기로 핵상은 2n이다. Ⅲ 시기는 감수 1분열이 완료된 시기로 핵상은 n이다. 따라서 Ⅱ 시기 세포와 Ⅲ 시기 세포의 핵상은 서로 다르다.

자료 해설 ✚ 체세포 분열과 감수 분열의 비교

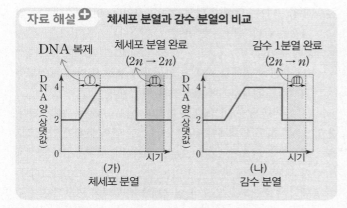

4-1 상동 염색체의 무작위 배열과 분리에 의해 다양한 염색체 조합이 형성되므로 생식세포의 염색체 조합은 이론적으로 $2n$가지이다. $2n=8$인 동물의 경우 $n=4$이므로 생식세포의 염색체 조합은 $2^4=16$가지이다.

4-2 감수 1분열에서 상동 염색체 분리가, 감수 2분열에서 염색 분체 분리가 일어난다.

자료 해설 ✚ 유전적 다양성

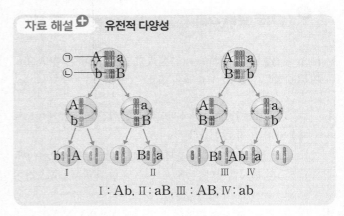

Ⅰ : Ab, Ⅱ : aB, Ⅲ : AB, Ⅳ : ab

2일 기초 유형 연습　　104~105쪽

1 ④　**2** (1) 전기 (2) 해설 참조　**3** ④　**4** ①　**5** ①
6 ④　**7** 해설 참조

1 ㄱ. ㉠은 S기, ㉡은 G$_2$기. ㉢은 M기이다. DNA 복제는 S기에 일어난다.

ㄴ. 간기는 G$_1$기, S기, G$_2$기로 구성된다. 그러므로 ㉡은 간기에 속한다.

[오답 풀이]
ㄷ. 상동 염색체의 접합은 감수 분열 전기에서 일어나므로 ㉢ 시기(체세포 분열)에서는 일어나지 않는다.

2 (1) (가)는 염색사가 염색체로 응축되는 과정으로 전기에 일어난다.

(2) G$_1$기의 핵 속 유전 물질은 가는 실 모양으로 존재하는데 S기를 거치면서 복제된 후 전기에 막대 모양으로 응축한다. 그러므로 S기에 복제되어 생성된 염색 분체의 유전자 구성은 동일하다.

[모범 답안] ㉠과 ㉡은 S기에 DNA가 복제되어 생성된 염색 분체이므로 유전자 구성이 동일하다.

3 간기의 S기에 DNA가 복제된 후 감수 1분열에서 염색체 수와 DNA양이 반감되며, 감수 2분열에서 염색체 수는 변화 없으나 DNA양은 다시 반감된다. 따라서 ㉠은 감수 2분열을 마친 딸세포, ㉡은 감수 1분열을 마친 딸세포, ㉢은 G$_1$기 세포, ㉣은 G$_2$기 세포이다. 따라서 감수 분열의 순서는 G$_1$기(㉢) → G$_2$기(㉣) → 감수 1분열 후 딸세포(㉡), 감수 2분열 후 딸세포(㉠)이다.

감수 분열의 순서는 G_1기(ⓒ) → G_2기(ⓔ) → 감수 1분열 후 딸세포(ⓛ), 감수 2분열 후 딸세포(⑦)이다.

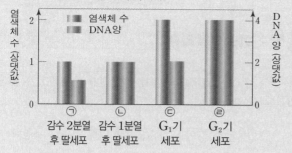

4 ① (가)는 상동 염색체가 접합한 2가 염색체가 관찰되므로 감수 1분열 중기이고 염색체 수는 $2n=4$이다. (나)는 상동 염색체가 각각 따로 적도면에 나열되어 있으므로 체세포 분열 중기이다. (가)와 (나)는 분열 전으로 DNA양은 같다.

오답 풀이

② 2가 염색체는 감수 분열 과정에서 나타나므로 (가)에서 관찰된다.
③ (가)는 감수 분열 과정이므로 염색체 수가 반으로 줄어들지만, (나)는 체세포 분열 과정이므로 염색체 수가 줄어들지 않는다.
④ (가)는 감수 1분열 중기, (나)는 체세포 분열 중기이다.
⑤ (가)는 분열 후 4개의 딸세포가, (나)는 분열 후 2개의 딸세포가 만들어진다.

2가 염색체가 관찰되고, 염색체가 적도면에 나열되어 있으므로 감수 1분열 중기이다.	상동 염색체가 각각 따로 적도면에 나열되어 있으므로 체세포 분열 중기이다.

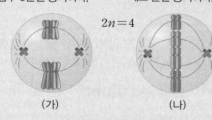

$2n=4$

(가)　　(나)

염색체 수가 4개로 같고, 분열 전이므로 DNA양은 같다.

5 ②, ③ 체세포 분열은 1회 분열로 2개의 딸세포를 형성하고, 감수 분열은 연속된 2회의 분열로 4개의 딸세포를 형성한다.
④ 2가 염색체는 상동 염색체가 접합한 형태로, 감수 1분열 전기에 형성된다. 반면, 체세포 분열에서는 2가 염색체가 형성되지 않는다.
⑤ 체세포 분열은 염색 분체가 분리되는 방식으로 진행되므로, 염색체 수는 $2n$에서 $2n$으로 변화가 없다. 그러나 감수 분열은 1분열에서 상동 염색체가 분리되므로 염색체 수는 $2n$에서 n으로 반감된다.

오답 풀이

① DNA 복제는 체세포 분열과 감수 분열에서 모두 1회만 일어난다.

6 ① (나)에서는 상동 염색체가 접합한 2가 염색체가 관찰된다.
② (나)는 염색 분체가 긴 것 4개, 짧은 것 4개로 총 8개이고, (다)는 염색 분체가 긴 것 1개, 짧은 것 1개로 총 2개이다. 따라서 (나)의 DNA양은 (다)의 4배다.
③ (나)에서 a와 b는 상동 염색체로, 하나는 부계로부터, 나머지 하나는 모계로부터 물려받은 것이다.
⑤ (다)는 (가)의 C 시기에 볼 수 있는 (나)가 2회의 분열을 진행하여 감수 2분열까지 마친 상태이므로 (가)의 E 시기에 볼 수 있다.

오답 풀이

④ (나)에서 관찰되는 2가 염색체는 감수 1분열 전기에 형성되어 1분열 중기까지 나타나므로 (가)의 C 시기에 볼 수 있다.

7 모범 답안 감수 분열 결과 생식세포의 염색체 수가 반감(n)되므로 생식세포의 수정에 의해 만들어진 자손은 염색체 수를 $2n$으로 유지할 수 있게 된다. 감수 분열에 의해 다양한 생식세포가 만들어져 이들의 수정을 통해 다양한 유전자 조합의 자손을 낳을 수 있다.

3일 개념 확인
107쪽

1-1 (1) × (2) × (3) ○ (4) ○ (5) ○
1-2 (1) 키 (2) 일반 성적
2-1 (1) A, a (2) a (3) Aa : aa = 1 : 1
2-2 (1) ○ (2) × (3) ○ (4) ○

1-1 (1) 사람은 인위적인 교배가 불가능하다.
(2) 집단 조사(통계 조사)만으로는 우열 관계를 판단할 수 없다.

1-2 (1) 1란성 쌍둥이에서 함께 자란 경우와 따로 자란 경우 모두 일치율이 높게 나타나는 형질은 키이므로, 유전적 요인이 가장 크게 작용하는 형질은 키이다.
(2) 일반 성적에서 1란성 쌍둥이가 함께 자란 경우와 따로 자란 경우의 일치율이 가장 크게 차이가 나고, 2란성 쌍둥이가 함께 자란 경우 일치율이 높은 것으로 보아 일반 성적은 환경의 영향을 가장 많이 받음을 알 수 있다.

2-1 (1) 아버지의 유전자형은 Aa이고, 생식세포를 형성할 때 대립유전자가 각기 다른 생식세포로 나뉘어 들어가므로 생식세포의 유전자 구성은 A와 a의 두 가지이다.
(2) 어머니의 유전자형은 aa이므로, 생식세포의 유전자 구성은 a의 한 가지이다.
(3) 아버지와 어머니 사이에서 태어날 수 있는 자손의 유전자형은 표와 같다.

아버지 어머니	A	a
a	Aa	aa

따라서 자손의 유전자형 분리비는 Aa : aa = 1 : 1이다.

2-2 (1) 부모는 모두 정상인데, 자녀(A, B)에게 유전병이 나타났으므로 유전병이 열성, 정상이 우성이다.

(2), (4) 열성 형질인 유전병을 나타내는 A와 B의 유전자형은 순종이다.

(3) A와 B에게 유전병 유전자를 물려준 어머니와 아버지의 유전자형은 잡종이다.

3일 개념 확인

109쪽

3-1 (1) 열성, 상염색체 (2) ❶ aa, ❷ Aa, ❸ $\frac{1}{2}$

3-2 (1) × (2) ○ (3) ×

4-1 ②

4-2 ①

3-1 (1) 이 유전병은 상염색체 열성 유전이다.

(2) 이 유전병은 열성이므로 6의 유전자형은 aa이다. 3은 정상이고, 4는 유전병이므로 7은 유전병 유전자를 하나 가지고 있는 이형 접합이다. 따라서 유전자형은 Aa이다. 6(aa)과 7(Aa) 사이에서 태어나는 자녀가 유전병일 확률은 aa × Aa → Aa, Aa, aa, aa이므로 $\frac{1}{2}$이다.

자료 해설 ➕ 가계도 분석

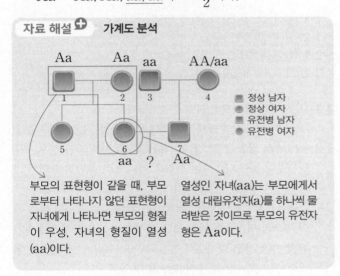

부모의 표현형이 같을 때, 부모로부터 나타나지 않던 표현형이 자녀에게 나타나면 부모의 형질이 우성, 자녀의 형질이 열성(aa)이다.

열성인 자녀(aa)는 부모에게서 열성 대립유전자(a)를 하나씩 물려받은 것이므로 부모의 유전자형은 Aa이다.

3-2 (1)~(2) 염수의 부모님은 모두 분리형이지만 여동생은 부착형이므로 부착형은 열성 형질이며, 부모님은 모두 부착형 대립유전자를 가진다.

(3) 귓불 유전자는 상염색체에 있으므로 형질의 발현 빈도는 남녀에 따라 차이가 없다.

4-1 영희는 아버지로부터 유전자 i를 물려받는다. 영희의 자녀 중 A형이 있으므로, 영희는 유전자 I^A를 가진다. 유전자 I^A, I^B, i는 상동 염색체의 같은 자리에 있는 대립유전자이다.

4-2 부모 중 AB형이 있으면 자녀에서 O형이 태어나지 못하고, 부모 중 O형이 있으면 자녀에서 AB형이 태어나지 못한다. 그러므로 (가)는 아이 II와 III의 부모가 될 수 없다. 따라서

(가)는 아이 I의 부모이다. 마찬가지로 (나)는 아이 III의 부모가 될 수 없다. 따라서 (나)는 아이 II의 부모이고 (다)는 아이 III의 부모이다.

3일 기초 유형 연습

110~111쪽

1 ⑤ **2** ① **3** ⑤ **4** (1) 10명 (2) 해설 참조 **5** ⑤
6 (1) 2 (2) 해설 참조

1 ㄱ. 미맹은 한 쌍의 대립유전자에 의해 형질이 결정되는 단일 인자 유전으로 우성과 열성이 뚜렷하게 구분된다.

ㄴ. 미맹 유전은 멘델의 유전 법칙에 따라 유전된다.

ㄷ. ABO식 혈액형은 한 쌍의 대립유전자에 의해 형질이 결정되는 단일 인자 유전이다.

2 ㄱ. 보조개는 상염색체에 의해 유전된다.

오답 풀이

ㄴ. 아버지와 어머니는 보조개가 있는데 누나는 보조개가 없으므로 보조개 있음이 우성이고, 아버지와 어머니는 모두 유전자형이 이형 접합이다.

ㄷ. 철수의 동생이 태어날 때 보조개가 없을 확률은 $\frac{1}{4}$, 남자 아이일 확률은 $\frac{1}{2}$이므로 보조개가 없는 남자 아이일 확률은 $\frac{1}{8}$이다.

3 ㄴ. 형은 정상(열성)이므로 어머니는 우성 유전자와 열성 유전자를 동시에 가져야 한다. 그러므로 어머니는 유전병 ㉠을 갖고 있다.

ㄷ. A와 A* DNA양이 남녀 모두 같은 양이므로 이 유전자는 상염색체에 존재한다.

오답 풀이

ㄱ. 동형 접합인 철수와 이형 접합인 아버지와 누나의 형질이 같으므로 철수가 가진 유전자 A*는 A에 대해 우성이다.

자료 해설 ➕ DNA양과 유전자형

DNA양으로 유전자형을 알아내야 한다.

① 아버지, 누나: 유전자 A의 DNA양이 1, A*의 DNA양이 1이므로 유전자형은 AA*이다.

② 철수: A*의 DNA양이 2이므로 유전자형은 A*A*이다.

③ 형: A의 DNA양이 2이므로 유전자형은 AA이다.

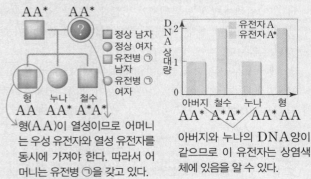

형(AA)이 열성이므로 어머니는 우성 유전자와 열성 유전자를 동시에 가져야 한다. 따라서 어머니는 유전병 ㉠을 갖고 있다.

아버지와 누나의 DNA양이 같으므로 이 유전자는 상염색체에 있음을 알 수 있다.

4 (1) 정상인 부모로부터 유전병인 (가)가 태어났으므로, 유전병 유전자는 정상 유전자에 대해 열성이다. 이 가계도에서 정상인 구성원들은 모두 유전병 유전자를 가지고 있으므로, 이 집안의 모든 구성원들이 유전병 유전자를 가지고 있다.

(2) **모범 답안** 정상 유전자를 A, 유전병 유전자를 a라고 가정했을 때, (가)의 부모는 유전자형이 Aa이다. 따라서 이들 사이에서 태어나는 자녀의 유전자형은 AA, Aa, Aa, aa이다. 따라서 (가)의 동생이 태어날 때, 이 유전병이 나타날 확률은 $\frac{1}{4}$이다.

자료 해설 ➕ 가계도 분석

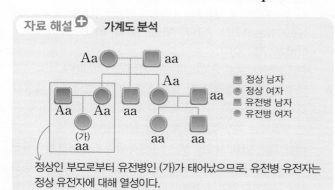

■ 정상 남자
● 정상 여자
■ 유전병 남자
● 유전병 여자

정상인 부모로부터 유전병인 (가)가 태어났으므로, 유전병 유전자는 정상 유전자에 대해 열성이다.

5 ㄴ. ABO식 혈액형은 한 쌍의 대립유전자에 의해 결정된다.
ㄷ. (가)와 (나)는 모두 ABO식 혈액형 유전자형이 $I^B i$로 같다.

오답 풀이
ㄱ. 눈꺼풀이 쌍꺼풀인 부모 사이에서 외까풀인 딸이 태어났으므로 눈꺼풀 모양은 상염색체 유전이다. 따라서 성별에 따라 나타날 확률은 같다.

6 (1) 1~4의 혈액형이 모두 다르므로 1과 2는 각각 AB형과 O형 중 하나인데 2의 ABO식 혈액형 유전자형이 동형 접합이므로 1은 AB형, 2는 O형이다.

(2) **모범 답안** $I^A I^B \times ii \rightarrow I^A i,\ I^A i,\ I^B i,\ I^B i$로 4의 동생이 태어날 때, 이 아이에게서 O형이 태어날 수 없다. 따라서 O형일 확률은 0이다.

4일 개념 확인   113쪽

1-1 (1) ❶ X, ❷ X, ❸ Y, ❹ 정자 (2) ❶ X, ❷ 열성, ❸ X, ❹ 높, ❺ 반성 유전 (3) 보인자
1-2 (1) (가) 44＋XX, 여자, (나) 44＋XY, 남자 (2) 성염색체
2-1 (1) ❶ 3, ❷ 4, ❸ 8, ❹ 우성, ❺ 열성 (2) ❶ 4, ❷ 7
2-2 (1) A: XX′, B: X′Y (2) $\frac{1}{2}$

1-2 (2) 남녀에서 유전병이 나타나는 비율이 다른 것으로 보아 유전병 ㉠ 유전자는 성염색체에 있다.
2-1 (1) 형질의 우열 관계를 판단할 때는 표현형이 같은 부모에게서 부모와는 다른 표현형의 자손이 나타난 경우를 찾으면 된

다. 이 경우 부모의 형질이 우성이고, 자손의 형질이 열성이다.

(2) 아들(8)이 적록 색맹이면 어머니(4)는 반드시 보인자이므로 4는 적록 색맹 대립유전자를 가진 보인자이다. 아버지(2)가 적록 색맹이면 딸(7)은 항상 적록 색맹 대립유전자를 가진 보인자이다. 딸(6)이 적록 색맹이면 어머니(1)는 항상 적록 색맹 대립유전자를 가진 보인자이다.

2-2 (1) 적록 색맹은 성염색체 열성 유전이므로 A 정상 여자는 정상이지만, 적록 색맹인 아들(D)을 낳았으므로 적록 색맹 대립유전자를 하나 가지고 있는 보인자이다. 따라서 유전자형은 XX′이다. B는 적록 색맹 남자이므로 유전자형은 X′Y이다.

(2) A(XX′)와 B(X′Y) 사이에서 태어나는 자녀의 적록 색맹 유전자형은 XX′, X′X′, XY, X′Y이므로 E에게 남동생이 생길 때 남동생이 적록 색맹일 확률은 $\frac{1}{2}$이다.

4일 개념 확인   115쪽

3-1 (1) ㄴ, ㄷ (2) ㄴ, ㄷ, (3) ㄱ, ㄴ
3-2 (1) ○ (2) × (3) × (4) ○

3-1 (1) **오답 풀이**
ㄱ. 단일 인자 유전은 우성과 열성의 분리가 뚜렷하다.
ㄹ. 세 가지 이상의 대립유전자가 관여하는 복대립 유전도 단일 인자 유전이다.
(2) 다인자 유전은 여러 쌍의 대립유전자가 관여하며 우성과 열성의 구분이 뚜렷하지 않다.
(3) ㄱ, ㄴ. 키는 다인자 유전으로, 환경의 영향을 받아 표현형이 다양하여 형질 분포가 연속적인 변이를 나타낸다.
오답 풀이
ㄷ. 키는 다인자 유전으로 여러 쌍의 대립유전자가 관여한다.
3-2 (2) 유전자형이 AAbbdd인 개체와 aaBbDd인 개체는 각각 대문자로 표시되는 대립유전자의 수가 2개이므로 피부색이 같다.
(3) 유전자형이 AaBbDd인 ㉠에서 만들어질 수 있는 생식 세포의 종류는 ABD, ABd, Abd, aBD, aBd, abD, abd의 8가지이다.
(4) 피부색을 검게 만드는 대립유전자를 0~6개 가진 사람이 나올 수 있으므로, 피부색의 표현형은 총 7가지이다.

4일 기초 유형 연습   116~117쪽

1 ②   **2** (1) 10: XX′, 11: XY (2) 2번 → 4번 → 10번
3 ㄴ, ㄷ   **4** ㄴ   **5** ①   **6** 해설 참조

1 ㄱ. 색맹 유전자는 성염색체 X에 있으므로 철수의 색맹 유전자 X'는 어머니로부터 물려받았다.

ㄴ. 가계도의 5명의 여자 중에서 윗세대나 아랫세대에 색맹인 남자가 있는 철수의 어머니와 고모 그리고 고종 사촌 누나는 보인자(XX')임이 확실하다. 그리고 보인자(XX')인 철수 고모의 색맹 유전자는 할머니에게 물려받은 것이므로 할머니도 보인자(XX')임이 확실하다. 그러나 철수의 누나는 유전자형이 XX 또는 XX' 둘 다 가능하다.

ㄷ. 철수 아버지의 유전자형이 XY이고 어머니의 유전자형이 XX'이므로, $XY \times XX' \rightarrow XX, XX', XY, X'Y$에서 철수의 동생이 새로 태어난다고 했을 때, 동생이 색맹일 확률은 $\frac{1}{4}$이다.

자료 해설 ➕ 적록 색맹 유전

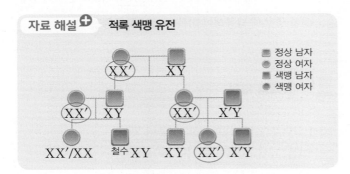

정상 남자
정상 여자
색맹 남자
색맹 여자

2 (1) 정상인 부모 사이에 유전병인 아들 12가 태어났으므로 유전병 ㉠은 열성 형질이다. 아들이 유전병 ㉠을 가지고 있으므로 어머니인 10은 보인자이므로 유전자형은 XX'이고, 아버지는 정상이므로 유전자형은 XY이다.

(2) 아들의 X 염색체는 어머니로부터 물려받으므로 12번의 유전병 ㉠ 유전자는 10번으로부터 물려받은 것이다. 아버지는 딸에게 X 염색체를 물려주므로 10번은 4번으로부터 유전병 ㉠ 유전자를 물려받았다. 4번은 어머니인 2번으로부터 유전병 ㉠ 유전자를 물려받았다. 따라서 12번의 유전병 ㉠ 유전자는 2번 → 4번 → 10번을 통해 전해진 것이다.

3 유전병 부부 사이에서 정상인 아들이 태어난 것을 통해 유전병이 정상에 대해 우성인 것을 알 수 있다. 또한, 여자에서도 유전병이 나타났으므로 유전병 유전자가 X 염색체에 있는 반성 유전이다.

ㄴ. 정상이 열성 형질이기 때문에 정상인 부부 사이에서는 정상인 아이만 태어난다.

ㄷ. 유전병 유전자를 X^O, 정상 유전자를 X라고 하면 A는 $X^O X$, B는 $X^O X^O$ 또는 $X^O X$이다. 따라서 B가 정상 유전자를 가질 확률은 $\frac{1}{2}$이다.

ㄱ. 정상이 열성 형질이기 때문에 유전병 유전자를 갖는 보인자가 존재하지 않는다.

4 ㄴ. (가)의 유전자형은 XX, XY, XZ, YY, YZ, ZZ 6가지이다.

ㄱ. 한 쌍의 대립유전자에 의해 결정되나 대립유전자가 세 가지인 (가)는 복대립 유전이다. (나)는 세 쌍의 대립유전자가 관여하며 대립 형질이 우성과 열성으로 뚜렷하게 구분되지 않는 다인자 유전이다.

ㄷ. (나)의 표현형은 유전자 A, B, C의 개수에 따라 결정되므로 $AaBbCc$인 개체와 $AaBbcc$인 개체의 표현형은 다르다.

5 ㄱ. 사람의 피부색 유전은 세 쌍의 대립유전자에 의해 결정되며, 다양한 표현형이 나타나는 다인자 유전이다.

ㄴ. 유전자형이 $AaBbDd$인 사람이 생성할 수 있는 생식세포의 유전자형은 ABD, ABd, AbD, Abd, aBD, aBd, abD, abd 8가지(2^3)이다.

ㄷ. ㉠에서 나타날 수 있는 피부색의 종류는 7가지이다.

6 미맹은 대립유전자가 한 쌍이나 ABO식 혈액형은 대립유전자가 세 가지로 복대립 유전을 한다. 키와 같은 다인자 유전 형질에는 피부색, 몸무게, 지능 등이 있다.

모범 답안 ABO식 혈액형이나 미맹과 달리 키는 여러 쌍의 유전자가 하나의 형질을 결정하는 다인자 유전으로, 대립 형질이 명확하게 구분되지 않고, 표현형이 다양하게 나타나며, 환경의 영향을 받아 표현형이 더욱 다양해진다.

5일 개념 확인 119쪽

1-1 (1) ○ (2) × (3) ○ (4) ×
1-2 (가) 클라인펠터 증후군, (나) 터너 증후군
2-1 (1) (나) (2) 다운 증후군
2-2 (1) ○ (2) × (3) ×

1-1 (2) 염색체 수의 이상은 감수 1분열과 감수 2분열에서 모두 일어날 수 있다.
(4) 체세포에서 일어난 돌연변이는 자손에게 유전되지 않는다. 생식세포의 돌연변이에 의한 유전병이 자손에게 유전된다.

1-2 (가) 성염색체가 XXY로 3개인 유전병은 클라인펠터 증후군이다. 클라인펠터 증후군 환자는 외관상 남자지만 불임이며, 여자의 신체적 특징이 나타난다.
(나) 성염색체가 X 염색체 1개인 유전병은 터너 증후군이다. 터너 증후군은 외관상 여자지만 불임이다.
클라인펠터 증후군과 터너 증후군은 생식세포 분열 시 성염색체가 비분리되었을 때 나타난다. 상염색체가 비분리되었을 때 나타나는 유전병으로는 에드워드 증후군(8번 염색체가 3개)과 다운 증후군(21번 염색체가 3개) 등이 있다.

2-1 (1) 감수 2분열 시 염색 분체가 분리될 때 염색체 수가 정상인 생식세포와 비정상인 생식세포가 1 : 1로 나타난다.
(2) 21번 염색체가 2개인 정자와 염색체 수가 정상인 난자가 결합하여 형성된 수정란은 21번 염색체가 3개이다.

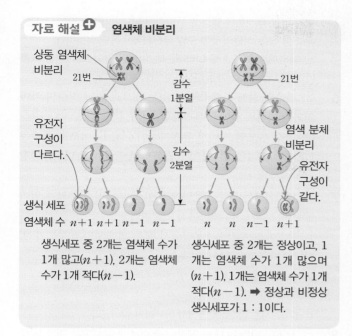

상동 염색체 비분리 21번

감수 1분열

유전자 구성이 다르다.

염색 분체 비분리 21번

감수 2분열

유전자 구성이 같다.

생식 세포 염색체 수 $n+1$ $n+1$ $n-1$ $n-1$ n n $n-1$ $n+1$

생식세포 중 2개는 염색체 수가 1개 많고($n+1$), 2개는 염색체 수가 1개 적다($n-1$).

생식세포 중 2개는 정상이고, 1개는 염색체 수가 1개 많으며 ($n+1$), 1개는 염색체 수가 1개 적다($n-1$). ➡ 정상과 비정상 생식세포가 1 : 1이다.

2-2 (1) A는 감수 1분열 시 상동 염색체가 비분리되어 형성된 것이다. X 염색체와 Y 염색체는 크기는 다르지만 감수 분열 과정에서 접합했다가 분리되므로 상동 염색체로 간주한다.

(2) B는 정상 생식세포(정자)이다.

(3) C의 성염색체 수는 B의 2배이지만 나머지 상염색체는 정상적으로 분리되었으므로 전체 DNA양은 B의 2배가 아니다.

3-1 (가) 중복, (나) 역위, (다) 결실, (라) 전좌
3-2 (1) × (2) ○ (3) ○
4-1 (1) × (2) ○ (3) × (4) × (5) ○
4-2 (1) 헤모글로빈 (2) ❶ DNA, ❷ 아미노산 (3) 산소

3-1 한 염색체 내에서 특정 유전자가 반복되는 것을 중복(가), 한 염색체 내에서 유전자의 위치가 거꾸로 뒤바뀌는 것을 역위 (나)라 한다. 염색체의 일부가 떨어져 없어지는 것을 결실 (다), 상동 염색체가 아닌 염색체 사이에서 염색체의 일부가 교환되는 것을 전좌(라)라고 한다.

3-2 (1) (가)의 ㉠과 ㉡은 서로 상동인 염색체로 부모로부터 각각 하나씩 물려받은 것이다.

4-1 (1) 유전자 이상에 의한 유전병은 염색체 수나 구조에 이상 이 없어 핵형 분석을 통해 확인하기 어려우며, 유전자 분석 이나 선천적 대사 이상 검사와 같은 생화학적 분석을 통해 알아낼 수 있다.

(2) 유전자 이상은 DNA 염기 서열 변화로 나타난다. DNA의 염기 서열에 변화가 생겨 유전자의 유전 정보가 바 뀌면 단백질이 생성되지 않거나 비정상 단백질이 생성될 수 있으며, 이로 인해 유전병이 나타난다.

(3) 유전자 돌연변이에 의한 유전병은 대개 열성 형질이지만 우성 형질인 것도 있다.

(4) 터너 증후군은 염색체 수 이상에 의한 유전병이다.

(5) 낫 모양 적혈구 빈혈증은 유전자 이상에 의한 유전병이 므로 핵형은 정상인과 같다.

4-2 (2) 유전자를 구성하는 DNA의 염기 서열이 변하면 지정하 는 아미노산이 달라져 단백질의 아미노산 서열이 달라지고, 그에 따라 단백질의 구조와 성질이 변하게 된다.

1 ①   **2** 해설 참조   **3** ④   **4** (1) 클라인펠터 증후군 (2) 해 설 참조   **5** ⑤   **6** ③

1 ㄱ. (가)는 상동 염색체 비분리가 일어난 것으로 보아 감수 1 분열에서 비분리가 일어났고, (나)는 염색 분체의 비분리가 일어났으므로 감수 2분열 시 비분리가 일어났다.

오답 풀이

ㄴ. 정자 a는 성염색체가 XY로 2개이므로, 정상 난자와 결합하 면 성염색체가 XXY인 클라인펠터 증후군인 아이가 태어난다.

ㄷ. 성염색체 하나가 부족한 정자 c의 염색체 수는 22개이다.

2 (1) **모범 답안** 정상 체세포와 비교해 볼 때, ㉠은 aBCd가 aBdC로 배열되었다. 따라서 C와 d의 위치가 바뀐 역위가 일어 났다.

(2) **모범 답안** ㉡은 (가)와 비교하여 E가 하나 더 있으므로 중복 이 일어났다.

3 ㄴ. 정자 형성 과정의 감수 1분열에서 비분리가 일어난다면 정자는 XY를 가지거나 성염색체를 가지지 않는다. 감수 2 분열에서 비분리가 일어난다면 XX, X, Y, YY이거나 성 염색체를 가지지 않는다. (가)의 성염색체는 XX로 감수 2 분열에서 비분리가 일어나 생성된 것이다.

ㄷ. (나)의 성염색체는 XY이다. 따라서 감수 1분열에서 비 분리가 일어나 생성된 정자이다.

오답 풀이

ㄱ. (다) 정자의 성염색체 수가 (라) 정자의 성염색체 수의 2배라고 해서 (다) 정자의 전체 DNA양이 (라) 정자의 2배는 아니다.

4 (1) (가)의 성염색체가 XXY이므로 (가)는 클라인펠터 증후 군이다.

(2) **모범 답안** (가)의 어머니가 색맹이고, (가)는 색맹이 아니므로 X 염색체를 모두 어머니로부터 받지 않았음을 알 수 있다. 따라서 어머니로부터 X'를 물려받고 아버지로부터 X와 Y 염색체를 물 려받았으므로 아버지의 정자 형성 과정 중 감수 1분열에서 염색체 의 비분리가 일어났다.

5 낫 모양 적혈구 빈혈증, 낭성 섬유증, 알비노증은 모두 유전 자를 구성하는 DNA 염기 서열에 이상이 있어(유전자 돌연 변이) 나타나는 유전병이다.

6 ㄱ. 낫 모양 적혈구 빈혈증은 유전자 돌연변이이고, 고양이 울음 증후군과 터너 증후군은 염색체 돌연변이이다.

ㄷ. 터너 증후군은 성염색체가 X 염색체 1개로, 외관상 여자지만 불임이다.

오답 풀이
ㄴ. B의 경우 염색체의 일부만 결실이 되었으므로 체세포 1개당 염색체 수는 46개로 정상인과 동일하다.

3주 누구나 100점 테스트   124~125쪽

1 ㄱ, ㄴ, ㄷ   2 ㄴ, ㄷ   3 ⑤   4 해설 참조   5 ④
6 (1) 아버지: $I^A i$, 어머니: $I^B i$ (2) A형, B형, AB형, O형
7 ③   8 ㄱ   9 ㄱ, ㄴ, ㄷ   10 해설 참조

1 ㄱ. Ⅰ과 Ⅱ는 DNA가 복제되어 만들어진 염색 분체이므로 저장된 유전 정보가 같다.

ㄴ. ㉠은 히스톤 단백질을 포함하는 뉴클레오솜이다.

ㄷ. ㉡은 뉴클레오타이드로 구성된 DNA이다.

2 ㄴ. 사람의 체세포에는 부모로부터 하나씩 물려받은 상동 염색체가 존재한다.

ㄷ. 남녀에게서 공통으로 나타나는 22쌍의 염색체를 상염색체, 성별에 따라 다른 1쌍의 염색체를 성염색체라고 한다.

오답 풀이
ㄱ. 염색체는 세포 분열 전기에 형성되어 말기 때 사라지므로 간기에는 염색체가 관찰되지 않는다.

3 ㄱ, ㄷ. 체세포 분열 중기의 상동 염색체는 서로 분리된 상태로 세포 중앙에 일렬로 배열되고, 양극의 중심체로부터 생성된 방추사가 동원체에 연결된다.

ㄴ. S기 때 복제되어 만들어진 염색 분체(염색 분체 A와 B)는 유전자 구성이 동일하다.

4 (1) 모범 답안 2가 염색체가 형성된다. 염색체 수가 반감된 딸세포가 형성된다. DNA양이 반감된 딸세포가 형성된다. 1회의 간기를 거친 후 연속해서 2회의 분열을 하여 4개의 딸세포가 만들어진다. 생식 기관에서만 관찰할 수 있다. 등

(2) 모범 답안 생식세포 분열을 통해 염색체 수가 반감된 생식세포가 형성됨으로써 수정에 의해 만들어진 자손도 어버이와 같은 염색체 수를 가지게 되므로 세대를 거듭하더라도 염색체 수가 일정하게 유지된다.

5 ④ 적록 색맹 유전자는 X 염색체에 있다. 따라서 아들의 적록 색맹 대립유전자(X')는 어머니에게서 물려받은 것이다.

오답 풀이
① 정상 부모 사이에서 미맹인 딸이 태어났으므로 미맹은 열성 형질이다.

② 미맹은 상염색체 유전이므로 이론적으로 남녀에서 같은 비율로 나타난다.

③ 부모가 모두 분리형 귓불인데 아들이 부착형 귓불이므로 분리

형이 우성, 부착형은 열성이다. 따라서 부모의 귓불 모양 유전자형은 이형 접합, 아들의 귓불 모양 유전자형은 동형 접합이다.

⑤ 아버지가 형질 A를 나타내는데, 아들과 딸이 모두 형질 A를 나타내고 있으므로 이 유전자는 상염색체에 있다.

6 (1) 철수의 형제 중에 O형이 있는 것으로 보아 철수의 아버지와 어머니의 혈액형 유전자형은 $I^A i$, $I^B i$이다.

(2) 철수 부모의 혈액형 유전자형이 $I^A i$, $I^B i$이므로 철수는 $I^A i \times I^B i \rightarrow I^A i$, $I^B i$, $I^A I^B$, ii에서 A형, B형, AB형, O형이 모두 가능하다.

7 ㄱ. (가)에서는 감수 2분열에서 염색 분체의 비분리가 일어났으며, ㉠과 ㉡은 핵상이 n으로 같다.

ㄴ. (나)에서는 감수 1분열에서 상동 염색체의 비분리가 일어났으며, ㉢의 핵상은 $n+1$이다. 따라서 ㉢의 염색체 중에는 한 쌍의 상동 염색체가 있다.

오답 풀이
ㄷ. (가)에서는 감수 2분열에서 비분리가 일어났다.

8 ㄱ. PTC 미맹은 대립 형질이 뚜렷하게 구분되는 것으로 보아 한 쌍의 대립유전자에 의해 형질이 결정된다는 것을 알 수 있다.

오답 풀이
ㄴ. 눈꺼풀은 단일 인자 유전 형질이고, 키는 다인자 유전 형질이다. 따라서 눈꺼풀에 비해 키가 환경의 영향을 많이 받는다.

ㄷ. 키 형질은 대립 형질이 뚜렷하게 구분되지 않는 다인자 유전 형질이다.

9 ㄱ. 클라인펠터 증후군은 염색체 비분리에 의한 염색체 수 이상에 의한 유전병으로 염색체 구성은 $44+XXY$이다. 따라서 (나)에는 Y염색체가 있다.

ㄴ. ㉠(고양이 울음 증후군)은 염색체 구조 이상(5번 염색체 결실)에 의한 유전병이다.

ㄷ. 클라인펠터 증후군은 염색체 수 이상에 의한 유전병이다.

10 모범 답안 역위, 한 염색체 내에서 염색체가 끊어진 후 거꾸로 연결되어 나타난다.

창의 · 융합 · 코딩   127~131쪽

정답 ⑤

표는 가족 Ⅰ과 Ⅱ의 쌍꺼풀과 보조개 유무를 나타낸 것이다.

구분	가족 Ⅰ			가족 Ⅱ		
	부	모	자녀 A	부	모	자녀 B
쌍꺼풀	+	+	❶ −	−	−	−
보조개	−	+	+	+	+	❷ −

(+ : 있음, − : 없음)

이에 대한 설명으로 옳은 것만을 〈보기〉에서 있는 대로 고른 것은? (단, 돌연변이는 고려하지 않는다.)

― 보기 ―
ㄱ. A의 부모는 쌍꺼풀 유전자형이 모두 이형 접합이다.
ㄴ. 보조개 있음이 보조개 없음에 대해 우성이다.
ㄷ. A와 B가 결혼하여 아이를 낳을 경우 이 아이가 보조개 있음일 확률은 $\frac{1}{2}$이다.

① ㄴ   ② ㄷ   ③ ㄱ, ㄴ
④ ㄴ, ㄷ   ⑤ ㄱ, ㄴ, ㄷ

❶, ❷ 쌍꺼풀 있는 부모(보조개 있는 부모) 사이에서 쌍꺼풀 없는 자녀(보조개 없는 자녀)가 태어난 것을 통해 쌍꺼풀 없음(보조개 없음)이 열성임을 알아내야 한다.

❶, ❷ ㄱ, ㄴ. 쌍꺼풀 있음과 보조개 있음이 각각 쌍꺼풀 없음과 보조개 없음에 대해 우성이다. 따라서 A의 부모는 쌍꺼풀 유전자형이 모두 이형 접합이고, B의 부모는 보조개 유전자형이 모두 이형 접합이다.
ㄷ. 보조개 유전자형이 자녀 A는 이형 접합, B는 열성 동형 접합이므로 둘이 결혼하여 아이를 낳을 경우 Aa×aa → Aa, Aa, aa, aa가 되어 태어날 아이가 보조개 있음일 확률은 $\frac{1}{2}$이다.

---

1 ⑤   2 ②   3 ③   4 ②   5 ⑤   6 ①

1 ㄱ. 세포 주기의 S기에 해당하는 구간 Ⅰ의 세포는 핵막을 갖는다.
ㄴ. 21번 염색체가 3개이므로 다운 증후군의 염색체 이상이 관찰된다.
ㄷ. 핵형 분석은 염색체가 관찰되는 분열기(중기, ㉢)의 세포를 이용한다. 구간 Ⅱ에는 분열기와 G_2기에 해당하는 세포가 있으므로 구간 Ⅱ에는 ㉢ 시기의 세포가 있다.

2 ㄴ. 구간 Ⅱ에는 분열기(M기)의 세포가 있으므로 핵막이 소실된 세포가 있다.

【오답 풀이】
ㄱ. ㉠은 S기, ㉡은 G_2기. ㉢은 M기이다. 구간 Ⅰ은 DNA양이 1이므로 DNA 복제가 일어나기 전인 G_1기의 세포가 있다.
ㄷ. 체세포 분열 과정이므로 M기에서 염색 분체의 분리가 일어난다. 상동 염색체의 접합과 분리는 감수 분열에서 일어난다.

3 ㄱ. (가)는 감수 2분열 중기 세포이므로 핵상이 n이다.
ㄴ. (나)는 감수 1분열 중기 세포이므로 3개의 2가 염색체를 갖는다.

【오답 풀이】
ㄷ. G_1기는 DNA 복제 전이므로 이 동물의 G_1기 세포 1개당 DNA 상대량은 2이다.

4 ㄴ. ㉠에는 22개의 상염색체만 있고, ㉡에는 22개의 상염색체와 2개의 성염색체가 있다.

【오답 풀이】
ㄱ. ㉠은 ㉡보다 염색체 수가 적으므로 ㉠에는 성염색체가 없으며, ㉡에는 X 염색체와 Y 염색체가 모두 있다.
ㄷ. ㉡(22＋XY)과 정상 난자(22＋X)가 수정되어 태어난 아이는 클라인펠터 증후군(44＋XXY)의 염색체 이상을 보인다.

5 ㄱ. (가)는 피부색, (나)는 적록 색맹, (다)는 ABO식 혈액형이다.
ㄴ. 적록 색맹은 성염색체에 의한 유전으로 남녀에 따라 발현되는 빈도가 서로 다르다.
ㄷ. ABO식 혈액형은 세 가지 종류의 대립유전자가 관여하는 복대립 유전이다.

6 ㄱ. 유전병 ㉠을 가지는 5와 6으로부터 정상인 8이 태어났으므로 유전병 ㉠은 우성 형질이다. 유전병 ㉠ 유전자가 성염색체(X 염색체)에 있다고 가정하면, 5의 유전자형은 $X^T Y$이고 태어나는 딸은 항상 X^T를 물려받으므로 ㉠이 나타나야 하는데, 8이 정상이므로 유전병 ㉠ 유전자는 상염색체에 있다.

【오답 풀이】
ㄴ. 유전병 ㉠이 우성 형질인데, 문제에서 대립유전자 T는 T*에 대해 완전 우성이라고 하였으므로 대립유전자 T는 유전병 ㉠ 유전자이고 T*는 정상 유전자이다. 따라서 1~8 중 T*를 가지고 있는 사람은 7명 또는 8명이다.
ㄷ. TT*×TT* → TT, TT*, TT*, T*T*이므로 8의 동생이 한 명 태어날 때, 이 아이가 ㉠일 확률은 $\frac{3}{4}$이다.

자료 해설 ➕   가계도 분석

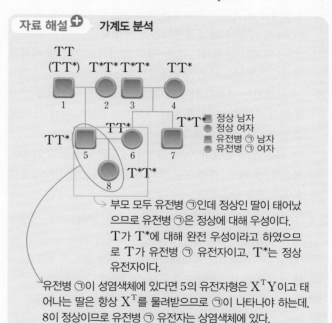

부모 모두 유전병 ㉠인데 정상인 딸이 태어났으므로 유전병 ㉠은 정상에 대해 우성이다.
T가 T*에 대해 완전 우성이라고 하였으므로 T가 유전병 ㉠ 유전자이고, T*는 정상 유전자이다.

유전병 ㉠이 성염색체에 있다면 5의 유전자형은 $X^T Y$이고 태어나는 딸은 항상 X^T를 물려받으므로 ㉠이 나타나야 하는데, 8이 정상이므로 유전병 ㉠ 유전자는 상염색체에 있다.

1^일 개념 확인 137쪽

1-1 (1) B, 개체군 (2) C, 군집 (3) D, 생태계
1-2 (1) ○ (2) ○ (3) ○ (4) ○
2-1 (1) A (2) C (3) B
2-2 (1) × (2) ○ (3) ○

1-1 A는 개체, B는 개체군, C는 군집, D는 생태계이다. 독립적으로 생명 활동을 할 수 있는 하나의 생명체를 개체라고 한다.
(1) 일정 지역에서 같은 종의 개체가 무리를 이루어 생활하는 집단을 개체군이라고 한다. 같은 종이라도 지리적으로 떨어져 있으면 다른 개체군이다.
(2) 일정한 지역에 여러 종의 개체군이 서로 상호 작용하며 모여 생활하는 집단을 군집이라고 한다. 생물 군집은 생태계의 생물적 요인에 해당한다.
(3) 군집을 이루는 생물은 이들을 둘러싼 생물 및 빛, 공기 등의 환경 요인과 상호 작용하며 하나의 계를 이루는데 이를 생태계라고 한다.

1-2 (1) A는 생산자이다. 생산자는 독립 영양 생물로서 대부분 광합성을 하여 무기물로부터 포도당과 같은 유기물을 만든다. 녹색 식물, 식물성 플랑크톤 등이 있다.
(2) 소비자와 분해자는 종속 영양 생물로서 자신에 필요한 에너지와 물질을 다른 생물에게서 얻는다.
(3) 분해자는 생물의 사체나 배설물에 포함된 유기물을 무기물로 분해하여 에너지를 얻는 생물이며 곰팡이는 세균, 버섯과 함께 대표적인 분해자이다.
(4) B는 생산자, 소비자, 분해자로 구성된 생물적 요인이다. 생산자, 소비자, 분해자는 서로 다른 개체군이므로 생물적 요인은 생물 군집이다.

2-1 (1) 햇빛이 강하면 식물의 광합성량이 증가하는 것은 비생물적 요인인 빛이 생물에 영향을 미친 결과이다.
(2) 콩과식물과 뿌리혹박테리아의 관계는 생물과 생물 사이에 영향을 끼치는 것이므로 C에 해당한다.
(3) 낙엽이 썩으면서 토양의 성분이 바뀌는 것은 생물적 요인이 비생물적 요인에 영향을 주는 것이므로 B에 해당한다.

2-2 (1) 한 지역에 살고 있는 동일한 종의 생물 집단을 개체군이라고 하므로, 각각의 개체군은 한 종으로 구성된다.
(2) 위도는 비생물적 요인이고, 식물 군집은 생물적 요인이므로 (가) 작용에 해당한다.
(3) 지의류는 생물적 요인이고, 암석은 비생물적 요인이므로 (나) 반작용에 해당한다.

1^일 개념 확인 139쪽

3-1 (1) (가) (2) (나) (3) (가)
3-2 (1) × (2) ○ (3) ○
3-3 ❶ 뿌리, ❷ 통기 조직, ❸ 뿌리, ❹ 저수 조직
3-4 ②

3-1 (1) 강한 빛을 받는 양엽(가)은 약한 빛을 받는 음엽(나)보다 울타리 조직이 발달하여 잎이 두껍다.
(2) 음엽(나)은 약한 빛을 효율적으로 흡수하기 위해 잎이 넓고 얇게 발달하였다.
(3) 양엽(가)이 음엽(나)보다 울타리 조직이 발달되어 있으므로 (나)보다 (가)에서 광합성이 더 활발하게 일어난다.

3-2 (1) 북극곰이 고위도 지역에 사는 곰이고, 고위도로 갈수록 몸집이 크다.
(2) 반달곰이 몸의 부피에 비해 몸의 체표면적이 넓어 외부로의 열 방출량이 많다. 이는 더운 지방에서 체온을 유지하는 데 유리하다.
(3) 위도에 따라 몸의 크기가 다른 것은 온도에 따른 적응 결과이다. 추운 지방에 사는 곰일수록 몸집이 큰 것은 열 방출량을 줄여 체온을 유지하기 위한 것이다.

3-3 물은 생물체를 구성하는 물질 중 가장 많은 물질이며, 각종 물질대사 반응의 매개체가 된다. 생물은 물을 이용하기 위해 다양한 방식으로 적응하며 살아간다. 사막에 사는 식물은 물을 잘 흡수하기 위해 관다발과 뿌리가 발달되어 있고, 물의 저장 조직(저수 조직)이 발달되어 있다. 물에 사는 식물은 관다발과 뿌리가 잘 발달하지 않고, 통기 조직이 발달해 있다.

3-4 바다의 깊이에 따라 투과되는 빛의 파장과 양이 달라 주로 분포하는 해조류의 종류도 다르다. 바다의 얕은 곳에는 적색광을 주로 이용하는 녹조류가 많이 분포하고, 깊은 곳에는 청색광을 주로 이용하는 홍조류가 많이 분포한다.

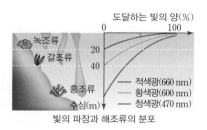

빛의 파장과 해조류의 분포

1^일 기초 유형 연습 140~141쪽

1 ⑤ **2** 해설 참조 **3** ⑤ **4** 해설 참조 **5** ② **6** ④

1 ㄱ. (가)는 개체, (나)는 개체군, (다)는 군집이다.
ㄴ. 개체군은 한 지역에서 서식하는 동일한 종의 집단이다.
ㄷ. 군집은 한 지역에서 서식하는 여러 개체군의 모임이다.

2 〔모범 답안〕 ⊙은 생산자, ⓒ은 소비자, ⓒ은 분해자이다. 생산자는 광합성을 하여 유기물을 생산하고, 소비자는 생산자로부터 유기물을 섭취하며, 분해자는 사체, 배설물 등의 유기물을 무기물로 분해하여 물질 순환에 중요한 역할을 한다.

3 샌드피시의 몸은 건조한 날씨를 견디기에 적합하게 진화하였으므로, 영향을 미친 환경 요인은 물이다.
⑤ 선인장은 뿌리와 물을 저장하는 조직이 발달하여 건조한 환경에 적응할 수 있다.

〔오답 풀이〕
①은 온도, ②는 빛의 파장, ③과 ④는 일조 시간과 관련된 현상이다.

4 숲의 나무라는 생물적 요소가 공기, 흙, 바람 등 비생물적 요소에 영향을 주는 것은 반작용이다.

〔모범 답안〕 반작용, 숲의 나무는 생물적 요소이고 공기, 흙, 바람은 비생물적 요소이다.

5 자료에 나타난 것은 생물과 생물 사이에 영향을 주고받는 상호 작용이다.
ㄷ. 외래 어종인 큰입우럭(생물)의 개체 수 증가로 토종 어류(생물)의 종 수가 감소하는 것은 생물과 생물 사이의 상호 작용이다.

〔오답 풀이〕
ㄱ. 기온이 떨어져 숲에 단풍이 들고 낙엽이 떨어지는 것은 비생물적 요인이 생물에 영향을 미치는 것이므로 작용이다.
ㄴ. 지렁이가 흙 속에 구멍을 뚫어 토양의 통기성을 높여 주는 것은 생물이 환경에 영향을 미치는 것이므로 반작용이다.

6 (가)는 비생물적 요인이 생물적 요인에 영향을 주는 작용이고, (나)는 생물적 요인이 비생물적 요인에 영향을 주는 반작용이다.
①은 온도, ②와 ⑤는 빛, ③은 수분이 각각 생물에 영향을 주는 작용이다.

〔오답 풀이〕
④ 토끼를 먹이로 하는 여우의 수가 늘어나자 토끼의 수가 감소하는 것은 생물과 생물 사이의 상호 작용에 해당한다.

2일 개념 확인 143쪽

1-1 (1) ❶ J자, ❷ S자 (2) 환경 저항
1-2 (1) ❶ 많이, ❷ 높아 (2) B (3) C
2-1 (1) ○ (2) × (3) ○ (4) ○
2-2 (1) 감소 (2) 2차 소비자 (3) 포식과 피식

1-1 (1) 개체군에 속한 개체들이 먹이가 풍부하고, 서식지에 여유가 있는 등 이상적인 환경 조건에서 생식 활동에 제약을 받지 않고 계속 번식한다면 개체 수가 기하급수적으로 증가하여 J자형의 생장 곡선을 나타낸다. 자연 상태에서는 개체군의 밀도가 높아지면 환경 저항에 의해 개체 수 증가가 둔

화되어 S자형의 생장 곡선을 나타낸다.
(2) 개체군의 밀도가 증가함에 따라 먹이 부족, 서식지 부족, 노폐물 증가, 질병 증가 등과 같은 환경 저항에 의해 개체 수 증가 속도가 느려진다.

1-2 (1) A는 많은 수의 자손을 낳지만 부모의 보호를 받지 못해 어린 개체의 사망률이 높다. 굴, 어류 등이 속한다.
(2) B는 연령에 따른 사망률이 일정한 유형으로 설치류, 히드라 등이 속한다.
(3) C는 적은 수의 개체를 낳지만 부모의 보호로 어린 개체의 사망률이 낮은 유형으로 사람, 대형 포유류 등이 속한다.

자료 해설 ➕ 생존 곡선

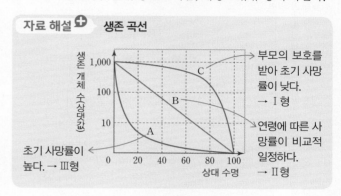

부모의 보호를 받아 초기 사망률이 낮다. → Ⅰ형
연령에 따른 사망률이 비교적 일정하다. → Ⅱ형
초기 사망률이 높다. → Ⅲ형

2-1 (1) 이른 봄에 돌말의 개체 수가 급격히 증가하는 것은 영양염류의 양이 충분한 상태에서 빛의 세기가 강해지고 수온이 높아지기 때문이다.
(2) 늦은 봄에 돌말의 개체 수가 급격히 감소하는 것은 영양염류의 양이 부족하기 때문이다.
(3) 여름에 돌말의 개체 수가 적은 것은 영양염류의 양이 부족하기 때문이다. 따라서 여름에 영양염류의 양이 증가하면 돌말의 개체 수가 급격히 증가한다. 이러한 현상의 예가 적조 현상이다.
(4) 겨울에 돌말의 개체 수가 적은 것은 영양염류의 양은 풍부하지만 빛의 세기가 약하고 수온이 낮기 때문이다. 따라서 겨울에 돌말의 개체 수는 빛의 세기와 수온에 의해 제한된다.

자료 해설 ➕ 계절에 따른 개체군의 주기적 변동

이른 봄에는 빛의 세기가 강해지고 수온이 상승하여 돌말의 개체 수가 증가한다.

늦은 봄에 돌말의 개체 수가 급격히 감소하는 것은 영양염류의 양이 부족하기 때문이다.

변화량 — 영양염류 — 빛의 세기 — 돌말의 개체 수 — 수온
겨울 봄 여름 가을

겨울에는 영양염류가 풍부하지만 수온이 낮고 빛의 세기가 약해 돌말의 개체 수가 적다.

여름에는 빛의 세기가 세고 수온도 높지만 영양염류가 부족해 돌말의 개체 수가 적다.

2-2 (1) A가 증가하면 B도 증가하고, A가 감소하면 B도 감소한다. 따라서 A와 B는 포식과 피식의 관계이고, A는 피식자, B는 포식자이다.

(2) A가 1차 소비자이므로 B는 1차 소비자를 잡아먹는 2차 소비자이다.

(3) A와 B의 주기적인 개체 수 변화의 원인은 포식과 피식 관계에 의한 것이다.

자료 해설 ➕ 포식과 피식에 따른 개체군의 주기적 변동

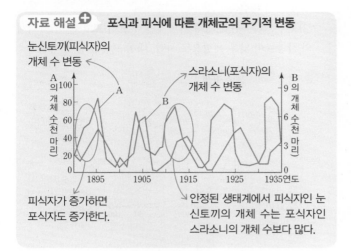

눈신토끼(피식자)의 개체 수 변화

스라소니(포식자)의 개체 수 변화

피식자가 증가하면 포식자도 증가한다.

안정된 생태계에서 피식자인 눈신토끼의 개체 수는 포식자인 스라소니의 개체 수보다 많다.

2일 개념 확인 145쪽

3-1 (1) ㄷ (2) ㄴ (3) ㅁ (4) ㄹ
3-2 ㄴ
4-1 (1) 고도 (2) 낮다 (3) 온도 (4) 침엽수림
4-2 (1) ○ (2) ○ (3) ○ (4) ×

3-1 (1) 양 떼의 이동은 리더제의 예이다. 리더제는 한 개체가 리더가 되어 개체군의 행동을 지휘하는 것으로 이동 방향을 결정하거나 천적으로부터 도망치도록 하는 등 개체군의 행동을 지휘하여 질서를 유지한다. 기러기, 코끼리도 집단으로 이동할 때 한 개체가 전체 무리를 이끌며 이동한다.

(2) 문제에서 주어진 큰뿔양의 뿔 치기는 순위제의 예이다. 순위제는 힘의 서열에 따라 순위를 정하여 먹이나 배우자를 차지한다. 이렇게 함으로써 개체군 내 질서가 유지되며 불필요한 경쟁을 줄일 수 있다. 순위제의 예로는 닭의 모이 먹는 순서 등이 있다.

(3) 문제는 사자의 가족생활이다. 혈연관계의 개체들이 무리 지어 생활하는 것을 말하며 먹이를 공동으로 사냥하고 새끼를 함께 돌볼 수 있어 개체군을 유지하는 데 도움이 된다.

(4) 개미는 사회생활의 대표적인 예이다. 각 개체들이 역할을 분담하고 이들의 협력으로 전체 개체군이 유지된다. 사회생활의 또 다른 예로 꿀벌이 있다. 여왕벌은 조직 통솔과 산란, 수벌은 생식, 일벌은 꿀의 채취와 벌집 관리 등을 담당한다.

3-2 은어의 세력권 형성은 텃세에 해당한다. 텃세는 서식 공간을 차지하고 다른 개체의 침입을 막는 것으로 개체를 분산시켜 개체군의 밀도를 조절하고, 불필요한 경쟁이나 싸움을 방지할 수 있다.

ㄴ. 호랑이가 배설물로 자기 영역을 표시하는 것은 텃세이다.

오답 풀이

ㄱ. 스라소니가 눈신토끼를 잡아먹는 것은 포식과 피식의 관계이다.

ㄷ. 우두머리 기러기가 리더가 되어 무리를 이끄는 것은 리더제이다.

4-1 (1) 수직 분포는 특정 지역에서 고도에 따라 나타나는 분포이다.

(2), (3) 고도가 높아질수록 기온은 낮아지며, 주로 온도의 영향을 받아 식물 군집의 수직 분포가 나타난다.

(4) 고도가 낮은 곳에서 높은 곳으로 갈수록 상록 활엽수림 → 낙엽 활엽수림 → 혼합림 → 침엽수림(B) → 관목대(A) 순으로 분포한다.

4-2 (1) 층상 구조는 식물 군집의 수직적인 구성을 나타낸 것이다. 식물 군집은 빛의 세기, 온도, O_2 농도 등에 따라 수직적으로 뚜렷한 층상 구조가 나타난다.

(2), (3) 층상 구조는 군집을 구성하는 식물들이 빛을 최대한 효율적으로 이용하도록 적응한 것으로, 층상 구조가 잘 발달할수록 지표면에 도달하는 빛의 양이 적어진다.

(4) 가장 높은 교목층에 도달하는 빛의 세기가 가장 크므로 광합성은 교목층에서 가장 활발하게 일어난다.

자료 해설 ➕ 식물 군집의 층상 구조

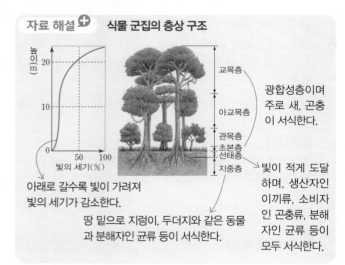

아래로 갈수록 빛이 가려져 빛의 세기가 감소한다.

교목층 / 아교목층 / 관목층 / 초본층 / 선태층 / 지중층

광합성층이며 주로 새, 곤충이 서식한다.

땅 밑으로 지렁이, 두더지와 같은 동물과 분해자인 균류 등이 서식한다.

빛이 적게 도달하며, 생산자인 이끼류, 소비자인 곤충류, 분해자인 균류 등이 모두 서식한다.

2일 기초 유형 연습 146~147쪽

1 ① **2** (1) 해설 참조 (2) t_1 **3** (1) (나) (2) 해설 참조
4 ④ **5** ④ **6** ⑤

1 ㄱ. Ⅰ형은 부모의 보호를 받아 어린 개체의 사망률이 낮다. 사람, 코끼리 등 대형 포유류 등이 해당한다.

ㄴ. Ⅱ형은 연령별 사망률이 일정하다. 어린 개체의 사망률이 가장 높은 것은 Ⅲ형이다.

ㄷ. Ⅲ형은 어린 개체의 사망률이 높은 유형으로 물고기, 굴 등 어패류 등이 해당한다.

2 (1) **모범 답안** B, 개체 수가 증가할수록 환경 저항이 커지기 때문에 어느 정도 시간이 지나면 개체 수가 더 이상 증가하지 않고 일정한 수준을 유지하여 S자형을 나타낸다.

(2) 번식률은 그래프의 기울기로 판단할 수 있다. 따라서 B에서 t_1일 때의 번식률은 높지만 t_2일 때 번식률은 0에 가깝다는 것을 알 수 있다.

3 (1) (가)는 안정형, (나)는 발전형, (다)는 쇠퇴형 피라미드이다. 연령 피라미드의 생식 전 연령층의 비율에 따라 개체군의 크기 변화를 예측할 수 있다. 생식 전 연령층의 개체 수 비율은 발전형 피라미드에서 가장 높으므로 (나)에서 가장 높다.

(2) **모범 답안** 쇠퇴형 피라미드, 생식 전 연령층의 비율이 낮으므로 시간에 따라 개체 수가 감소할 것이다.

자료 해설 ➕ 개체군의 연령 피라미드

개체군의 연령 피라미드는 개체군의 연령별 개체 수의 비율을 차례로 쌓아 올린 연령 분포를 그림으로 나타낸 것이다.

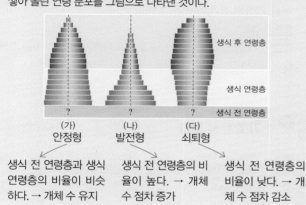

생식 전 연령층과 생식 연령층의 비율이 비슷하다. → 개체 수 유지

생식 전 연령층의 비율이 높다. → 개체 수 점차 증가

생식 전 연령층의 비율이 낮다. → 개체 수 점차 감소

4 ㄱ. A는 눈신토끼, B는 스라소니이다. 스라소니가 눈신토끼의 포식자이다.

ㄷ. 피식자(눈신토끼)의 개체 수가 증가하면 먹이가 많아져서 포식자(스라소니)의 개체 수도 증가한다. 포식자(스라소니)의 개체 수가 증가하면 천적의 증가로 피식자(눈신토끼)의 개체 수는 감소한다.

ㄴ. 안정된 생태계에서 피식자의 개체 수는 포식자의 개체 수보다 많다. 따라서 피식자인 눈신토끼의 개체 수가 포식자인 스라소니의 개체 수보다 많다.

5 ④ 자료에 나타난 큰뿔양 개체군 내의 상호 작용은 순위제이다. 닭의 모이 먹는 순서도 순위제에 해당한다.

①은 리더제, ②은 사회생활, ③은 가족생활, ⑤은 텃세이다.

6 ㄱ. 생산자는 스스로 무기물로부터 유기물을 합성할 수 있다.

ㄴ. C와 D는 A를 먹는 1차 소비자로 생태적 지위가 같다.

ㄷ. G는 C와 E를 먹으므로 C와 E 모두의 포식자이다. 포식과 피식의 관계인 두 종에서 포식자를 피식자의 천적이라고 한다.

3일 개념 확인 149쪽

1-1 (1) ○ (2) ○ (3) ○ (4) ×
1-2 (1) ❶ 2, ❷ 0.32 (2) ❶ 20, ❷ 80 (3) B종
2-1 (1) 1차 건성 천이 (2) 빛(빛의 세기) (3) 음수
2-2 (1) 2차 천이 (2) A는 초원, B는 양수림이다. (3) 음수림

1-1 방형구는 군집 조사에 이용하는 정사각형이나 직사각형 모양의 표본이며, 군집의 종류와 특성에 따라 다른 크기의 방형구를 이용한다. 방형구를 이용한 군집의 조사 과정에서 밀도는 방형구에서 관찰되는 특정 종의 종류와 개체 수를 조사한 것이다. 빈도는 특정 종이 출현한 방형구의 수를, 피도는 특정 종이 지표를 덮고 있는 정도를 조사한 것이다.

(1)~(3) 방형구 안의 각 식물 종의 개체 수로 밀도를 구할 수 있고, 종이 출현한 방형구 수로 빈도를 구할 수 있다. 피도는 방형구에서 각 식물 종이 차지하고 있는 면적으로 구할 수 있다.

(4) 각 식물 종의 밀도, 빈도, 피도를 이용하여 상대 밀도, 상대 빈도, 상대 피도를 구하고, 각 식물 종의 상대 밀도, 상대 빈도, 상대 피도 값을 합하면 중요치를 알 수 있다.

1-2 (1) A의 밀도는 $\dfrac{\text{특정 종의 개체 수}}{\text{전체 방형구의 면적}(m^2)} = \dfrac{2}{1} = 2$,

B의 빈도는 $\dfrac{\text{특정 종이 출현한 방형구 수}}{\text{전체 방형구의 수}} = \dfrac{8}{25} = 0.32$이다.

(2) A의 상대 밀도(%)는

$\dfrac{\text{특정 종의 밀도}}{\text{조사한 모든 종의 밀도의 합}} = \dfrac{2}{10} \times 100 = 20(\%)$이고,

B의 상대 빈도(%)는

$\dfrac{\text{특정 종의 밀도}}{\text{조사한 모든 종의 빈도의 합}} = \dfrac{0.32}{0.4} \times 100 = 80(\%)$이다.

(3) 우점종은 중요치가 가장 높은 종이다. 중요치(%) = 상대 밀도 + 상대 빈도 + 상대 피도이다. A의 중요치는 60, B의 중요치는 240이므로 B종이 우점종이다.

2-1 (1) 개척자가 지의류인 것으로 보아 1차 건성 천이이다.

(2) 숲이 형성될수록 지표면에 도달하는 빛의 세기가 약해져 양수림에서 음수림으로 천이가 일어난다.

(3) 모든 천이의 극상은 음수림이다. 음수림의 우점종은 음수이다.

2-2 (1) 산불 발생 후 다시 시작되는 천이는 2차 천이이다.

(2) 2차 천이는 초원부터 시작하며, 1차 천이에 비해 천이의 진행 속도가 빠르다.

(3) 극상은 천이의 마지막에 안정된 상태를 이루는 군집을 말한다.

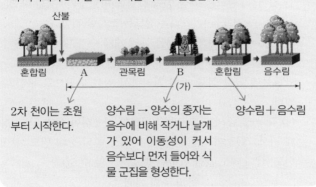
3일 개념 확인 151쪽

3-1 (1) ㅁ (2) ㄱ (3) ㄹ (4) ㄴ (5) ㅂ
3-2 (1) × (2) × (3) ○
4-1 ①
4-2 ①

3-1 (1) 토끼를 잡아먹는 스라소니는 포식자이고, 잡아먹히는 눈신토끼는 피식자이다. → 포식과 피식(ㅁ)

(2) 생태적 지위가 비슷한 두 종의 짚신벌레가 한 공간에서 경쟁한 결과 한 종만 살아남는 경쟁·배타가 일어난 것이다. → 종간 경쟁(ㄱ)

(3) 회충, 요충과 같은 기생충은 숙주인 동물의 몸속에 살면서 양분을 흡수하여 이익을 얻지만, 동물은 해를 입는다. → 기생(ㄹ)

(4) 빨판상어는 거북의 몸에 붙어살면서 쉽게 이동하고 먹이를 얻으며 보호를 받지만, 거북은 이익도 손해도 없다. → 편리 공생(ㄴ)

(5) 피라미와 은어는 생태적 지위가 비슷하여 이들이 함께 서식하면 경쟁이 일어나므로 먹이와 서식지를 달리하여 경쟁을 피한다. → 분서(ㅂ)

3-2 A는 한쪽이 손해를 보므로 기생, C는 모두 이익을 보므로 상리 공생이다. 따라서 B는 편리 공생이다.

(1) B는 편리 공생이므로 ㉠은 손해도 이익도 아니다.

(2) A는 종2가 종1(숙주)에 기생하는 기생이다.

(3) 뿌리혹박테리아는 대기 중에 존재하는 질소를 식물이 사용할 수 있는 형태로 전환하는 질소 고정 세균으로 콩과식물이 이용할 수 있는 질소 화합물을 제공해 주고 콩과식물은 뿌리혹박테리아가 서식할 수 있는 서식지와 먹이를 제공하므로 둘의 관계는 상리 공생(C)에 해당한다.

4-1 (나) 그래프를 보면 혼합 배양을 한 후 A종만 살아남고, B종이 사라지고 있으므로 A와 B는 경쟁 관계로 경쟁·배타의 원리가 적용됨을 알 수 있다.

4-2 A가 증가하면 B도 따라서 증가하고, A가 감소하면 B도 감소하는 것은 포식과 피식의 관계이다. 먼저 증가하는 A가 피식자이고, 그에 따라 뒤늦게 증가하는 B가 포식자이다. 포식과 피식의 관계의 예는 ①이다.

[오답 풀이]
②은 상리 공생, ③은 개체군 내의 상호 작용인 리더제, ④은 기생, ⑤은 경쟁이다.

3일 기초 유형 연습 152~153쪽

1 (1) 해설 참조 (2) 해설 참조 **2** 해설 참조 **3** ⑤ **4** ①
5 ④ **6** 해설 참조

1 (1) [모범 답안] A에서 전체 개체 수가 25, 참나물의 개체 수는 5이므로 참나물의 상대 밀도는 $\frac{5}{25} \times 100 = 20(\%)$이다.

(2) [모범 답안] 개체군의 밀도＝$\frac{개체\ 수}{면적}$이다. B에서 개망초와 패랭이꽃의 개체 수는 각각 10이고, 면적도 동일하므로 각 개체군의 밀도는 10으로 서로 같다.

2 양수의 묘목은 빛의 세기가 강한 양지에서 잘 생장하지만 음수의 묘목은 빛의 세기가 약한 음지에서도 잘 생장한다.

[모범 답안] 양수림이 형성되면 지표면으로 도달하는 빛의 세기가 감소하기 때문에 약한 빛에 적응한 음수의 묘목이 더 잘 생장하게 되어 음수림으로 천이가 이루어진다.

3 ㄴ. 천이가 진행될수록 군집의 높이가 증가하고 층상 구조가 발달한다. 이로 인해 지표에 도달하는 빛의 양이 점차 감소하게 된다.

ㄷ. 산불이 일어난 후에는 2차 천이가 진행되며, 2차 천이의 개척자는 초원(초본 식물)이다.

오답 풀이

ㄱ. A는 양수림, B는 음수림, C는 초원이다.

4 서식지나 먹이 등의 생태적 지위가 중복되는 두 종은 불필요한 경쟁을 피하기 위해 서식지나 먹이를 분할한다. 이러한 두 종 사이의 상호 작용을 분서라고 한다.

ㄱ. 경쟁을 피하기 위해 활동 영역을 나누는 것은 분서에 해당한다.

오답 풀이

ㄴ. 하나의 개체군에는 하나의 종이 존재하므로 서로 다른 종인 B와 C는 한 개체군을 이루지 않는다.

ㄷ. ㉠은 서로 다른 종 사이에서 일어나는 상호 작용이며, 꿀벌이 일을 분담하여 협력하는 것은 한 종 내에서 일어나는 상호 작용이다.

5 ㄱ. t_1일 때 개체 수가 일정하게 유지되는데 이는 환경 저항 때문이다.

ㄴ. C는 B의 포식자로, 피식자(B)의 개체 수 변동에 따라 개체 수가 조절된다.

오답 풀이

ㄷ. 포식과 피식의 관계이므로 경쟁·배타의 원리가 적용되지 않는다. 경쟁·배타 원리는 두 개체군이 경쟁한 결과 공존하지 못하고, 한 개체군은 살아남고 다른 개체군은 사라지는 원리이다.

6 서식지와 먹이가 비슷한 은어와 피라미가 서식지를 달리하는 것은 생태적 지위가 비슷한 개체군 사이에서 과도한 경쟁을 피하기 위해 분서를 한 것이다.

모범 답안 분서, 생태적 지위가 같은 피라미와 은어 사이에서 경쟁을 피하기 위한 것이다.

4일 **개념 확인** 155쪽

1-1 (1) A: 생산자, B: 1차 소비자, C: 2차 소비자 (2) b (3) 10 %
1-2 (1) ○ (2) × (3) ○ (4) ×
2-1 (1) ○ (2) ○ (3) ×
2-2 (1) ❶ 호흡량, ❷ 순생산량, ❸ 1500, ❹ 5700, ❺ 7200
(2) ❶ 순생산량, ❷ 고사량, ❸ 피식량, ❹ 5700, ❺ 2800, ❻ 1000, ❼ 1900

1-1 (3) 1차 소비자의 에너지 효율은
$$\frac{1차\ 소비자의\ 에너지양}{생산자의\ 에너지양} \times 100 = \frac{12}{120} \times 100 = 10(\%)$$이다.

1-2 (2) 생태계에서 에너지는 순환하지 않고 한쪽 방향으로 흐르다가 생태계 밖으로 빠져 나간다.
(4) 생태계에서 에너지는 빛에너지 → 화학 에너지 → 열에너지 순으로 전환된다.

2-1 A는 총생산량, B는 순생산량, C는 생장량이다.

2-2 (1) 총생산량＝호흡량＋순생산량
＝1500 kg＋5700 kg＝7200 kg
(2) 생장량＝순생산량－고사량－피식량
＝5700 kg－2800 kg－1000 kg＝1900 kg

4일 **개념 확인** 157쪽

3-1 (1) A, D (2) C (3) B
3-2 (1) ○ (2) ○ (3) ○
4-1 ㉢ → ㉡ → ㉠
4-2 (1) × (2) ○ (3) ○

3-1 (1) 질소 고정은 대기 중 질소가 식물이 이용할 수 있는 질소 화합물로 전환하는 과정으로, 대기 중의 질소는 질소 고정 세균에 의해 암모늄 이온(NH_4^+)으로 고정(D)되거나, 번개와 같은 공중 방전에 의해 질산 이온(NO_3^-)으로 고정(A)된다.
(2) 질산화 작용은 질산화 세균에 의해 토양 속 암모늄 이온(NH_4^+)이 질산 이온(NO_3^-)으로 전환되는 과정이다.
(3) 탈질산화 작용은 탈질산화 세균에 의해 질산 이온(NO_3^-)이 질소 기체(N_2)로 환원되어 대기 중으로 돌아가는 과정이다.

자료 해설 ➕ 질소 순환 과정

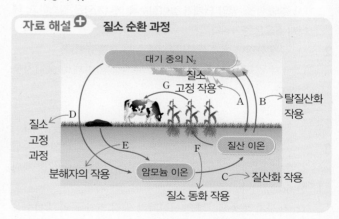

3-2 (1) 대기 중의 이산화 탄소는 생산자의 광합성에 의해 유기물로 합성된다. 따라서 ㉠은 광합성이다. 유기물 속의 탄소는 먹이 사슬(㉢)을 따라 소비자로 이동한다. 생산자와 소비자는 유기물 일부를 호흡(㉡)에 이용하고, 이때 탄소는 이산화 탄소 형태로 대기나 물속으로 돌아간다. 따라서 ㉠은 동화 작용, ㉡은 이화 작용이다.
(2) ㉢은 먹이 사슬을 통한 탄소의 이동이다.
(3) ㉣은 연소이다. 생물의 사체 중 분해되지 않은 유기물은 퇴적되어 화석 연료로 되었다가 연소되면서 이산화 탄소 형태로 대기 중으로 방출된다.

4-1 성게의 수가 증가(㉡)하였으므로 피식자인 해초(생산자)의 수가 감소하고, 포식자인 해달의 수가 증가한다(㉢). 해초의

감소와 해달의 증가로 인해 성게가 감소(㉠)하고, 그 결과 피식자인 해초의 수가 증가하고, 포식자인 해달의 수가 감소하여 생태계의 평형이 회복된다.

4-2 (1) 포식자의 개체 수가 급격히 감소하면 1차 소비자인 사슴의 개체 수가 급격히 늘어나 초원의 생산량이 급격히 감소하며, 생산자의 감소와 1차 소비자의 지나친 증가로 인해 생태계가 불안정해진다.

(2) 1910년대 후반 증가한 사슴이 초원의 풀을 먹어 치워 먹이 부족으로 1920년대 초반에 사슴 수가 급격히 감소한다.

(3) 초원이 생산자, 사슴이 1차 소비자, 늑대가 2차 소비자이다.

1 (1) C (2) 15 % (3) 해설 참조 **2** ④ **3** ⑤ **4** ①
5 ⑤ **6** ㄴ → ㄱ → ㄷ

1 (1) A는 최종 소비자(3차 소비자), B는 2차 소비자, C는 1차 소비자, D는 생산자이다.

(2) 에너지 효율은

$$\frac{현\ 영양\ 단계의\ 에너지\ 양}{전\ 영양\ 단계의\ 에너지\ 양} \times 100 = \frac{15}{100} \times 100 = 15(\%)이다.$$

(3) 모범 답안 **영양 단계가 높아질수록 에너지양은 감소하고, 에너지 효율은 증가한다.**

2 ㄱ. 총생산량에서 순생산량을 뺀 A는 호흡량이다.
ㄴ. 1차 소비자는 생산자로부터 유기물의 형태로 에너지를 얻는다.
오답 풀이
ㄷ. 생산자의 피식량이 1차 소비자가 이용한 에너지의 총량이다.

3 ㄱ. 순생산량 = 총생산량 − 호흡량이므로 생산자의 총생산량에서 순생산량이 차지하는 양은 호흡량인 40 %를 제외한 60 %이다.
ㄷ. 생산자의 총생산량은 생산자가 일정 기간 동안 광합성을 통해 합성한 유기물의 총량으로 순생산량과 호흡량을 더한 것이다.
오답 풀이
ㄴ. 생산자의 총생산량 중 소비자에게 전달되는 것은 피식량(=식물의 순생산량 중 초식 동물에게 먹힌 유기물의 양)을 통해서 알 수 있다. 따라서 15 %가 소비자에게 전달된다.

4 ㄱ. (가)는 질소 고정 세균에 의해 일어나는 질소 고정 과정이다.
오답 풀이
ㄴ. (나)는 탈질산화 세균에 의해 일어나는 탈질산화 작용이다.
ㄷ. 동물의 사체나 배설물 속의 질소 화합물도 암모늄 이온으로 분해되어 질소 순환에 영향을 미친다.

5 ㄱ. (가)는 석탄과 석유 같은 화석 연료가 연소되는 과정이다.

ㄴ. (나)는 광합성 과정으로 녹색광보다 청색광에서 활발히 일어난다.
ㄷ. 대규모의 벌목은 (나) 과정을 감소시켜 지구 온난화를 심화시킬 수 있다.

6 (나)에서 1차 소비자의 수가 증가하였으므로 피식자인 생산자의 수가 감소하고, 포식자인 2차 소비자의 수가 증가(ㄴ)한다. 피식자의 수 감소와 포식자의 수 증가로 인해 1차 소비자의 수가 감소(ㄱ)하고, 그 결과 피식자인 생산자의 수가 증가하고, 포식자인 2차 소비자의 수가 감소(ㄷ)하여 생태계의 평형이 회복된다.

1-1 (1) 생태계 다양성 (2) 종 다양성 (3) 유전적 다양성 (4) 생태계 다양성 (5) 유전적 다양성
1-2 (1) ○ (2) ○ (3) ×
2-1 ㄱ, ㄷ, ㄹ
2-2 (1) (나) (2) (가) (3) (다) (4) (라)

1-1 (4) 생태계에 따라 환경 요인과 서식하는 생물종이 다르며, 생물의 상호 작용도 다양하게 나타난다. 따라서 생태계가 다양할수록 종 다양성이 높다.

(5) 같은 생물종이라도 하나의 형질을 결정하는 대립유전자가 다양하여 무늬, 색 등의 형질이 다양하게 나타나는 것을 유전적 다양성이라고 한다.

1-2 (1) 군집 1과 군집 2의 식물 종 수는 4종으로 같다.

(2) 군집 1은 각 식물 종이 고르게 분포해 있으나, 군집 2는 A종의 분포 비율이 가장 높고, 각 식물 종의 분포 비율이 고르지 않다.

(3) 군집 1과 군집 2는 모두 A~D 4종이 분포하여 종의 수가 같지만, 군집 1이 군집 2보다 종이 더 고르게 분포하고 있으므로 종 다양성은 군집 2보다 군집 1이 더 높다.

2-1 ㄷ. 새로운 형질을 갖는 생물을 개발하는 데 필요한 유전자 자원을 제공한다. 예 야생벼에서 발견된 바이러스 저항성 유전자를 이용하여 바이러스에 저항성이 있는 벼 품종을 개발한다.
오답 풀이
ㄴ. 생물 자원은 지구상에 서식하는 생물이므로 과도하게 이용하면 고갈될 수 있는 자원이다.

2-2 (1) 목화로부터 면섬유, 누에로부터 비단 등을 얻는다.

(2) 벼, 옥수수 등은 식량이다.

(3) 숲, 강, 호수 등의 생태계는 휴양림, 생태 관광의 자원으로 이용된다.

(4) 주목은 항암제의 주성분이며, 푸른곰팡이는 항생제인 페니실린의 원료가 된다. 이외에 버드나무 껍데기는 아스피린의 원료로 이용된다.

3-1 (1) ○ (2) × (3) ○
3-2 (1) × (2) ○ (3) ○
4-1 (1) ○ (2) × (3) ○ (4) ○ (5) ○
4-2 (1) 서식지 파괴 (2) 외래종 도입 (3) 남획

3-1 (1), (3) 서식지의 면적이 감소할수록 주어진 면적에서 원래 발견되었던 생물종의 비율이 점차 줄어든다. 이를 통해 서식지 면적이 감소하면 그 지역의 생물 다양성이 감소한다는 것을 알 수 있다.
(2) 자료에서 서식지 면적이 절반으로 감소하면 약 10 % 정도 생물종이 감소하는 것을 알 수 있다.

자료 해설 ➕ 서식지 파괴

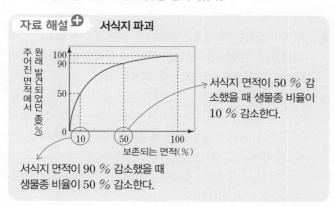

➔ 서식지 면적이 50 % 감소했을 때 생물종 비율이 10 % 감소한다.

서식지 면적이 90 % 감소했을 때 생물종 비율이 50 % 감소한다.

3-2 (1) (가)가 (나)처럼 도로와 철도에 의해 분할되면 도로와 철도 주변 가장자리의 길이와 면적이 늘어나므로 S_B 1개의 면적은 S_A의 보다 작다. 따라서 S_A는 S_B 4개를 합한 면적보다 크다.
(2) 서식지가 분할되면 서식지 면적이 감소하여 개체군의 크기가 감소한다.
(3) 서식지가 분할되면 생물종의 이동이 제한되어 고립된다. ➔ 단편화된 서식지에서만 교배가 일어나 유전적 다양성이 감소한다.

자료 해설 ➕ 서식지 단편화

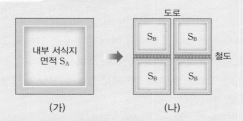

(가) (나)

• 철도와 도로에 의해 서식지가 4개로 단편화되었다.
➔ 서식지가 단편화되면 서식지 면적이 감소할 뿐만 아니라 가장자리의 비율이 늘어나고 서식지 중심부에서 가장자리까지의 거리가 짧아진다.
➔ 깊은 숲속에서 살아가는 생물의 실제적인 서식지가 크게 감소하게 된다.
➔ 서식지가 단편화되면 가장자리보다 숲 중앙에 서식하는 생물종이 더 큰 영향을 받는다.

4-1 (1) 생물 다양성 협약에 가입하는 것은 생물 다양성 보전을 위한 국제적 차원의 방법이다. 생물 다양성 협약은 1992년 생물종을 보전하기 위해 유엔(UN) 환경 개발 회의에서 채택하였다. 생물 다양성 협약 외에 물새 서식지로 중요한 습지를 보전하기 위한 람사르 협약(1971년), 모든 국가가 자국의 자생 생물에 대해 주권적 권리를 갖고, 다른 나라의 생물 자원을 무단으로 활용할 수 없도록 하기 위한 나고야 의정서(1971년 채택) 등이 있다.
(2) 멸종된 생물을 모두 복원하게 되면 현재 평형을 이루고 있는 생태계를 또다시 파괴할 가능성이 있으므로 생태계에 미치는 영향을 고려하여 적절하게 복원하여야 한다.
(3), (4), (5) 국립공원에 안식년 제도를 도입하는 것, 멸종 위기 식물을 천연 기념물로 지정하는 것, 생태적 가치가 있는 곳을 국립공원으로 지정하는 것 등은 모두 국가적 차원의 생물 다양성 보전 방법이다.

4-2 (1) 산을 절개하여 도로를 건설할 때 야생 동물의 이동 통로(생태 통로)를 설치하여 생태계가 단절되지 않도록 한다.

생태 통로

(2) 외래종은 천적이 없어 먹이 사슬에 변화를 일으켜 생태계의 평형을 파괴할 수 있으므로 외래종이 기존 생태계에 미치는 영향을 철저히 검증한 후 도입해야 한다.
(3) 야생 동물을 밀렵하거나 희귀 식물을 채취하는 것과 같이 특정 생물종을 불법 포획하거나 남획하면 그 생물종은 개체 수가 급격히 감소하여 멸종될 수 있다. 따라서 야생 생물 보호 및 관리에 관한 법률과 같은 생물종 보호를 위한 법률을 제정하여 시행한다.

1 ④ **2** 해설 참조 **3** ① **4** (1) 해설 참조 (2) 해설 참조
5 ① **6** ⑤

1 ㄴ. 종 다양성이 높을수록 생태계의 평형이 잘 유지된다.
ㄷ. 유전적 다양성이 높은 종은 급격한 환경 변화에 대한 적응력이 높다.

오답 풀이
ㄱ. 습지를 농지로 개척하면 생태계 다양성이 감소한다. 우포늪과 같은 자연 습지는 다른 생태계보다 많은 종류의 생물이 살아가므로 생물 다양성이 높은 반면 농지는 서식하는 생물의 종류가 적어 생물 다양성이 감소한다.

자료 해설 ➕ **생물 다양성**

한 개체군에서 개체 사이에 얼마나 다양한 유전자 변이가 존재하는가를 의미 →

(가) 생태계 다양성 　 (나) 종 다양성 　 (다) 유전적 다양성

일정한 지역에 존재하는 생태계의 다양한 정도를 의미

한 생태계 내 군집에 서식하는 생물종의 다양한 정도를 의미

2 모범 답안 (가), (가)와 (나)에는 모두 종 A, B, C, D 4종이 있지만, 지역 (나)보다 (가)가 4종의 분포 비율이 고르므로 종 다양성은 (가)가 (나)보다 높다.

3 ㄱ. 세균과 곰팡이는 사체나 배설물을 분해하는 분해자이다.

오답 풀이

ㄴ. 복잡한 먹이 사슬이 형성되면 한 종이 사라져도 그 포식자는 다른 종을 먹이로 할 수 있으므로 생태계의 평형이 잘 깨지지 않는다.

ㄷ. 족제비의 수가 감소하면 포식자가 줄어들었으므로 뱀의 수는 증가한다.

4 (1) 모범 답안 서식지가 단편화되면 가장자리의 길이와 면적은 증가하지만 내부의 면적은 크게 감소한다.

(2) 모범 답안 서식지가 단편화되면 서식지의 면적이 감소하고, 생물의 이동이 제한되어 고립되기 때문에 개체 수가 감소하면서 개체군이 멸종하기 쉬워 종 다양성이 감소된다.

5 ㄱ. 벼, 보리, 옥수수 등의 생물자원은 인간의 식량으로, 주목이나 푸른곰팡이 등은 의약품의 원료로 이용된다.

오답 풀이

ㄴ. 같은 종의 무당벌레에서 반점 무늬가 다양하게 나타나는 것은 유전적 다양성에 해당한다.

ㄷ. 한 생태계 내에 존재하는 생물종의 다양한 정도를 종 다양성이라고 한다.

6 생물 다양성 보존 대책으로 서식지 보호, 생태 통로 설치, 불법 포획과 남획 금지, 외래 생물의 무분별한 도입 방지, 멸종위기 종 보호와 관리, 생물 다양성 보전 관련 법 제정과 국제 협력 체결 등이 있다.

오답 풀이

⑤ 큰 지역은 작은 지역에 비해 더 많은 종을 보유하므로 다른 조건들이 같다면 큰 지역을 보호하는 것이 더 바람직하다.

4주 누구나 100점 테스트 　 166~167쪽

1 ①　2 ⑤　3 (가) 순위제, (나) 텃세, (다) 사회생활　4 해설 참조　5 ⑤　6 ⑤　7 ④　8 해설 참조　9 ②　10 ③

1 ㄱ. 같은 종의 개체들이 모인 집단을 개체군이라고 한다.

오답 풀이

ㄴ. 수온(비생물적 요인)이 돌말(생물적 요인)의 개체 수에 영향을 미치는 것은 작용(ㄴ)에 해당한다.

ㄷ. 식물(생물적 요인)의 낙엽으로 인해 토양(비생물적 요인)이 비옥해지는 것은 반작용(ㄱ)에 해당한다.

2 개체군의 밀도가 높아지면 먹이와 서식 공간의 부족, 노폐물의 축적, 질병 등 개체군의 생장을 억제하는 환경 요인(환경 저항)에 개체군의 생장 속도가 느려져 이론상의 생장 곡선과 다르게 S자형 생장 곡선을 나타낸다.

3 (가)는 순위제, (나)는 텃세이다. (다) 흰개미 개체군은 모두 혈연을 나눈 가족들로 구성되지만 왕개미, 여왕개미, 일개미, 병정개미 등 철저한 분업 체계를 이루고 있기 때문에 사회생활에 해당한다.

4 면적이 동일할 때 개체군 밀도가 같으면 개체 수도 같다.

모범 답안 (가)와 (나)의 면적은 동일하며, B의 개체군 밀도는 (가)에서와 (나)에서가 같으므로 ㄱ은 3이다.

5 ㄱ. ㄱ과 ㄴ이 포식과 피식, 상리 공생 중 하나인데, 상리 공생은 종 1과 종 2가 모두 이익인 관계이므로, ㄱ은 상리 공생이 아니다. 따라서 ㄴ이 상리 공생이고, ⓐ는 '이익'이다.

ㄴ. ㄴ이 상리 공생이므로 ㄱ은 포식과 피식이다.

ㄷ. 뿌리혹박테리아와 콩과식물 사이의 상호 작용은 상리 공생이므로 ㄴ에 해당한다.

6 ㄱ, ㄴ, ㄷ. (가)는 용암 대지에서 시작하므로 건성 천이 과정의 일부이다. 건성 천이 과정의 개척자는 지의류이므로 A는 지의류이고, B는 초원이다. (나)는 호수에서 시작하므로 습성 천이 과정의 일부이고 B는 초원, C는 양수림이다.

7 생태 피라미드는 아래에서 위로 갈수록 상위 영양 단계를 나타낸다. 따라서 (나)에서 가장 하위 영양 단계에 있는 A는 생산자이고 ㄱ은 1차 소비자이다.

ㄴ. (나)에서 1차 소비자의 에너지 효율이 10 %이고,

에너지 효율(%)은 $\dfrac{\text{현 영양 단계의 에너지 양}}{\text{전 영양 단계의 에너지 양}} \times 100$ 이므로

$10\% = \dfrac{ㄱ}{1000(\text{A의 에너지 양})} \times 100$ 에서 ㄱ은 100이다.

ㄷ. (가)에서 1차 소비자의 에너지 효율은 10 %, 2차 소비자의 에너지 효율은 15 %, 3차 소비자의 에너지 효율은 20 %이다. 그러므로 (가)에서 에너지 효율은 상위 영양 단계로 갈수록 증가한다.

오답 풀이

ㄱ. A는 생산자이다.

8 모범 답안 생산자의 개체 수는 감소하고, 1차 소비자의 개체 수는 증가한다.

9 ㄱ은 질소 고정 작용, ㄴ은 질소 동화 작용, ㄷ은 탈질산화 작용이다.

ㄴ. 과정 ㄴ은 저분자 물질인 암모늄 이온(NH_4^+)이 고분자

물질인 단백질이 되는 과정이므로 물질대사 중 동화 작용(질소 동화 작용)이다. 식물은 뿌리를 통해 암모늄 이온(NH_4^+)이나 질산 이온(NO_3^-)을 흡수하여 단백질과 같은 질소 화합물을 합성한다.

오답 풀이

ㄱ. 과정 ㉠은 대기 중의 질소(N_2)가 질소 고정 세균에 의해 암모늄 이온(NH_4^+)으로 고정되는 질소 고정 작용이다. 질소는 대기 중에 약 78 %를 차지할 정도로 풍부하지만 매우 안정하여 대부분의 생물이 이용할 수 없다. 그러나 질소 기체가 암모늄 이온(NH_4^+)이나 질산 이온(NO_3^-)으로 전환되면 생물이 흡수할 수 있다.

10 ㄱ. 생물 다양성이 낮으면 먹이 사슬이 단순해서 먹이 사슬 중 어떤 한 종이 사라지면 그 종을 대신할 수 있는 다른 생물이 적어 생태계 평형이 깨지기 쉽다. 생물 다양성이 높게 유지되는 생태계는 먹이 사슬이 복잡하게 형성되어 외부 환경에 의해 어떤 한 종이 사라져도 다른 종의 생물이 대신하여 생태계 평형이 쉽게 깨지지 않는다.

ㄴ. 사람의 눈동자 색깔이 다양한 것은 눈동자 색깔을 결정하는 대립유전자가 다양하기 때문으로, 유전적 다양성에 해당한다.

오답 풀이

ㄷ. 종 다양성은 종 수와 분포 비율의 균등함을 모두 포함한다. 따라서 종의 수가 많고 각 종이 차지하는 개체 수 비율이 균등할수록 종 다양성이 높다.

창의 · 융합 · 코딩

169~173쪽

정답 ⑤

다음은 하와이 주변의 얕은 바다에 서식하는 하와이짧은꼬리오징어에 대한 자료이다.

㉠ 하와이짧은꼬리오징어는 주로 밤에 활동하는데, 달빛이 비치면 그림자가 생겨 ㉡ 포식자의 눈에 잘 띄게 된다. 하지만 오징어의 몸에 사는 ㉢ 발광 세균이 달빛과 비슷한 빛을 내면 그림자가 사라져 포식자에게 쉽게 발견되지 않는다. 이렇게 오징어에게 도움을 주는 발광 세균은 오징어로부터 영양분을 얻는다.

하와이짧은꼬리오징어

이에 대한 설명으로 옳은 것만을 〈보기〉에서 있는 대로 고른 것은?

─ 보기 ─

ㄱ. ㉠과 ㉡은 같은 군집에 속한다.
ㄴ. ㉠과 ㉢ 사이의 상호 작용은 상리 공생이다. ❶
ㄷ. ㉡을 제거하면 ㉠의 개체군 밀도가 일시적으로 증가한다. ❷

❸

① ㄱ   ② ㄴ   ③ ㄱ, ㄷ
④ ㄴ, ㄷ   ⑤ ㄱ, ㄴ, ㄷ

❶ 군집의 개념을 알고 있어야 한다.
❷ 상리 공생의 개념을 알고 있어야 한다.
❸ 포식과 피식의 관계를 알고 있어야 한다.

❶ 군집은 한 지역에 서식하며 상호 작용하는 여러 개체군으로 이루어진 집단이다. ㉠과 ㉡은 한 지역에 서식하는 서로 다른 종이므로 같은 군집에 속한다.

❷ ㉢은 ㉠을 포식자로부터 보호하고 ㉠으로부터 영양분을 얻으므로 ㉠과 ㉢ 사이의 상호 작용은 상리 공생이다.

❸ 포식자는 피식자를 잡아먹는 동물이다. 따라서 포식자(㉡)를 제거하면 피식자(㉠)의 개체군 밀도가 일시적으로 증가한다.

---

1 ⑤   **2** ④   **3** ⑤   **4** ⑤   **5** ③   **6** ②

1 ㄱ. A는 분해자, B는 생산자, C는 소비자, ㉠은 작용, ㉡은 반작용이다.

ㄴ. 대기 오염의 정도에 따라 지의류의 분포가 달라지는 것은 ㉠에 해당한다.

ㄷ. 탄소는 포도당과 같은 유기물의 형태로 생산자에서 소비자로 전달된다.

2 ㄱ. A와 B는 개체군 간의 상호 작용에 해당하며, 각각 상리 공생, 포식과 피식이다. A는 두 집단이 모두 이익을 얻는 것이므로 상리 공생이다.

ㄷ. C와 D는 개채군 내 상호 작용으로 각각 순위제와 텃세이다. ㉠은 텃세와 순위제를 구분하는 질문이어야 한다. 따라서 '힘의 강약에 따라 서열이 정해지는가?'는 순위제에 해당하고 텃세에는 해당하지 않으므로 ㉠으로 가능하다.

오답 풀이

ㄴ. B는 포식과 피식이다. 포식과 피식은 경쟁 관계가 아니므로 경쟁·배타 원리가 적용되지 않는다.

3 군집 내 상호 작용 중 (가)는 기생의 예이고, (나)는 상리 공생의 예이다.

ㄱ. (가)는 기생의 예이다.

ㄴ. (가)에서 겨우살이가, (나)에서 뿌리혹박테리아와 콩과식물이 이익을 얻는다.

ㄷ. 꽃과 벌새가 모두 이익을 얻는 상호 작용이므로 상리 공생의 예에 해당한다.

4 ㄱ. ㉠과 ㉡은 각각 호흡량과 총생산량 중 하나인데, 총생산량＝호흡량＋순생산량이므로 ㉠은 총생산량, ㉡은 호흡량이다.

ㄴ. 에너지 효율은 2차 소비자가 20 %, 1차 소비자가 10 %이므로 2차 소비자가 1차 소비자의 2배이다.

ㄷ. 순생산량＝총생산량－호흡량인데 t_1에서 t_2로 갈수록 총생산량은 감소하고, 호흡량은 일정하다. 따라서 순생산량은 t_1일 때가 t_2일 때보다 크다.

5 ㄱ. A는 생산자가 직접 이용할 수 있는 기체이므로 이산화 탄소이다.

ㄴ. B는 질소(N_2)이다. 질소는 질소 고정 세균에 의해 암모늄 이온(NH_4^+)이 되어 생물에 이용된다.

ㄷ. ㉠은 질산 이온(NO_3^-)이 탈질산화 세균에 의해 질소(N_2) 기체가 되어 대기로 돌아가는 탈질산화 작용이다. 질소 동화 작용은 식물이 뿌리로 흡수한 암모늄 이온(NH_4^+)과 질산 이온(NO_3^-)을 이용하여 단백질과 핵산을 합성하는 과정이다.

6 생물 다양성에는 유전적 다양성, 종 다양성, 생태계 다양성이 있다.

학생 C: 삼림, 초원, 사막, 습지 등이 다양하게 나타나는 것은 생태계 다양성에 해당한다.

학생 A: 같은 종의 달팽이에서 껍데기의 무늬와 색깔이 다양하게 나타나는 것은 무늬의 모양과 색깔을 결정하는 대립유전자가 다양하기 때문으로, 유전적 다양성에 해당한다.

학생 B: 유전적 다양성이 높다는 것은 한 개체군에서 개체 간 유전자 변이가 다양하여 형질이 다양하게 나타나는 것을 의미한다. 따라서 유전적 다양성이 낮은 종은 급격한 환경 변화나 전염병이 발생했을 때 살아남을 수 있는 개체가 존재할 확률이 낮으므로 멸종될 확률이 높다.

정답은
이안에
있어!